Camilla Grebe est déjà célèbre en Suède pour sa série de polars écrite avec sa sœur. *Un cri sous la glace*, son premier livre en solo et finaliste du prix Best Swedish Crime Novel of the Year, s'est hissé en tête des ventes dès sa sortie. *Le Journal de ma disparition* a reçu en 2018 le Glass Key Award, qui couronne le meilleur polar de tous les pays nordiques réunis.

Paru au Livre de Poche :

UN CRI SOUS LA GLACE

CAMILLA GREBE

Le Jøurnal
de ma disparitiøn

TRADUIT DU SUÉDOIS PAR ANNA POSTEL

CALMANN-LÉVY

Titre original :

HUSDJURET
Publié par Wahlström & Widstrand, 2017.

À Åsa et Mats.
Vous avez prouvé que l'on peut sortir des ténèbres,
même les plus profondes.

« Qui sème le vent récolte la tempête. »
Proverbe bosniaque

ORMBERG

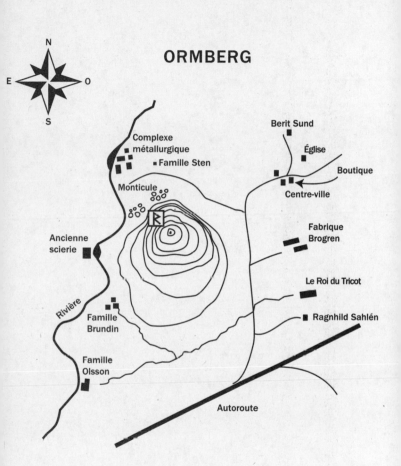

ORMBERG

2009

Malin

Ce soir-là, j'ai traversé les bois agrippée au bras de Kenny. Ce n'était pas par peur, bien sûr – je ne croyais pas aux fantômes, à la différence de beaucoup d'autres. Comme la mère de Kenny, par exemple, qui passait son temps devant son téléviseur à regarder des médiums de pacotille fouiller de vieilles demeures soi-disant hantées en quête d'esprits inexistants.

Pourtant, à Ormberg, qui pouvait se targuer de n'avoir jamais entendu des vagissements de nourrisson près du monticule de pierres ? Cette sorte de plainte mélancolique et interminable. Le cri de « l'enfant-fantôme ». Alors, même si je n'accordais aucun crédit aux revenants et aux inepties de cette nature, je préférais jouer de prudence – je ne venais jamais seule une fois la nuit tombée.

J'ai levé les yeux vers la cime fuselée des sapins. Ils étaient si hauts qu'on entrevoyait à peine le ciel et la lune blafarde, ronde comme un ballon.

Kenny m'a tirée par la main. Les bouteilles de bière s'entrechoquaient dans le sac plastique et l'odeur de sa cigarette se mêlait à celle de l'humus moite et des feuilles en décomposition. Quelques mètres derrière nous, Anders avançait d'un pas lourd entre les rameaux de myrtilles, sifflant un air que j'avais entendu à la radio.

— Ben alors, Malin !

— Quoi ?

— Tu marches encore moins vite que ma daronne ! Tu es déjà bourrée, ou quoi ?

La comparaison était injuste – la mère de Kenny pesait au moins deux cents kilos et je ne l'avais jamais vue parcourir une distance plus longue que celle qui séparait le canapé des toilettes. Ce qu'elle faisait au prix d'un immense effort.

— Ferme-la, Kenny !

J'ai employé un ton faussement ennuyé, espérant qu'il comprendrait que je plaisantais. Que cette invective renfermait un respect mêlé d'amour.

Nous n'étions ensemble que depuis deux semaines. Outre les traditionnels baisers échangés sur son lit aux effluves nauséabonds, nous avions passé notre temps à définir nos rôles au sein du couple. Lui : dominant, drôle (parfois à mes dépens) et quelquefois envahi par une neurasthénie précoce et égocentrique. Moi : admirative, magnanime, docile (souvent à mes propres dépens), lui offrant un soutien sans faille dans ses moments de dépression.

L'amour que je portais à Kenny était si impétueux, si instinctif, si charnel aussi, qu'il m'épuisait. Je refusais pourtant de me passer de lui un seul instant, comme si je craignais qu'il ne fût qu'un rêve, une chimère que mon cerveau languissant d'adolescente avait créée de toutes pièces.

Les conifères autour de nous semblaient vieux comme la terre. De doux oreillers de mousse s'étendaient à proximité de la souche et une barbe de lichen poussait sur les épaisses branches au ras du sol.

16

Tout à coup, un craquement a retenti dans le lointain.

— Qu'est-ce que c'est ?

Ma voix m'a paru un peu trop stridente.

— C'est l'enfant-fantôme, a annoncé Anders sur un ton théâtral, quelque part derrière moi. Il est venu te chercheeeer !

— Merde, Anders ! Arrête de lui foutre les jetons ! l'a rabroué Kenny, mû par un instinct de protection aussi soudain qu'inattendu.

J'ai gloussé et manqué de perdre l'équilibre en butant sur une racine, mais la main chaude de Kenny était là, dans le noir. Il a changé son pied d'appui pour me retenir, faisant tinter les bouteilles dans le sac.

Son geste attentionné a diffusé une vague de chaleur dans mon corps.

La forêt de sapins s'éclaircissait à mesure que nous avancions, comme si les arbres reculaient sur notre passage, et nous avons débouché sur la petite clairière où se dressait le monticule de pierres. Au clair de lune, on aurait dit une immense baleine échouée – tapissée de mousses et de minuscules fougères qui se balançaient doucement au gré de la brise.

De l'autre côté de la trouée, la silhouette sombre du hameau d'Ormberg se détachait sur le ciel nocturne.

J'ai brisé le silence :

— Les gars, on est obligés de passer la soirée dans les bois par ce temps ? On se les pèle. Si c'est juste pour boire, autant aller chez l'un d'entre nous.

— Je vais te réchauffer, a ricané Kenny.

Il m'a attirée tout contre lui. Son haleine fleurait la bière et le tabac. J'aurais voulu détourner le visage, mais je me suis efforcée de rester immobile, de soutenir son regard. C'était ce qu'il attendait de moi.

Anders continuait de siffler. Il s'est laissé tomber lourdement sur l'un des gros rochers ronds et s'est emparé d'une bière. Puis il a allumé une cigarette et a dit :

— Je croyais que t'avais envie d'entendre l'enfant-fantôme.

— Les fantômes n'existent pas, ai-je rétorqué en m'asseyant sur une pierre plus petite. Il n'y a que les imbéciles pour y croire.

— La moitié d'Ormberg pense que l'enfant-fantôme existe.

Il a décapsulé sa bouteille et l'a portée à ses lèvres.

— Ce qui veut tout dire.

Ma remarque a fait glousser Anders, mais Kenny semblait sourd à mes paroles. D'ailleurs, la plupart du temps, il ne m'écoutait pas. En tout cas, pas vraiment. Il s'est avancé vers moi, m'a caressé les fesses et a glissé un pouce froid sous la ceinture de mon pantalon. Puis, il a approché une cigarette de ma bouche. Obéissante, j'ai avalé une profonde bouffée, penché la tête en arrière et craché la fumée, les yeux rivés sur la pleine lune.

Dans le silence, les bruits de la forêt étaient amplifiés : le chuintement du vent dans les fougères, des crépitements et des claquements étouffés qui semblaient provenir de milliers de doigts invisibles progressant à tâtons entre les branchages, et le ululement inquiétant d'un oiseau dans le lointain.

Kenny m'a tendu une bière.

J'ai avalé une gorgée amère et froide en fouillant du regard l'obscurité entre les sapins. Quelqu'un pourrait se tapir là, dissimulé derrière un tronc. Il pourrait sans peine nous surprendre dans la clairière, aussi facilement que de traquer un cerf dans un enclos ou d'attraper des poissons rouges dans un bocal.

Mais pourquoi ferait-on cela à Ormberg ?

Ici, il ne se passait jamais rien, ce qui justifiait peut-être l'engouement des habitants pour les histoires de revenants : ils les inventaient pour ne pas mourir d'ennui.

Kenny a éructé discrètement avant de décapsuler une nouvelle bière. Puis il s'est tourné vers moi et m'a embrassée. Sa langue glaciale avait le goût de bière.

— Vous ne pouvez pas faire ça ailleurs ? s'est exclamé Anders avant d'émettre un rot sonore, presque comme s'il posait une question à laquelle il attendait de notre part une réponse.

Son commentaire a semblé encourager Kenny qui a introduit une main dans l'ouverture de mon manteau, puis sous mon pull pour me pincer le sein. Je me suis décalée pour lui faciliter l'accès et j'ai laissé courir ma langue sur ses dents du haut.

Soudain, Anders a bondi sur ses pieds. J'ai repoussé Kenny.

— Qu'est-ce qu'il y a ?

— J'ai entendu quelque chose. On aurait dit… des pleurs, des gémissements…

Anders a lâché un cri plaintif avant de partir d'un rire tonitruant, projetant des gouttelettes de bière autour de lui.

Je me suis tournée vers lui.

— T'es taré ! Bon, je vais faire pipi. Vous n'avez qu'à continuer votre chasse aux fantômes.

J'ai contourné le monticule pour me mettre à l'abri des regards. Une fois certaine que les garçons ne me voyaient pas, j'ai déboutonné mon jean et me suis accroupie.

Quelque chose – de la mousse ou une plante – me chatouillait la jambe. Le froid se faufilait le long de mes cuisses et sous mon anorak. Je frissonnais. Quelle idée de passer la soirée ici ! Pourquoi avoir accepté lorsque Kenny me l'avait proposé ? J'ai toujours eu du mal à dire non.

L'obscurité était compacte. Sortant un briquet de mon manteau, j'ai actionné la petite roue métallique d'un mouvement vif du pouce pour éclairer le sol : feuilles d'automne, mousse soyeuse, grosses pierres. Et là, logée dans une brèche entre deux rocs, j'ai aperçu une forme blanche et lisse, pareille au chapeau d'un grand champignon.

Les voix de Kenny et Anders me parvenaient, animées, enivrées, bredouillantes. Il était encore question du fantôme. Ils parlaient vite, butaient sur les mots, éclataient de rire au beau milieu d'une phrase.

Peut-être était-ce la curiosité, peut-être n'avais-je pas envie de retourner auprès d'eux, mais quelque chose m'a poussée à vouloir observer de plus près cette espèce de champignon. D'ailleurs, avait-on déjà vu de tels champignons en cette saison, au plus profond de la forêt ? Je n'ai jamais cueilli ici que des chanterelles. J'ai approché le briquet de la crevasse. La clarté de la flamme révélait plus nettement les contours de l'objet. J'ai déplacé quelques feuilles, arraché les racines d'une minuscule fougère.

Oui, il y avait bien quelque chose.

Toujours accroupie, le jean sur les chevilles, j'ai introduit ma main libre dans la faille pour palper la surface blanche et polie. Elle était dure comme un galet ou de la porcelaine. Peut-être un vieux bol ? En tout cas, pas un champignon.

J'ai tendu le bras pour déloger la pierre qui bloquait l'objet. En dépit de sa petite taille et de sa légèreté, elle a atterri avec un bruit sourd sur le tapis végétal à côté de moi.

Ce que je prenais pour un récipient était là, mis à nu. De la taille d'un pamplemousse, ébréché et couvert d'une sorte de mousse filamenteuse et brunâtre. J'ai roulé quelques fils entre le pouce et l'index. Et tout à coup, j'ai compris. Le briquet m'est tombé des mains. Titubant dans l'obscurité, j'ai poussé un hurlement qui provenait du plus profond de mes entrailles et ne semblait jamais devoir prendre fin. Comme si la terreur chassait de mes poumons tous les atomes d'oxygène de mon corps.

Lorsque Kenny et Anders sont arrivés à la rescousse, mon pantalon demeurait baissé et ma poitrine avait donné au cri une nouvelle vie. Ce n'était pas un bol. Ni de la mousse.

C'était un crâne avec de longs cheveux bruns.

ORMBERG

8 ans plus tard, 2017

Jake

Je m'appelle Jake. À prononcer à l'anglaise, « Djeik », car mes parents m'ont baptisé d'après Jake Gyllenhaal, l'un des plus grands acteurs de tous les temps. Mes camarades de classe massacrent mon prénom à dessein : ils disent « Ya-ké » et font rimer le mot avec « laqué », « hacker » ou pire, « paquet ». J'aurais aimé porter un autre prénom, mais je n'y peux pas grand-chose. Je suis qui je suis. J'ai le prénom que j'ai. Ma mère tenait à m'appeler ainsi et mon père cédait toujours à ses caprices. Peut-être parce qu'elle était ce qu'il avait de plus cher au monde.

Bien que ma mère soit décédée, elle a encore sa place parmi nous. Parfois, mon père met une assiette et des couverts en plus et, quand je lui pose une question, il arrive qu'il marque une longue pause, comme s'il réfléchissait à ce qu'elle en aurait pensé. Puis il répond : « D'accord, je peux te prêter cent couronnes » ou « OK, tu peux aller regarder un film chez Saga, mais reviens pour dix-neuf heures ».

Mon père ne me refuse presque jamais rien, même s'il est un peu plus rigoureux depuis que l'ancien atelier textile, Le Roi du Tricot, est redevenu un centre d'accueil pour les demandeurs d'asile.

J'ai tendance à croire qu'il a le cœur sur la main, mais selon Melinda, ma sœur aînée, il est trop léthargique pour protester. Pour prouver ses allégations, elle lance un regard éloquent aux cannettes de bière vides avec un sourire en biais, tout en soufflant de parfaits ronds de fumée qui s'élèvent tout en douceur vers le plafond.

Melinda se montre d'une ingratitude ! Si notre mère était encore là, jamais ma sœur ne serait autorisée à fumer à la maison. Au lieu de s'en réjouir, elle traite notre père de léthargique. C'est malhonnête, injuste et méchant.

Du temps où ma grand-mère maternelle était en vie, elle disait que mon père n'avait « pas inventé le fil à couper le beurre », mais que nous possédions le pavillon le plus élégant de tout le village – et c'était déjà pas mal. Je crois qu'elle ne se rendait pas compte que je comprenais l'expression. Ce n'était pas grave de ne pas avoir « inventé le fil à couper le beurre » tant qu'on avait une belle maison.

Le pavillon le plus élégant d'Ormberg est situé à cinq cents mètres de l'autoroute, au beau milieu d'une forêt de sapins, non loin d'une rivière qui serpente jusqu'à Vingåker. Si notre villa est si jolie, c'est d'une part parce que mon père est menuisier et d'autre part parce qu'il a rarement du travail. C'est une chance pour nous : il passe le plus clair de son temps à s'en occuper.

Il a abattu les taillis tout autour et bâti une terrasse si grande que l'on peut y jouer au basket. Ou y faire de la bicyclette. S'il n'y avait pas eu de rambarde, on aurait pu, en prenant de l'élan, sauter directement dans le ruisseau depuis le petit côté. Aucun adulte ne consentirait à faire cela – l'eau est glaciale, même en période estivale, et le fond est vaseux, tapissé de plantes aquatiques et de vers visqueux. Parfois, l'été, Melinda et moi gonflons nos vieux matelas pneumatiques et nous laissons porter par le courant jusqu'à l'ancienne scierie. La canopée forme une toiture verte qui rappelle les napperons en crochet ajouré que confectionnait ma grand-mère. On n'entend que le gazouillis des oiseaux, le grincement du caoutchouc lorsque nous changeons de position, et le clapotis de la cascade qui s'écoule dans l'étang près du complexe métallurgique désaffecté.

En arrivant à la chute d'eau, nous sommes forcés de descendre de nos embarcations, de les soulever à bout de bras et de passer les rapides peu profonds à pied avant de déboucher sur le bassin couvert d'algues et de nénuphars.

Lorsque mon grand-père – que je n'ai pas connu – était jeune, il travaillait à la scierie, mais elle a mis la clef sous la porte bien avant la naissance de mon père. Le bâtiment en ruines a été incendié par des skinheads de Katrineholm quand mon père avait mon âge – quatorze ans –, mais les vestiges carbonisés sont encore visibles aujourd'hui, pareils à des canines dressées au milieu des buissons.

Mon père raconte que jadis, ce n'était pas le boulot qui manquait à Ormberg : dans l'agriculture, à l'usine, chez Brogren ou au Roi du Tricot. À présent, à l'exception des paysans, tout le monde est au chômage. Les industries ont été délocalisées en Chine, et la grande bâtisse de brique aux allures de château qui abritait naguère le Roi du Tricot s'est transformée en centre pour demandeurs d'asile.

En dépit de son laxisme, mon père nous a interdit, à Melinda et moi, de nous y aventurer. Il n'a nullement besoin de réfléchir à ce que notre mère en aurait pensé. Si nous le lui demandons, il répond « non » du tac au tac. « Par mesure de sécurité », ajoute-t-il. Ce qu'il redoute, nous ne le comprenons guère, mais quand il brandit cet argument, Melinda lève toujours les yeux au ciel, provoquant l'ire de mon père qui se met alors à parler de califats, de burqas et de viols.

Je sais ce que sont une burqa et un viol, mais pas un califat. Je l'ai noté pour le chercher plus tard, sur Google. C'est ce que je fais avec les mots que j'ignore, parce que je suis féru de mots, en particulier lorsqu'ils sont complexes. On peut dire que j'en fais la collection.

Encore un secret que je ne peux divulguer. On risque une raclée pour moins que ça à Ormberg. Par exemple, si l'on a des goûts musicaux qui sortent de l'ordinaire, ou si on lit des livres. Certaines personnes – moi, en l'occurrence – se font rosser plus souvent que d'autres.

Je sors sur la terrasse et, appuyé contre la rambarde, j'observe la rivière. Les nuages orageux se sont dissipés, laissant entrevoir une tache de ciel bleu et, juste au-dessus de l'horizon, le soleil d'un orange éblouissant. Le givre, semblable à une couverture velue sur les lattes en bois, scintille dans les derniers rayons et le ruisseau s'écoule, sombre et paresseux, en contrebas.

Le cours d'eau ne gèle jamais – il est en perpétuel mouvement. On pourrait s'y baigner tout l'hiver, quoique, bien sûr, personne ne le fasse.

La terrasse est jonchée de branches qui se sont abattues lors de la tempête de la nuit passée. Je devrais peut-être les ramasser et les jeter au compost, mais je suis hypnotisé par le soleil accroché comme une orange sous les nuages.

— Jake, rentre, bon sang ! crie mon père depuis le salon. Il fait un froid de canard !

Je lâche la rambarde, observe les empreintes humides et bien formées dans le givre à l'endroit où reposaient mes mains, et retourne dans la maison.

— Ferme la porte !

Mon père, enfoncé dans le fauteuil massant face au grand écran plat, attrape la télécommande pour baisser le volume. Une ride est apparue entre ses deux sourcils épais. Il caresse son crâne dégarni d'une main constellée de taches de rousseur puis, comme par automatisme, la plaque sur les boutons du siège massant qui a rendu l'âme depuis belle lurette.

— Qu'est-ce que tu faisais dehors ?

— Je regardais la rivière.

La *rivière* ? Sans blague ?

Le sillon sur le front de mon père se creuse comme si je venais de prononcer l'un de ces mots abscons dont le sens lui échappe. Il décide néanmoins de ne pas s'appesantir sur le sujet.

— Je vais passer chez Olle tout à l'heure, m'informe-t-il en déboutonnant son jean qui lui comprimait l'abdomen. Melinda a préparé à manger. C'est dans le frigo. Ne m'attends pas pour dîner.

— D'accord.

— Elle a promis de rentrer avant vingt-deux heures.

Je hoche la tête et vais me chercher un Coca-Cola dans la cuisine. En montant dans ma chambre, je sens des picotements d'excitation dans le ventre. J'ai au moins deux heures devant moi.

Le soleil s'est couché lorsque mon père s'en va. Il claque la porte avec une telle violence que ma fenêtre tremble. Sa voiture démarre et s'éloigne. Je patiente quelques instants, pour être sûr qu'il ne revient pas, avant de me glisser dans la chambre de mes parents.

Si le lit matrimonial est défait du côté de mon père, du côté de ma mère, en revanche, la couverture est bordée et les oreillers joufflus bien calés contre le mur. Sur la table de chevet repose le livre qu'elle lisait juste avant de mourir, celui qui parle d'une femme qui a une liaison avec un homme plein aux as du nom de Grey, un sadique qui ne tombe jamais amoureux. Ce qui n'empêche pas la fille de s'enticher de lui – parce que les femmes adorent souffrir. En tout cas, c'est ce que dit Vincent. J'ai du mal à y croire. Je veux dire… Qui aime se faire frapper ? Pas moi. J'ai tendance à croire que la fille en veut à l'argent de Grey, parce que tout le monde raffole du pognon – la plupart des gens remueraient ciel et terre pour devenir riches. Ils accepteraient de se faire cogner ou de tailler une pipe à un répugnant sadique, par exemple.

Je m'approche de l'armoire de ma mère. Tire la porte ornée d'un miroir. Elle se bloque. Je suis obligé de lui asséner un petit coup. La penderie ouverte, je caresse les vêtements : étoffes de soie chatoyante, robes à paillettes, velours doux, jean rêche, coton froissé.

Je ferme les yeux. Déglutis. C'est si beau. Si parfait. Si j'avais autant d'argent que ce Grey, je me ferais aménager un grand dressing où serait suspendue ma panoplie de sacs à main, un pour chaque occasion et pour chaque saison. Mes chaussures disposeraient d'un placard attitré pourvu d'un éclairage intérieur.

Je comprends bien que c'est impossible. Non seulement à cause du prix exorbitant, mais aussi parce que je suis un garçon. Si j'avais une garde-robe remplie de fringues de gonzesse, cela montrerait à quel point je suis détraqué. Cela prouverait que je suis un monstre. Que je suis bien plus malade que ce Grey – car maltraiter et enchaîner les femmes, c'est acceptable, mais pas s'habiller comme elles.

En tout cas pas à Ormberg.

Je jette mon dévolu sur la robe dorée à paillettes. Les bretelles sont fines, la doublure brillante, un peu glissante. Ma mère la portait généralement pour le Nouvel An et lorsqu'elle partait en croisière en Finlande avec ses amies.

La tenue placée devant le corps, j'esquisse quelque pas en arrière pour examiner mon reflet. Un garçon maigre aux cheveux bruns dressés comme un panache autour de son visage blême me fait face. Je pose délicatement le vêtement sur le lit. Direction, la commode. Premier tiroir. J'opte pour un soutien-gorge noir à dentelles que j'agrafe après avoir retiré jean et pull à capuche.

C'est assez grotesque, bien sûr. Là où devraient saillir des seins, je n'ai qu'une poitrine plate, d'une blancheur d'albâtre, où pointent deux ridicules petits tétons. Le tissu bâille sur ma cage thoracique. Je glisse une chaussette roulée dans chaque bonnet et enfile la robe par-dessus ma tête. Comme à chaque fois que je l'essaie, je suis frappé par sa lourdeur, par la froideur de l'étoffe contre ma peau.

En m'observant à nouveau dans le miroir, un malaise m'envahit. J'aurais préféré endosser d'autres habits que ceux de ma mère, mais je ne possède évidemment pas de vêtements féminins. Melinda, elle, s'habille surtout en jean et en débardeur. Jamais elle ne revêtirait d'aussi belles tenues.

Je réfléchis aux chaussures qui se marieraient le mieux avec la robe. Les noires serties de pierres roses, peut-être ? Ou les sandales à lanières bleues et rouges ? J'opte pour les noires – comme presque à chaque fois – parce que j'ai un penchant pour le strass. Il me fait penser aux bijoux onéreux dont se parent les filles dans les vidéos YouTube que regarde Melinda.

Je recule à nouveau et admire mon reflet. Si seulement j'avais les cheveux un tantinet plus longs, je ressemblerais vraiment à une fille. Peut-être que je peux les laisser pousser un peu ? Au moins pour pouvoir les attacher.

L'idée est séduisante…

Je m'achemine vers la chambre de Melinda, poinçonnant au passage l'épaisse moquette. Mon père en a posé dans toute la maison – hormis dans la cuisine – parce que c'est si moelleux sous les pieds. Je me délecte de la sensation des talons qui s'enfoncent dans ce tapis touffu. C'est comme si je marchais dans l'herbe, comme si j'étais déjà dehors.

Je plonge la main dans la trousse à maquillage de Melinda, grande et chaotique. Un coup d'œil à ma montre m'indique que je dois me hâter. Je trace de gros traits d'eye-liner sur mes paupières, comme la chanteuse Adele, et je me mets du rouge à lèvres bordeaux. Une vague de chaleur se diffuse dans mon corps.

Je suis magnifique.

Je suis Jake, mais en même temps pas vraiment. Mon reflet est plus beau, plus parfait. Plus moi-même en quelque sorte.

Dans le vestibule, j'enfile un gilet en laine noire appartenant à Melinda. La température frôle zéro degré. Même si j'en meurs d'envie, je ne peux pas sortir juste en robe. Le cardigan me démange. Impossible de le fermer, tous les boutons se sont détachés. Le froid me grignote les jambes lorsque je verrouille la porte et dépose la clef dans le pot de fleurs vide et craquelé. Le gravier de l'allée crisse sous mes chaussures et je manque de perdre l'équilibre avec mes talons vertigineux.

Un effluve de terre mouillée flotte dans l'obscurité morne. Une bruine neigeuse s'est mise à tomber. Le froufrou de la robe accompagne mes pas. Les sapins qui bordent la route se tiennent cois. Je me demande s'ils me voient et ce qu'ils pensent de moi. Je ne crois pas qu'ils aient d'objections à mon accoutrement. Ce ne sont que des arbres.

Je m'engage sur le sentier. La départementale se trouve à une centaine de mètres. Je peux me rendre jusque-là, mais pas plus loin. On pourrait me voir et ce serait la pire chose qui puisse arriver. Pire que la mort.

J'aime me balader seul dans la forêt – et plus encore quand je porte les vêtements de ma mère. Je m'imagine à Katrineholm, en chemin vers un bar ou un restaurant. Un vœu pieux, bien sûr.

À quelques mètres de la route, je m'arrête. Je ferme les yeux, tente de savourer pleinement l'instant, car je sais que je dois rentrer sous peu. Regagner le pavillon le plus élégant d'Ormberg, retrouver le grand écran, le fauteuil massant et ma chambre criblée d'affiches de cinéma. Rejoindre le frigidaire bourré de plats préparés avec sa machine à glaçons intégrée qui ne fonctionne que si on lui décoche quelques gros coups de poing.

Redevenir Jake qui n'a ni robe, ni soutien-gorge, ni talons.

Des gouttes d'eau glacée tombent dans mes cheveux, coulent le long de mon cou et entre mes omoplates. Je frissonne. Pourtant, la météo n'est pas si mauvaise. Hier, c'était bien pire. Le vent était si violent qu'il aurait pu arracher la toiture.

Un craquement sourd m'extirpe de mes pensées. Qu'est-ce ? Un chevreuil ? Possible, dans cette forêt giboyeuse. Un jour, mon père est revenu avec une bête entière. Olle l'avait abattue. Elle est restée suspendue la tête en bas dans le garage pendant plusieurs jours avant que mon père ne se décide à la dépecer et la débiter.

Le bruit se rapproche. Des rameaux qui se brisent. Puis un autre son, un gémissement étouffé, comme le cri d'un animal blessé. Immobile, je scrute l'obscurité.

Une ombre se faufile entre les conifères, rampe entre les branchages. *Un loup ?* Cette pensée surgit alors que je sais qu'il n'y a pas de loups dans les parages. Il n'y a que des élans, des chevreuils, des renards et des lièvres. L'espèce la plus dangereuse d'Ormberg, c'est l'homme – et c'est mon père qui le dit.

Je fais volte-face pour me précipiter vers la maison, mais, le talon fiché dans la terre, je bascule en arrière, heurtant violemment le sol. Un caillou aiguisé s'enfonce dans ma paume et une douleur intense se propage dans mon coccyx.

Quelques instants plus tard, une femme se matérialise entre les arbres. Âgée, elle se traîne non sans peine à quatre pattes. Les cheveux mouillés collés à ses tempes, le fin chemisier et le jean déchiquetés et détrempés, elle est pieds nus, sans manteau, et ses bras sont maculés de sang et de crasse.

— Au secours…

Sa voix est si ténue que je peine à distinguer les mots. Pris de panique, je recule, cherchant à échapper à cette créature qui ressemble aux sorcières ou aux tueuses psychopathes des films d'horreur que nous regardons, Saga et moi.

La pluie a redoublé et une mare s'étale désormais sous mes jambes. Je m'agenouille, retire mes escarpins et les saisis à la main.

La femme se lève.

— Aidez-moi !

J'ai bien conscience que ce n'est pas une sorcière, mais peut-être qu'elle est folle furieuse. Dangereuse. Il y a un peu plus d'un an, la police a arrêté un malade mental à Ormberg. Après s'être évadé de l'hôpital Karsudden à Katrineholm, il s'était caché pendant près d'un mois dans des résidences secondaires inhabitées.

— Qui êtes-vous ? dis-je.

Je bats en retraite, mes pieds s'enfonçant dans la mousse humide.

La femme se pétrifie. L'étonnement se lit sur son visage, comme si elle ignorait la réponse à ma question. Elle observe ses bras, repousse une branche et je vois qu'elle tient quelque chose à la main. Un livre ou peut-être un carnet de notes.

— Je m'appelle Hanne, affirme-t-elle au bout de quelques instants.

Sa voix est plus forte que tout à l'heure. Quand son regard rencontre le mien, il me semble qu'elle s'efforce de sourire.

— N'ayez crainte. Je ne vous ferai pas de mal.

La pluie tambourine contre ma joue lorsque nos yeux se croisent. Ce n'est plus la même personne à présent. La redoutable sorcière paraît s'être évaporée, laissant place à une vieille dame inoffensive et déguenillée qui a fait une mauvaise chute dans les bois. Peut-être s'est-elle tout simplement égarée ?

— Que s'est-il passé ?

La femme qui répond au nom de Hanne examine ses haillons et pose sur moi un regard où la terreur se mêle au désarroi.

— Je ne me souviens plus.

Au même moment, je distingue au loin le vrombissement d'une voiture. La femme semble également l'entendre, car elle s'approche de la route, les bras levés. Je l'accompagne jusqu'au carrefour, guettant l'arrivée du véhicule. Dans la lumière des phares, je remarque que ses pieds nus sont maculés de sang, comme lacérés par des branches ou des pierres aiguisées.

Un autre détail attire mon attention : les paillettes de ma tenue qui scintillent comme des étoiles par une nuit sans nuages.

N'importe qui pourrait se trouver dans cette voiture – un voisin, le frère aîné d'un camarade ou le petit papy qui habite de l'autre côté de l'église –, mais la probabilité que ce soit quelqu'un que je connais est grande.

La panique se diffuse dans tout mon corps, me révulse l'estomac et prend mon cœur en tenailles.

Il n'y a qu'une seule chose qui m'effraie davantage que les sorcières, les psychopathes et les tueuses cinglées : c'est d'être découvert. Que quelqu'un me voie en robe à paillettes, avec des chaussettes roulées en boule dans le vieux soutien-gorge de ma mère. Si le bruit courait à Ormberg, je n'aurais plus qu'à me tirer une balle.

Je fais machine arrière dans la forêt. Me camoufle derrière des buissons. Même si l'automobiliste m'a aperçu, il ou elle ne m'a pas nécessairement identifié par cette nuit d'encre, avec ces rideaux de pluie. Sans oublier mon accoutrement.

La voiture s'arrête. Une vitre descend avec un grondement. De la musique retentit dans la nuit. La petite vieille parle avec la conductrice, mais je ne reconnais ni elle ni son véhicule. Au bout de quelques instants, la dame ouvre la portière arrière et monte. Puis la voiture s'éloigne dans l'obscurité.

J'avance jusqu'à la route d'un noir luisant qui serpente à travers les bois. On n'entend rien d'autre que le crépitement de la pluie.

La vieille femme – Hanne – a disparu, mais sur l'accotement ruisselant gît un objet. Un carnet à couverture marron.

Malin

Recroquevillée pour me protéger des bourrasques, je fixe l'asphalte noir et luisant du parking en pensant à la question que ma mère m'a posée juste avant que le téléphone ne sonne.

« Pourquoi t'es-tu engagée dans la police, Malin ? »

Lorsqu'on me demande cela, je glousse en levant les yeux au ciel. Puis j'ironise : ce n'est pas le salaire, la voiture de fonction ou la flexibilité des horaires qui ont fait pencher la balance.

Chaque fois, je m'en sors par une pirouette, refusant de me confronter sérieusement à cette interrogation. En vérité, je rechigne à me regarder le nombril et à examiner mes motivations. Si je devais malgré tout répondre, je dirais que l'une des raisons qui m'ont poussée à faire ce choix, c'est mon désir d'aider mon prochain, la conviction que je peux contribuer à créer un monde meilleur. Je suis peut-être mue par une sorte d'instinct qui m'encourage à vouloir rétablir l'ordre, de même que l'on fait le ménage chez soi ou que l'on arrache les mauvaises herbes dans son jardin.

Les études à l'école de police de Sörentorp, au nord de Stockholm, représentaient aussi un excellent prétexte pour déserter le domicile parental. Je quittais ainsi

Ormberg avec une excuse en béton pour ne pas revenir au village, même le week-end.

Quant au squelette que Kenny, Anders et moi avons découvert dans les bois il y a huit ans, j'ignore s'il est pour quelque chose dans mon choix de carrière.

À l'époque, j'étais ravie de me trouver au cœur d'une enquête qui a fait couler autant d'encre. Même si la victime – une fillette – n'a jamais été identifiée et que le coupable court toujours.

Jamais je ne pensais être amenée à travailler sur cette affaire.

Une bourrasque froide charrie un sac plastique vide et quelques feuilles jusqu'au long bâtiment ocre de l'hôpital. Un homme seul sort de l'accueil, se place dos au vent, allume une cigarette.

Manfred Olsson, mon collègue le temps de cette mission, a appelé il y a moins d'une heure.

Je songe à la mine pantoise de ma mère quand le téléphone a sonné, à son regard qui naviguait entre moi et l'horloge lorsqu'elle a compris qu'il s'était passé quelque chose de grave et que j'étais obligée de partir, bien qu'on fût le premier dimanche de l'Avent et que le rôti fût déjà dans le four.

Manfred semblait essoufflé lorsque j'ai décroché, comme s'il venait de parcourir difficilement le chemin de trois kilomètres qui passe devant l'église. Encore que Manfred halète presque toujours, sans doute parce qu'il traîne un surpoids de près de cinquante kilos. En tout cas, il m'a prise de court lorsqu'il m'a annoncé que Hanne Lagerlind-Schön avait été retrouvée dans les bois hier. Seule, en hypothermie et désorientée. Pouvais-je l'accompagner à l'hôpital pour la rencontrer ?

Apparemment, il a fallu près de vingt-quatre heures à la police locale pour établir un lien entre elle et nous, et pour joindre Manfred. Ce qui n'a rien d'étonnant : il n'y a pas de commissariat à Ormberg. Le plus proche est situé à Vingåker et nous n'avons avec eux que des contacts sporadiques. Hanne ne se rappelait pas les raisons de sa présence dans la forêt. Elle ignorait même qu'elle était venue à Ormberg.

Je n'imaginais nullement qu'il pût arriver quoi que ce soit à Hanne, cette spécialiste du comportement d'une soixantaine d'années, aimable, discrète et ponctuelle, d'une rigueur presque pathologique, qui consigne les détails les plus anodins du quotidien dans son petit calepin marron.

Comment peut-on se retrouver dans pareille situation ? Comment peut-on oublier où l'on se trouve et l'identité de ses collègues ?

Et où diable est passé Peter Lindgren ? Lui et Hanne ne se quittent guère d'une semelle.

Hanne et Peter font partie de l'équipe de cinq personnes qui se penchent à nouveau sur le meurtre de la fille d'Ormberg. Depuis son entrée en fonction, le nouveau directeur de la police nationale a revu les priorités : coup de collier dans la lutte contre la délinquance ; meilleur taux de résolution des crimes violents ; déploiement de groupes spécialisés dans la criminalité organisée. Et un effort tout particulier sur les affaires classées sans suite qui concernent les cas de violence ayant entraîné la mort. En effet, depuis la suppression du délai de prescription pour les homicides en 2010, les piles d'affaires non élucidées n'ont fait que croître.

Cet infanticide est l'un de ces « cold cases » qui ont été exhumés. Nous bûchons dessus depuis un peu plus d'une semaine. Hanne, Peter et Manfred ont été dépêchés par la section opérationnelle nationale. Si j'ai bien compris, Hanne et Peter sont en couple – un ménage assez inhabituel en l'occurrence, car elle a au moins dix ans de plus que lui. Quant à Manfred et Peter, ils sont collègues de longue date. Notre équipe comprend également Andreas Borg, un policier d'une trentaine d'années rattaché en temps normal au commissariat d'Örebro.

Et moi, Malin.

Si je m'attendais à être recrutée pour enquêter sur la fille d'Ormberg ! Moi qui travaillais comme simple agente à Katrineholm depuis l'obtention de mon diplôme. Pourtant, la décision de mes supérieurs est rationnelle : on m'a envoyée dans ce bled parce que j'y ai grandi. Il n'a aucun secret pour moi. Et je dois être la seule personne originaire de ce trou dans la police.

Que ce soit moi qui aie découvert le cadavre en cette soirée d'automne huit ans auparavant n'a probablement guère fait pencher la balance en ma faveur. Ils voulaient quelqu'un qui ne s'égare pas dans les profondes forêts entourant le hameau et qui puisse parler avec les anciens dans les maisonnettes isolées.

Ils n'ont pas tort. À Ormberg, la défiance vis-à-vis des étrangers est légendaire. Alors que moi, je connais les moindres recoins du village et tous ses habitants. Enfin, ceux qui restent. Car depuis la fermeture du Roi du Tricot et de la fabrique Brogren, la commune s'est vidée. Ne subsistent que les vacanciers honnis, les vieillards et les Ormbergiens obstinés qui rechignent à partir malgré le chômage.

Et les réfugiés, bien sûr. Je me demande bien qui a émis la brillante idée de placer une centaine d'exilés dans une bourgade désertée au beau milieu de la Sudermanie. D'ailleurs, ce n'est pas la première fois : lorsque les réfugiés des Balkans sont arrivés au début des années quatre-vingt-dix, le Roi du Tricot a également servi de centre d'accueil.

Le gros SUV allemand de Manfred stationne sur le parking. La silhouette massive et voûtée de mon collègue avance lourdement. Je vais à sa rencontre. Le vent s'engouffre dans ses cheveux blond vénitien qui forment un halo autour de son visage.

Il est tiré à quatre épingles, comme toujours. Pardessus onéreux. Châle pourpre en laine fine, un brin froissé, enroulé autour du cou avec une nonchalance feinte. Attaché-case en cuir couleur cognac coincé sous le bras. Il presse le pas, me contraignant à trottiner pour le suivre.

— Bonjour.

Il me salue froidement alors que nous nous dirigeons vers l'entrée.

— Andreas nous rejoint ?

Manfred recoiffe sa tignasse du plat de la main.

— Non. Apparemment il est chez sa mère à Örebro. On le briefera demain.

— Et Peter ? Des nouvelles ?

Manfred observe un bref silence avant de répondre :

— Aucune. Son téléphone semble éteint. Et Hanne ne se souvient de rien. J'ai lancé un avis de recherche. La police et les militaires vont passer les bois au peigne fin demain matin.

J'ignore quel est le degré de proximité entre Peter et Manfred, mais visiblement ils travaillent ensemble depuis des années. Ils ont le même avis sur tout et n'ont guère besoin de mots pour communiquer. Un regard ou un signe de la tête leur suffit.

Manfred doit se faire un sang d'encre. Personne n'a de nouvelles de Peter depuis avant-hier. Ce jour-là, Hanne et lui ont quitté notre bureau provisoire à Ormberg vers seize heures trente. À notre connaissance, je suis la dernière personne à les avoir vus.

En partant, ils avaient l'air enjoué, comme s'ils avaient prévu de sortir. Lorsque je leur ai demandé où ils allaient, ils m'ont répondu qu'ils songeaient à dîner à Katrineholm, qu'ils étaient las de tous ces plats préparés au goût cartonné.

Depuis, ils n'ont donné aucun signe de vie, ce qui n'était guère surprenant en soi. Nous avions décidé de nous octroyer deux jours de repos.

À l'accueil de l'hôpital, on nous indique la chambre de Hanne. L'éclairage cru du plafond se reflète sur le sol en linoléum dans le couloir qui nous y mène. Le visage de Manfred porte les marques d'une immense fatigue. Ses yeux sont injectés de sang, ses lèvres pâles et gercées. Rien de nouveau. Sa vie de quinquagénaire flic à plein temps et père d'un jeune enfant ne doit pas être de tout repos.

Hanne est assise sur le bord du lit, vêtue d'une blouse d'hôpital et emmitouflée dans une couverture orange élimée. Son regard vitreux est dénué d'expression. Ses cheveux humides tombent en mèches autour de son visage, comme si elle sortait de la douche, ses pieds sont bandés, ses mains écorchées. L'une d'entre elles est reliée par un cathéter à une poche à perfusion.

Manfred lui donne une accolade un peu gauche.

— Manfred, marmonne-t-elle d'une voix rauque.

Elle se tourne vers moi, incline la tête et me lance un coup d'œil distrait. Il me faut quelques instants pour comprendre qu'elle ignore qui je suis, bien que nous ayons travaillé ensemble pendant plus d'une semaine. L'idée me glace.

— Bonjour Hanne. C'est moi, Malin, ta collègue. Tu me reconnais ?

Je lui effleure le bras, effrayée qu'elle se délite à mon contact tant elle paraît chétive, aussi fragile qu'une poupée de papier.

Elle cligne plusieurs fois des paupières puis ses yeux embués et rougis rencontrent les miens.

— Oui, bien sûr.

Je suis convaincue qu'elle ment. Le tourment et la concentration se lisent sur son visage, comme si elle tentait de résoudre une équation difficile.

Apportant un tabouret, je m'assieds face à elle tandis que Manfred se laisse tomber sur le lit et entoure ses frêles épaules de son bras. Hanne semble si minuscule, si menue à côté de lui. Presque comme une enfant.

Manfred se racle la gorge.

— Te rappelles-tu ce qui s'est passé dans les bois, Hanne ?

Elle se rembrunit, une ride se dessine sur son front et elle secoue la tête avec lenteur.

— Je ne me souviens plus.

Elle plonge le visage dans ses mains. L'espace d'un instant, je songe qu'elle éprouve de la honte. On dirait qu'elle s'efforce de s'abstraire de la situation.

44

— Ce n'est pas grave, la rassure Manfred en l'étreignant contre lui avant de poursuivre d'une voix ferme : Tu étais dans la forêt au sud du mont Ormberg hier soir.

Hanne esquisse un signe affirmatif. Se redresse. Pose les paumes sur ses genoux.

— Ça te revient ?

Elle fait non de la tête et gratte d'un air absent le ruban adhésif qui maintient la perfusion en place. Une couche de crasse noire est nichée sous ses ongles cassés.

— C'est une automobiliste qui t'a trouvée. Apparemment, tu étais accompagnée d'une jeune femme. Elle portait une robe à paillettes et un gilet. Ça te dit quelque chose ?

— Non, désolée. Je suis vraiment navrée, mais…

Sa voix se brise. Les larmes ruissellent le long de ses joues.

— Ne t'inquiète pas, Hanne. Nous allons faire la lumière sur ce qui s'est passé. Tu te souviens si Peter était avec toi dans la forêt ?

Elle dissimule à nouveau son visage dans ses mains.

— Non. Désolée !

Manfred, la mine affligée, me jette un regard implorant.

— À quand remonte ton dernier souvenir ?

Je crois d'abord qu'elle ne va pas répondre. Elle hausse plusieurs fois les épaules, pantelante, comme si chaque inspiration lui coûtait.

— À Ilulissat, prononce-t-elle enfin, sans changer de position.

Manfred se tourne vers moi et énonce du bout des lèvres le mot « Groenland ».

Hanne et Peter sont venus tout droit de l'île arctique pour prendre part à cette investigation. Ils y avaient passé deux mois de rêve après avoir longuement travaillé sur une affaire d'homicides compliquée.

— D'accord, dis-je. Puis vous êtes arrivés à Ormberg pour l'enquête sur le squelette retrouvé sous les pierres. Tu te rappelles ?

Hanne agite violemment la tête de droite à gauche en reniflant.

— Tu n'as *aucun* souvenir d'Ormberg ? s'enquiert Manfred à voix basse.

— *Aucun*. Je ne me souviens de rien.

L'air songeur, mon collègue saisit la main frêle. Il se raidit tout à coup, la retourne et examine la paume avec un intérêt certain. Au bout de quelques instants, je comprends ce qu'il observe : des chiffres informes, entrecoupés de petites plaies, inscrits au stylo sur la peau diaphane. Je parviens à lire « 363 », mais la suite est effacée, impossible à déchiffrer, comme si l'encre avait été nettoyée avec la saleté des bois.

— Qu'est-ce que c'est ? Que signifient ces numéros ?

Hanne fixe sa main avec une expression incrédule, comme si elle la voyait pour la première fois. Comme s'il s'agissait d'une bête curieuse qui se serait faufilée dans sa chambre d'hôpital pour se lover sur ses genoux.

— Je ne sais pas. Je n'en ai aucune idée.

Nous sommes installés dans la cuisine avec le médecin qui se prénomme Maja et qui semble avoir mon âge.

Ses longs cheveux tombent en boucles blondes sur ses épaules. Elle me rappelle vaguement toutes ces filles auxquelles je rêvais de ressembler dans ma jeunesse : petite, mignonne, le corps tout en courbes. Mon antithèse, en somme. Elle arbore un jean et un tee-shirt rose qui apparaît sous sa blouse blanche. Le mot « médecin » est étiqueté sur sa poitrine. Quelques stylos dépassent de sa poche.

La pièce exiguë comporte deux frigidaires, un lave-vaisselle et une table ronde avec quatre tabourets en bouleau. Au centre de la table se dresse un poinsettia dans un pot en plastique. Entre les feuilles, on a glissé une carte de remerciement écrite d'une main tremblante. Deux infirmières entrent dans la cuisine, se servent dans un frigidaire avant de disparaître dans le couloir à pas de loup.

— Elle souffrait d'hypothermie et de déshydratation sévère lorsqu'elle a été admise, explique le médecin en versant du lait dans son café. Apparemment, elle ne portait qu'un fin chemisier et un pantalon quand on l'a trouvée, alors même qu'il faisait zéro degré.

— Elle n'avait pas de manteau ? s'enquiert Manfred.

— Non. Pas de chaussures non plus.

— A-t-elle raconté ce qui s'est passé ? Même quelques détails ? demandé-je.

Maja attache sa chevelure blonde en un chignon sur la nuque, esquisse une petite moue de ses lèvres charnues et soupire.

— Elle ne se remémorait presque rien. Nous appelons ça l'amnésie antérograde. Le patient oublie tout ce qui advient à partir d'un moment T. Nous avons d'abord cru qu'elle avait subi un traumatisme crânien qui aurait pu causer cette perte de mémoire, mais rien n'indique un pareil choc. Elle n'a pas de blessure externe au niveau de la tête et la radio du crâne ne montre ni hémorragie ni contusion. Certes, nous avons pu manquer quelque chose. Il faut effectuer une radio dans les six heures qui suivent un traumatisme crânien pour être sûr d'identifier un éventuel saignement. Nous ignorons combien de temps elle a passé dans la forêt.

— A-t-elle pu éprouver un traumatisme qui l'a effrayée au point de le refouler?

Ma question provoque chez le médecin un léger haussement d'épaules. Elle avale une gorgée de café et ses lèvres se tordent dans une grimace. Elle repose la tasse sur la table avec un bruit sec.

— Désolée pour le jus de chaussette! Vous voulez dire qu'elle aurait subi un choc psychologique qui aurait engendré une amnésie? Peut-être. Ce n'est pas ma spécialité. Nous commençons à croire qu'elle aurait une pathologie sous-jacente. Une forme de démence. Son état a pu se dégrader subitement à cause de ce qu'elle a vécu. Sa mémoire immédiate est gravement atteinte, mais elle se souvient assez précisément de ce qui s'est passé jusqu'au mois dernier.

— On pourrait vérifier ça dans son dossier médical, non?

— Il doit se trouver chez son médecin traitant. Hanne nous a donné son accord, conformément à la loi. L'ennui, c'est qu'elle ne se rappelle pas où elle était suivie.

Manfred se racle la gorge, visiblement indécis. Il se caresse la barbe puis prend la parole à voix basse:

— Hanne souffrait en effet de problèmes de mémoire.

— Comment ça ? Et tu ne nous as rien dit ?

Il se tortille, contrit.

— Je ne savais pas que ça prenait de telles proportions. Peter m'en avait touché deux mots, mais j'ai cru qu'elle était juste tête en l'air, pas que… pas qu'elle souffrait de démence, d'un point de vue clinique.

Il se tait. Tripote sa montre suisse qui doit valoir une fortune. Son aveu me surprend. Est-il possible que Hanne participe à une enquête sur un homicide malgré sa maladie ? Peut-on confier à une personne atteinte de démence des questions de vie ou de mort ?

— Nous ne savons toujours pas pourquoi sa mémoire à court terme est si mauvaise, fait remarquer Maja, diplomate. Ça peut être lié à une pathologie sous-jacente, mais elle peut aussi avoir subi un traumatisme physique ou psychologique.

Manfred soupire.

— Où va-t-elle aller maintenant ?

— Je l'ignore. Apparemment, les services sociaux essaient de lui trouver une place provisoire dans un centre spécialisé. Le département de gériatrie est plein à craquer. À mon avis, elle n'est pas assez malade pour rester à l'hôpital. Sa mémoire à court terme est affectée, certes, mais autrement elle est plutôt en forme.

— Sa mémoire peut-elle revenir ? demandé-je. Dans le cas où il s'agirait d'un problème transitoire.

Un sourire peiné se dessine sur le visage du médecin.

— Qui sait. On a déjà vu plus étrange.

Jake

Dans le bus scolaire qui me ramène chez moi, je m'assieds à côté de Saga. Les autres ne veulent pas de moi à côté d'eux.

Saga me plaît. Elle est différente, physiquement et mentalement, comme si elle était fabriquée d'une étoffe distincte. À la fois plus dure et plus suave.

Elle chasse de son visage une mèche rose.

— Salut !

L'anneau qui orne son nez scintille dans les rayons du crépuscule. Dehors, il n'y a que des champs. Des champs noirs labourés, parés pour l'hiver, qui s'étendent à perte de vue. Çà et là, quelques bois. Bientôt nous passerons la station-service à côté de la bretelle d'autoroute, puis la forêt deviendra de plus en plus dense à mesure que nous approcherons d'Ormberg.

On dirait que ce village n'est fait que de bois. À part le mont Ormberg, bien entendu, qui recèle des vestiges de l'âge de pierre. Nous y avons effectué une excursion scolaire, mais il n'y avait pas grand-chose à voir hormis quelques cailloux en cercle sur une terrasse non loin du sommet. Quelle déception ! Moi qui m'attendais à tomber sur des pierres runiques ou des bijoux en bronze !

Saga me prend par le poignet. Tout mon corps est électrisé. Mes joues s'empourprent. Elle retourne ma main pour lire les mots inscrits sur ma paume.

— Montre !

Légiférer

Fond de sauce

Conjonction

Je les ai collectionnés pendant les cours de la journée. Instruction civique, vie pratique et grammaire.

— Je vais les chercher sur Google une fois rentré.

— Super !

Saga ferme les yeux, comme se rêvant ailleurs. Je découvre alors son ombre à paupières rose à paillettes qui ressemble à des pierres précieuses concassées et délicatement appliquées au pinceau au-dessus de ses yeux. J'aimerais lui avouer ce que j'en pense, peut-être l'effleurer du doigt, mais ne peux pas.

C'est alors que Vincent Hahn se laisse tomber lourdement sur mes genoux. J'en ai le souffle coupé. Son visage se trouve si près du mien que je sens son odeur écœurante de cigarette et de chewing-gum à la menthe ; je vois ses poils de barbe épars, ses boutons d'acné surmontés de pus jaunâtre et son duvet sur la lèvre supérieure. Sa pomme d'Adam forme une bosse sur son cou, comme s'il avait gobé un œuf. Son regard transpire la haine, une haine viscérale dont j'ignore l'origine. Bien que je ne lui aie jamais rien fait de mal, je suis son souffre-douleur favori. Me détester doit être l'une des choses dont il raffole le plus au monde.

Vincent empoigne ma main.

— Non mais regardez-moi ce que ce petit pédé a écrit sur sa paume ! *Conjonc… Conjonction* ? Ça veut dire quoi ce truc ? Sodomiser quelqu'un ?

Vincent balance les hanches d'avant en arrière de manière évocatrice. Des rires fusent au fond du bus. Je préfère garder le silence, c'est la stratégie la plus payante. Il finira bien par se lasser. Vincent me lâche le poignet et, debout à côté de moi, m'attrape par la nuque et cogne ma tête contre le siège de devant.

Boum, boum, boum.

La douleur se diffuse dans mon front. Ses doigts me broient le cou.

Désormais, deux issues sont possibles : soit il se fatigue et retourne auprès de ses amis à l'arrière du véhicule, soit la situation dégénère. J'ose à peine imaginer ce qui pourrait se passer.

Mais Saga se rebiffe :

— Laisse-le tranquille espèce de connard !

Vincent se fige dans son mouvement.

— T'as parlé, sale chienne ?

Sa voix est féroce, mais la pression sur ma jugulaire se relâche. Il arrête de me heurter le front.

— Je t'ai dit de le laisser tranquille. T'es bouché ou quoi ? C'est tellement naze de s'en prendre aux plus faibles que soi.

Vincent me lâche. Je jette à Saga un regard oblique. Nous savons tous les deux qu'elle me rabaisse à dessein pour qu'il cesse de s'en prendre à moi. Peu m'importe. J'ai l'habitude de me dénigrer, de devenir si petit, inintéressant et conciliant que ce n'est même plus amusant de me cracher dessus, me frapper ou me frotter de la neige sur le visage.

C'est un art dans lequel j'excelle.

Quelques instants plus tard, Vincent se lasse et retourne à sa place. Ma nuque me brûle. J'ai l'impression qu'on a pressé un tison contre ma peau.

— Laisse tomber, c'est qu'un minable, me console Saga. Ça va ?

Je me passe une main sur le cou, massant ma peau pour apaiser le tiraillement.

— J'ai connu mieux.

Saga se penche vers moi, les yeux écarquillés.

— Quand il fait ce genre de chose, il faut que tu l'imagines aux toilettes.

— Quoi ?

Elle glousse, la mine satisfaite.

— C'est ma mère qui m'a dit ça. Si quelqu'un n'est pas sympa au travail, ou simplement se croit plus malin que les autres, tu te le représentes sur le trône. Et tu ne peux plus avoir peur de lui.

Je réfléchis un instant.

— Tu as raison, ça marche.

Elle sourit et à nouveau je sens des picotements au creux de l'estomac.

— On se voit ce soir ? J'ai téléchargé de nouveaux films.

— Peut-être. D'abord, j'ai quelque chose à faire.

Arrivé devant chez moi, je suis frappé par le silence qui règne dans le jardin. On n'entend que les bruits de la forêt : un doux frémissement dans les cimes des arbres, les crépitements d'animaux invisibles tapis dans le noir. L'air est saturé d'effluves. Les sapins, les feuilles mortes et le charbon détrempé dans le barbecue posté devant la maison.

L'antique Volvo bleu marine de mon père est stationnée de travers dans l'allée, comme s'il l'avait garée à la va-vite.

J'ouvre la porte d'entrée. Dans le vestibule, je laisse tomber mon sac à dos et suspends mon manteau à la patère. Une clarté intermittente me parvient de la salle de séjour. La télévision est allumée, mais ne diffuse pas de son. Les cannettes de bière vides s'amoncellent sur la table basse. Mon père, assoupi sur le canapé, ronfle bruyamment, un pied posé sur le sol, comme s'il s'était endormi à l'instant même où il allait se lever.

Je remonte doucement sa jambe sur le sofa et enveloppe son corps de la couverture à carreaux élimée. Il grommelle puis se tourne sur le côté, le visage contre le dossier.

J'éteins le poste. Me faufile dans le couloir. Le plus discrètement possible, je grimpe l'escalier jusqu'à ma chambre et ferme la porte. Je sors le livre brun de sous mon matelas, m'installe par terre, adossé au lit.

Je connais désormais l'identité de la femme que j'ai rencontrée dans les bois, cette femme qui se prénomme Hanne. J'ai lu un article la concernant sur le site Internet du quotidien local. Apparemment, elle « souffre d'amnésie » et était accompagnée d'une « jeune femme » quand elle a été trouvée par une automobiliste. La police souhaite entrer en contact avec cette jeune femme, écrit le journaliste, et indique un numéro de téléphone. D'après le texte, « tous les renseignements peuvent être utiles ». Le collègue de la femme, un policier de Stockholm qui s'appelle Peter, est toujours porté disparu. « La dernière fois que quelqu'un l'a vu, il portait une chemise de flanelle à carreaux rouges et blancs ainsi qu'une parka bleue de la marque Sail Racing. »

En lisant ces lignes, j'ai hésité à composer le numéro. Mais si je le faisais, ils comprendraient d'emblée que je suis la fameuse jeune fille en soutien-gorge, robe et chaussures à talons. Impossible. Absolument impossible. J'ai également songé à remettre le carnet au commissariat, mais il se trouve à Vingåker et n'est ouvert qu'une journée par semaine. Et puis, comment expliquer qu'il est en ma possession ?

Je me suis creusé les méninges et suis arrivé à la conclusion suivante : le mieux, c'est que je passe en revue ces pattes de mouche à la recherche de détails importants susceptibles d'aider à retrouver le flic qui s'est volatilisé.

Dès lors, je m'attelle à la tâche. Le livre est froissé par l'humidité. À la première page, je vois le mot *Journal*. La plume est désuète, les lettres penchées en avant. Et, juste au-dessous : *À lire matin + soir*.

Étrange.

Pourquoi écrit-on un journal intime que l'on doit lire matin et soir, tel un médicament sur ordonnance ? La seule personne qui consulte ce type de calepin, c'est celui qui le rédige, non ?

Hanne s'écrivait-elle à elle-même ?

À lire matin + soir.

Cela semble saugrenu.

Au bout de quelques pages blanches, je découvre une longue liste alphabétique. Chaque mot ou nom est suivi de chiffres.

Je glisse le doigt sur le papier et marque une pause à la lettre M.

M
Malin Brundin, policière : 5, 6, 8, 12, 20
Modus operandi : 12, 23, 25
Métal (plaque dans squelette) : 12, 23

Il me faut quelques instants pour comprendre qu'il s'agit d'une table des matières renvoyant à des numéros de page.

J'ouvre une page au hasard. Puis une autre. En bas à droite, Hanne a noté des chiffres.

Pourquoi ? Il s'agit d'un journal, pas d'un livre de cuisine !

Incapable de trouver une explication logique, je dépasse la table des matières et me plonge dans la lecture.

Ilulissat, le 19 novembre
Est-il permis d'être aussi heureuse ?
Je suis là où j'ai toujours rêvé d'être, en compagnie de l'homme que j'aime.
Quand je me suis réveillée ce matin, P. m'a apporté le petit déjeuner au lit. Il est descendu au village acheter ce pain aux graines dont je raffole. Ce n'est pas grand-chose, mais cette attention m'a fait chaud au cœur.
Nous nous sommes prélassés entre les draps, avons fait l'amour, commandé du café auprès du room service.

Puis longue balade et déjeuner au soleil jusqu'à la tombée de la nuit vers quatorze heures.

Il fait encore beau, mais bien plus froid qu'il y a deux semaines. Les jours sont plus courts, un peu plus de trois heures.

Dans dix jours, il fera nuit vingt-quatre heures sur vingt-quatre. Il faudra attendre janvier pour que le soleil revienne.

P. trouve ça sinistre, mais moi je voudrais rester.

Rien ne me manque ici. Pour la première fois de ma vie, j'ai l'impression que tout est parfait. En dépit de ma mémoire de plus en plus vacillante, j'ai la sensation que rien ne peut m'extraire de ma merveilleuse bulle groenlandaise.

Donc, oui. Il est permis d'être aussi heureuse.

Je crains néanmoins que ça ne dure qu'un bref instant.

Ilulissat, le 20 novembre

Dernier jour au Groenland.

Lorsque le soleil a enfin la force de se lever, le temps est magnifique. La mer s'étend pareille à un miroir. Les icebergs flottent au gré des vaguelettes dans la baie. Certains sont gigantesques, longs de près de un kilomètre, d'autres minuscules, semblables à des bouts de coton qui dansent à la surface de l'eau. Leurs couleurs se nuancent du blanc éclatant au turquoise saturé.

Les icebergs vont me manquer, ainsi que l'ancienne colonie de Sermermiut que nous avons visitée une nouvelle fois aujourd'hui.

J'ai posé les mains sur les grands rochers plats, polis pendant des millions d'années par la calotte polaire, et j'ai tenté de me représenter la vie dans la vallée. Des générations d'Inuits y ont vécu sans laisser de traces, à la différence de nous, les hommes modernes, qui ne laissons dans notre sillage que dévastation.

Demain nous retournons en Suède.

J'adore cet endroit. Je resterais ici si j'avais le choix. Je traverserais le long hiver obscur à la lueur d'un feu de bois.

Mais je n'ai pas voix au chapitre.

Nous sommes obligés de rentrer. Les vacances s'achèvent avec deux semaines d'avance. Nous allons travailler sur un cold case à Ormberg, un hameau situé en Sudermanie. Il y a huit ans, le squelette d'une fille de cinq ans y a été retrouvé et l'enquête vient d'être rouverte. Nous nous y rendrons sitôt arrivés en Suède.

Dans la vie, il y a toujours un lieu où on doit aller, toujours quelqu'un à aider.

Dans le cas présent, la dépouille d'une fillette sous un tas de pierres.

Je lève les yeux de la page et réfléchis. Hanne fait référence à la petite fille trouvée sous les rochers il y a huit ans. Compte tenu de mon âge, six ans à l'époque, je n'ai pas de souvenirs précis de cette histoire, mais mon père m'a raconté qu'une certaine Malin et ses amis passaient la soirée dans les bois et s'étaient aventurés près du monticule en quête de l'enfant-fantôme.

Au lieu de lui mettre la main dessus, ils ont uriné sur un crâne.

J'essaie de me représenter la situation – se promener dehors, au beau milieu d'une nuit de pleine lune, et tomber nez à nez avec un macchabée –, mais je n'y parviens pas. C'est trop loufoque. Trop farfelu. Ces choses-là n'arrivent que dans les films ou peut-être ailleurs. À Stockholm, par exemple.

Mais pas à Ormberg.

Je me replonge dans la lecture.

J'aurais préféré ne pas quitter le Groenland plus tôt que prévu.

Nous nous sommes chamaillés à cause de cela, P. et moi. Ou, plus exactement : j'ai contesté sa décision, ce qui l'a contrarié.

Je lui ai demandé si la défunte avait plus besoin de lui que moi. Il m'a répondu que j'étais sacrément immature pour une sexagénaire et qu'il s'attendait à une plus grande largeur d'esprit de ma part.

Ah, l'âge !

P. dit que je suis belle. Mais la peau ratatinée et la chair ramollie n'ont rien de séduisant. Pourtant, il y a pire que la déchéance du corps : celle de la mémoire. Ma situation se dégrade de jour en jour. Je devrais peut-être appeler mon médecin, mais je n'en ai pas envie. Il n'y a rien à faire. Je prends déjà tous les médicaments permettant de freiner l'évolution de la pathologie.

Hier soir, assise sur mon lit, j'ai essayé de me souvenir du déroulement de la journée. Impossible. Les heures écoulées ont été oblitérées de ma mémoire, nettoyées avec un puissant détergent.

Une mémoire de poisson rouge.

Les professionnels disent que mes « capacités cognitives sont étonnamment bien préservées ».

Piètre consolation. Mais c'est déjà ça.

Je suis COGNITIVEMENT INTACTE *en dépit de mes rides, de mes cheveux gris et de ma dégénérescence. Ce n'est pas quelque chose qu'on écrirait dans une petite annonce : « Femme de soixante ans cognitivement intacte cherche homme sportif pour soirées cocooning et longues balades en forêt. »*

Hier, P. s'est évidemment aperçu que quelque chose ne tournait pas rond, mais je suis restée de marbre quand il m'a posé la question. Il est la dernière personne à qui je raconterais ce qui m'arrive, pour des raisons totalement égoïstes. Je ne veux pas me passer de lui – l'homme que j'aime, le corps que je désire.

Je n'ai aucun doute sur la suite des événements : mon état se dégradera et P. ne pourra plus m'épauler ou ne voudra plus de moi.

Non, je ne peux rien lui dire. Il ne doit rien savoir.

Keflavik, Islande, le 21 novembre

Nous sommes à l'aéroport. Attendons le vol pour Stockholm. Nous avons pris l'avion à l'aube d'Ilulissat à Nuuk, puis de Nuuk en Islande.

P. est enjoué, comme à chaque fois qu'il se lance dans une enquête pour homicide. Étrange que la mort d'un être humain, de l'un de ses semblables, puisse susciter chez lui pareil enthousiasme.

Pour être tout à fait honnête, je pense que P. estimait que nous avions passé suffisamment de temps au Groenland lorsqu'on lui a proposé de prendre part à l'enquête. Car ce n'est pas l'affaire la plus grisante du siècle. Elle a été déterrée sous une couche de poussière probablement plus épaisse que les glaciers de l'Arctique.

Néanmoins, c'était un excellent prétexte pour échapper aux deux semaines restantes de notre séjour.

Et je n'en suis guère mécontente, finalement. Ormberg nous offrira un changement de décor intéressant.

P. parcourt un rapport d'enquête préliminaire sur son ordinateur portable tandis que je déguste une tablette de chocolat en regardant passer les voyageurs. Je me demande si je me trouverai un jour à nouveau dans une salle d'embarquement, prête à m'envoler vers un pays lointain.

Je dois m'arrêter. Nous allons embarquer.

C'est la nuit.

Pas mal de turbulences pendant le vol depuis l'Islande. L'hôtesse a renversé du café sur le pantalon de P. Embarrassée, elle s'est confondue en excuses et a tenté d'essuyer la tache. P. s'est contenté de sourire en l'assurant que ce n'était pas grave.

À cet instant...

Je l'ai vu sur le visage de P., à sa manière de la contempler. Son regard a flâné sur son corps comme sur une terre inexplorée. Un nouveau continent irrésistible sur lequel il projetait d'émigrer.

J'ai eu envie de lui crier : Je suis assise à côté de toi !
Regarde-moi ! Je ne suis peut-être pas aussi jeune et
belle, mais je suis COGNITIVEMENT INTACTE.
J'ai gardé le silence. Il m'aurait prise pour une
déséquilibrée. En plus de mes problèmes de mémoire.
Nous partons pour Ormberg demain.
P. et Manfred m'ont proposé de les aider dans
l'enquête. Je doute qu'ils en aient vraiment besoin.
Je crois juste qu'ils essaient de se montrer bienveillants
à mon égard. (Mais je suis impatiente de revoir
Manfred.)
Je pense également que P. veut me garder auprès de
lui pour me surveiller.
P. m'aime, j'en suis convaincue, mais il ne me fait
pas confiance.
Je ne lui jette pas la pierre.
Je ne me fais pas confiance non plus.

Ormberg, le 22 novembre
Ormberg est si réduit qu'on peut à peine appeler
ça un village. Deux chemins gravillonnés qui se
croisent au milieu de la cambrousse. Quelques
bâtiments délabrés. Le plus grand, un édifice à deux
étages au crépi couleur tabac, accueillait jadis une
petite boutique. Manfred y a installé notre quartier
général provisoire et l'a renommé, avec son ironie
habituelle, « château Ormberg ». Notre palace
jouxte l'ancien bureau de poste qui a évidemment
fermé. Il est maintenant loué à une entreprise de
commerce en ligne qui vend des vêtements et des
paniers pour chien. Enfin, il y a un immeuble

d'habitation déserté depuis plus de dix ans. Les portes et les fenêtres sont condamnées, la façade salie de graffitis.

Autour des bâtiments, des taillis et des champs où les herbes folles ont repris leurs droits. À une centaine de mètres, de l'autre côté de l'étendue herbeuse, une église qui n'est plus utilisée non plus. Apparemment elle va être retapée.

Au-delà, une vaste forêt. Çà et là se dressent d'adorables maisonnettes rouges – la plupart installées le long de la rivière ou à proximité de l'église.

Ormberg et ses environs comptent une centaine de résidents permanents. Une petite commune, donc. Même à l'échelle d'autres zones désertées.

Manfred nous a présentés à Malin Brundin, une policière fraîchement diplômée qui travaille habituellement à Katrineholm. Elle est originaire d'Ormberg, connaît les habitants et les bois comme sa poche.

Malin a à peine vingt-cinq ans, de longs cheveux d'un brun tirant sur le noir, un corps longiligne et musclé. Elle possède une beauté naturelle, à l'instar de beaucoup de jeunes filles. Une grâce dont elles n'ont même pas conscience.

Avant que la vie et les années ne les rattrapent.

Malin nous a exposé l'affaire. Une carte à la main, elle nous a indiqué l'endroit où le corps a été découvert le 20 octobre 2009 par un groupe d'adolescents dont elle faisait partie. Elle avait dix-sept ans à l'époque.

Quel hasard étrange ! Or, comme Malin l'a souligné, du fait de la taille d'Ormberg, ce genre de coïncidences hautement improbables devient possible.

Nous avons examiné les photographies du cadavre. De longues mèches de cheveux étaient encore accrochées au crâne.

Cause probable du décès : violences physiques importantes exercées par un agent extérieur.

Malin nous a montré d'autres clichés : des agrandissements du crâne fendu, des esquilles de la boîte crânienne à côté d'une règle. Quelques dents retrouvées à proximité du squelette. De petites côtes brisées, pareilles à des bâtons échoués sur une plage déserte et décolorés par le soleil.

La mort est rarement belle, mais quand il s'agit d'enfants, elle me donne le vertige et des haut-le-cœur. J'ai dû saisir la table pour ne pas tourner de l'œil.

Les enfants ne doivent pas subir ce genre de chose. Ils doivent jouer, se cogner, être insupportables. Grandir, devenir des gens normaux qui mettent au monde des enfants qui jouent, se cognent et sont insupportables.

Les enfants n'ont pas le droit de mourir.

P. semblait ébranlé, mais pas autant que moi. Il doit avoir l'habitude – il a probablement vu de tout au cours de sa carrière de plus de vingt ans comme enquêteur spécialisé dans les homicides. Et puis, il est un homme. (Je suis peut-être hétéronormée, mais je crois que les hommes sont différents.)

La fillette n'a jamais été identifiée, bien qu'on ait relevé son ADN au niveau du fémur et que les

journaux et la télévision aient relayé l'information.
Les médias l'avaient baptisée la « fille d'Ormberg ».
Le fait qu'un enfant disparaisse sans manquer à
personne me fend le cœur.

Un autre collègue nous a rejoints, Andreas Borg – un
homme élégant d'une trentaine d'années. Rattaché au
commissariat d'Örebro, il est le représentant de la
police locale dans l'équipe.

J'ai remarqué la réaction de Malin. Elle s'est raidie
lorsqu'il a pénétré dans la salle. Je ne peux pas dire
s'il lui a déplu, plu ou si elle a simplement jugé qu'il
était en retard, mais j'ai senti que l'atmosphère dans
la pièce avait été modifiée.

Je ne pense pas que P. l'ait perçu. (Oui, je crois que
c'est parce qu'il est un homme.)

Je dois m'arrêter, c'est l'heure du déjeuner.

Les yeux fermés, je me représente les contours du monticule à la lumière de la lune. Les sapins noirs disposés en rond tout autour. Je peux presque sentir les hautes fougères frôler mes jambes et la mousse moelleuse sous mes chaussures.

La fille d'Ormberg...

Les habitants en parlent encore, de même qu'ils ressassent les souvenirs d'un temps révolu. L'usine métallurgique, le Roi du Tricot, la fabrique Brogren.

Je n'y avais jamais pensé, mais la plupart des conversations à Ormberg tournent autour du passé.

La sonnerie du téléphone m'arrache à mes méditations.

C'est Saga.

Je regarde ma paume.
Cognitivement intacte
Inuit
Hétéronormée
Je les chercherai plus tard sur Google.

Malin

Lundi 4 décembre. Personne n'a vu Peter depuis vendredi. Je repense à l'expression hagarde qu'affichait Hanne lorsque Manfred et moi lui avons rendu visite hier. Aux écorchures sur ses mains et ses pieds.

Que leur est-il arrivé dans les bois ?

Il s'est mis à neiger. De lourds flocons tombent du ciel noir et se posent sans bruit sur la mousse et les buissons de myrtilles.

Je me trouve auprès de l'ancien complexe métallurgique qui avoisine la rivière, à quelques centaines de mètres seulement au nord du monticule. C'est assez loin de l'endroit où Hanne est apparue samedi, mais étant donné que Peter n'a toujours pas été retrouvé, la zone de battue a été élargie. Policiers, réservistes et volontaires passent la forêt au crible dans l'espoir de le retrouver.

La tâche est ardue. La vaste étendue boisée est jonchée de troncs et de branches que la tempête de vendredi a fauchés, rendant l'accès encore plus compliqué que de coutume. La police locale dirige l'enquête sur la disparition de Peter, mais nous collaborons étroitement. D'une part, Peter est notre collègue et nous sommes les derniers à l'avoir vu. D'autre part, nous ne pouvons exclure que cette disparition ait un rapport avec l'affaire qui nous occupe tous.

Svante, le chef des opérations, a une cinquantaine d'années. Ses cheveux gris et sa barbe touffue lui confèrent une allure de père Noël que ne dément pas son épais bonnet tricoté à la main. Il nage dans un manteau qu'aurait pu porter mon père. Il vient d'Örebro et, sauf erreur de ma part, travaille en temps normal avec Andreas.

Je me tourne vers lui.

— Alors, du nouveau ?

Il descend son couvre-chef bariolé sur ses oreilles.

— Non, rien de rien, ce n'est pas faute d'avoir cherché. Nous sommes même entrés dans les maisons qui n'étaient pas fermées à clef. Ça commence à devenir critique, même pour les chiens. On fouille depuis soixante-douze heures. Un bon paquet de gens ont foulé la zone.

Peter et Hanne sont arrivés à Ormberg il y a moins de deux semaines et, bien que nous n'ayons pas travaillé ensemble très longtemps, j'ai la sensation de les connaître depuis des années. Et si Peter n'a pas montré signe de vie depuis trois jours, j'ai l'impression que sa disparition date d'hier, comme si le temps s'était distendu pour s'insurger contre les événements.

Je guide Svante entre les bâtiments en ruine en les nommant l'un après l'autre : haut-fourneau, four à griller, entrepôt à charbon de bois, forge à clous.

Contre toute attente, les édifices en brique sont bien conservés, même si la plupart des fenêtres ont perdu leurs carreaux, preuve qu'il y a une éternité que l'usine a mis la clef sous la porte. En revanche, il ne reste de l'entrepôt à charbon en bois qu'un tas de planches.

Nous enjambons quelques grosses branches pour nous diriger vers l'ancien four à griller situé dans une belle bâtisse octogonale surmontée d'une haute cheminée dorénavant murée.

La rivière s'écoule, sombre et tranquille, à nos pieds. Les faisceaux lumineux de nos lampes de poche glissent sur la surface de l'eau où flottent de temps en temps quelques feuilles.

— Pourquoi avoir abandonné les recherches par hélicoptère ? demandé-je, chassant un flocon de neige de mon nez.

— Hier, nous avons fouillé toute la zone à la caméra infrarouge, répond Svante, les yeux dans le vague. Ça n'a rien donné. Pas l'ombre d'un indice. La forêt recouvre tout, on ne voit rien depuis le ciel. Le mieux qu'on puisse faire c'est de continuer à pied.

Après quelques secondes d'hésitation, je formule la question qui me taraude depuis mon arrivée ce matin :

— Tu crois que quelqu'un peut survivre trois nuits par ce froid ?

Après une petite pause, Svante me gratifie d'un regard et d'un haussement d'épaules.

— Dehors, sans duvet ni tente ? Je ne pense pas. Mais on ne sait pas s'il est dans la forêt.

J'enjambe quelques galets au bord de l'eau.

— Prends garde à ne pas tomber, fait-il avec un signe de tête vers le ruisseau.

— Ne t'inquiète pas, je sais ce que je fais.

Je pourrais venir ici les yeux fermés. Adolescente, je passais mes étés à parcourir les environs. Je me baignais dans la rivière, faisais des grillades, buvais de la bière. J'y ai embrassé mes premiers amoureux, fumé mes premières cigarettes. C'est dans la forêt que j'éprouvais ma liberté nouvellement gagnée, que je goûtais à la vie d'adulte, tel un gigantesque buffet qui s'étendait à l'infini vers l'avenir.

À présent, tout le monde a déménagé.

Tout le monde sauf Kenny.

Nous nous arrêtons à deux pas d'un mur en pierres noires. Je le balaie de la main pour en retirer la neige.

— Mon grand-père a travaillé ici de ses seize ans à la fermeture de l'établissement dans les années trente. C'est lui qui a érigé ce mur.

J'essaie de me représenter le site au début du siècle, lorsque l'usine fonctionnait. Comme il devait être imposant, grouillant d'activité, si différent de ce paysage désolé émaillé de mousse et de taillis.

— Quelles pierres étranges ! s'étonne Svante.

Je montre du doigt les pierres noires.

— Ce sont des briques de laitier, une scorie de la métallurgie.

J'observe le mur et le four à griller.

— D'où venait le minerai ?

Ma main repose sur une pierre tandis que je continue de fixer le mur.

— Du Bergslagen, principalement. Mais aussi de l'île d'Utö dans l'archipel de Stockholm.

— Pourquoi l'entreprise a-t-elle fermé ?

— La conjoncture économique, j'imagine. Ça ne devait plus être rentable de produire du fer. Pareil pour l'usine textile le Roi du Tricot et la fabrique Brogren. Les emplois ont été supprimés et nous sommes restés.

— Et ceux qui y travaillaient ?

— Apparemment, c'était épouvantable. Mes grands-parents paternels qui étaient enfants pendant la Dépression m'ont raconté des histoires incroyables ! Pendant plusieurs années, ils se sont nourris exclusivement de pain d'écorce et de poissons de la rivière. Vu qu'Ormberg n'a jamais été une communauté agricole, le nombre d'emplois était limité après la fermeture des hauts-fourneaux et de la scierie. L'exode a été important, mais les familles de mes grands-parents n'ont pas voulu quitter leurs terres. C'était tout ce qu'ils possédaient.

— Ah oui.

La réponse de Svante dissimule mal son désir de prendre la poudre d'escampette.

— Tout le monde déserte Ormberg, personne ne s'y installe.

Mon collègue se retourne, me regarde. Il s'essuie le nez avec le pouce de son gant.

— Mais les réfugiés ? Les demandeurs d'asile ? Peut-être qu'ils peuvent redonner vie au hameau.

— Tu plaisantes ? Des Arabes au beau milieu des bois ? Ça ne va jamais marcher. Ils ne connaissent rien à la vie d'ici.

— Mais ils reçoivent de l'aide, pas vrai ? Pour apprendre le suédois, trouver du boulot, etc.

Je ne commente pas, car il a raison. Ils bénéficient de toutes sortes d'aides, des aides que les Ormbergiens n'ont jamais obtenues, bien que les industries aient fermé et que le bourg ait progressivement dépéri. Nous qui sommes nés ici n'avons jamais reçu d'assistance lorsque nous en avions vraiment besoin – mais c'est une chose qui ne se dit pas, a fortiori quand on est membre des forces de l'ordre et qu'on incarne la justice.

Lorsque je quitte Svante pour rejoindre ma voiture, la nuit est déjà tombée. Je suis incapable de me départir d'un profond malaise. J'avais beau savoir que les recherches allaient être compliquées, je pensais que nous allions trouver au moins un indice. Un gant, un vieux ticket de caisse ou du *snus*, ce tabac à chiquer que l'on place sous la lèvre, ou quelque autre objet témoignant du passage de Hanne et Peter.

Or, nous n'avons rien vu d'autre que des arbres, les versants sombres et lisses du mont Ormberg et la rivière qui serpente, silencieuse, entre les conifères.

Arrivée à deux pas de la route, j'entends un bruit sec, semblable à un craquement de branche derrière moi. Je me retourne, dégaine ma lampe de poche et l'allume. Je ne distingue que les sapins vertigineux et leurs ombres projetées sur les frondaisons lorsque le faisceau balaie la forêt.

Pressant le pas, je continue mon chemin sous la neige abondante. De gros flocons se faufilent entre les résineux et dansent dans le halo devant moi. Comme elle est insidieuse, la sécurité offerte par la lampe torche ! Au-delà des limites précises du halo, l'obscurité est impénétrable. Quant à moi, je suis aussi visible qu'un phare.

Alors que j'atteins la trouée annonciatrice de la route, nouveau bruit. Le frottement d'un lourd objet contre des cailloux.

Je fais volte-face, braque ma lampe vers le son, mais la lumière se reflète dans le voile neigeux, m'empêchant de voir. J'éteins ma torche, cligne des yeux pour m'habituer à l'obscurité.

Les silhouettes des arbres apparaissent progressivement.

Étrange. Ni chevreuil, ni poursuivant, ni collègue égaré. Pourtant, j'ai la certitude qu'il y avait quelqu'un. Ou quelque chose…

— Ohé ! Il y a quelqu'un ?

Seule ma respiration me répond.

Puis je distingue des pas. Et quelque chose d'autre – un rire ? Les pas approchent, suivis par un bruit de respiration pantelante.

Une gigantesque forme noire surgit à une dizaine de mètres de moi.

C'est un homme, la démarche lente et pesante.

Juste derrière lui courent trois silhouettes plus petites. Des enfants. Le premier, coiffé d'un bonnet rouge, brandit un long bâton.

Le colosse tombe à la renverse et pousse un gémissement en percutant le sol.

— On le tient ! triomphe le garçon à la branche.

Ses acolytes le rattrapent, l'encerclent et le bout de bois s'abat sur lui. Le géant pleurniche de douleur.

Un frisson me parcourt quand je le reconnais : c'est Magnus, mon cousin, alias Magnus-le-couillon. Enfant, il aurait reçu un coup de pied entre les jambes, faisant gonfler ses testicules à la taille d'un ballon de football. On a dû l'amener à l'hôpital pour drainer le sang. Depuis, ce surnom lui colle à la peau – à Ormberg, une fois qu'on vous a affublé d'un sobriquet, s'en débarrasser relève d'une gageure.

Magnus est l'« idiot du village ». Je ne pense pas qu'il souffre réellement d'un retard mental, il a plutôt des difficultés avec les interactions sociales. C'est vrai qu'il n'est pas comme les autres, même si je n'ai jamais réussi à mettre le doigt sur son problème. Toute ma vie, j'ai ressenti le besoin presque instinctif de le protéger, assorti d'une tendresse gauche à son égard, bien qu'il ait vingt ans de plus que moi. C'était peut-être compréhensible : il est depuis toujours le bouc émissaire des sales gosses de la contrée qui lui jettent des pierres, déposent des pétards dans sa boîte aux lettres et tendent du fil devant sa maisonnette pour le faire trébucher.

Il arrive que Margareta, ma tante, attrape un chenapan pour lui flanquer une raclée, appelle les parents, profère des menaces, tentant comme à son habitude de reprendre la situation en main. Ses efforts sont couronnés de succès pendant un temps. Les enfants viennent s'excuser, le regard pénitent, les joues écarlates.

Puis, au bout de quelques semaines, tout recommence.

Une des raisons pour lesquelles je déteste Ormberg, c'est qu'il n'y a nulle part où aller pour échapper aux sales gosses, nulle part où se cacher.

Dans ce genre de hameau, on est toujours nu face aux autres. Et face à soi.

Je me précipite vers Magnus et ses bourreaux.

— Qu'est-ce que vous fabriquez ?

— Merde ! s'exclame le principal tortionnaire en lâchant sa branche.

Il détale, suivi des deux autres.

— C'était pour rire! crie l'un d'eux avant de disparaître entre les arbres.

Après une seconde d'hésitation, je décide de rester avec mon cousin plutôt que de poursuivre les garnements. Agenouillée auprès de lui, je le saisis doucement par les épaules.

— Magnus, c'est moi, Malin. Ça va?

Il renifle bruyamment, son corps adipeux secoué de soubresauts, mais il ne répond pas.

— Tout va bien?

Je lui caresse le dos.

— Nooon! Ne dis rien à maman s'il te plaît!

Une fois ma parole donnée, je l'aide à se relever, essuie son manteau et le serre dans mes bras. Ce quadragénaire de cent kilos qui vient d'être molesté par un groupe de collégiens appuie sa tête contre mon épaule et sanglote de plus belle.

Sitôt que j'ai raccompagné Magnus, mon pouls ralentit, mon ire s'apaise et je ressens un grand calme. C'est alors que la partie rationnelle de mon cerveau prend le dessus, me confirmant que je ne peux flanquer une raclée à ces garnements, a fortiori en ma qualité d'agent de police.

Apparemment, mon cousin est tombé sur les garçons non loin de l'usine décrépie – où s'amassent la moitié des habitants pour suivre l'avancée de la battue – et ils l'ont pourchassé à travers les bois. Humilié, il a rechigné à me donner leurs noms, bien que leurs identités ne lui soient pas inconnues.

À mi-chemin entre l'usine et le centre du village, je m'arrête, comme chaque fois que je passe à cet endroit. Parfois je gare ma voiture, en descends et m'assieds un instant près du fossé. Pas aujourd'hui – mon malaise subsiste et je suis pressée de retourner travailler.

Par la vitre, j'observe la forêt et inspire profondément. Kenny… C'est ici que c'est arrivé.

Je ferme les yeux et reste là, comme engourdie, sans couper le contact. Puis je m'étire et reprends la route jusqu'au bureau.

Au moment où je quitte la départementale pour m'engager vers le centre-ville, mon téléphone retentit. C'est ma mère qui a des questions à me poser concernant le mariage. Plus précisément, elle a des propositions pour limiter les frais et ne pas grever son budget.

Ma mère craint toujours que les choses coûtent trop cher. Bien que je lui aie expliqué une centaine de fois qu'elle ne débourserait pas un sou pour la cérémonie, elle dissimule mal son inquiétude.

— Arrête de me rebattre les oreilles avec ces questions d'argent. C'est moi qui paie. Le principal, c'est que ce soit réussi.

Elle se tait. Je l'imagine se laisser tomber sur le canapé, la tête enfouie dans ses mains. Que j'accorde une telle importance à mon mariage demeure pour elle un mystère. C'était sans doute différent à l'époque – se mettre la bague au doigt n'était pas un événement aussi capital. On passait par là parce qu'on s'y sentait obligé. Peut-être parce qu'on était enceinte.

Si ça ne tenait qu'à moi, la cérémonie se déroulerait ailleurs qu'à Ormberg. Toute ma vie, je me suis escrimée à fuir ce patelin, ce n'est pas pour y prononcer mes vœux. Je crois, hélas, que ma mère en aurait le cœur brisé. Ce que je ne souhaite pour rien au monde. Et puis, les splendides paysages estivaux sont un décor idéal pour ce genre de fête.

— Malin…, articule ma mère de sa voix fluette, non exempt de reproches. Ma chérie, avec cette attitude, tu risques d'être déçue. Essaie plutôt de te détendre. Tout va bien se passer. On en parlera ce soir, d'accord ?

— Bien sûr, maman.

Je raccroche et pénètre dans notre bureau de fortune, aménagé dans l'ancien magasin d'alimentation. Ce dernier a mis la clef sous la porte, bien sûr, pour cause de pénurie de clients. Lorsque ma mère était petite, c'était une boutique de village, qui a été vendue dans les années quatre-vingt par la famille Karlman à Favör, devenu plus tard Vivo. Ils ont fermé il y a dix ans, laissant le bâtiment à l'abandon. Les adolescents en ont profité pour y organiser leurs soirées clandestines. J'y suis moi-même venue à plusieurs reprises, m'enivrer des mélanges d'alcools les plus saugrenus à la lueur vacillante des bougies, conséquence à la fois logique et inévitable de mon enfance dans ce coin paumé.

Après avoir retiré mon manteau, je m'installe devant mon ordinateur et jette un coup d'œil aux photographies du squelette de la fille d'Ormberg accrochées au mur, me rappelant l'enquête dont nous avons à peine eu le temps de parler depuis deux jours. Je sors mon carnet de notes et l'ouvre à la dernière page.

La sonnerie de mon portable m'interrompt. Un message de Max : « Plaid gris ou beige pour le canapé ? »

Max est mon compagnon. Mon fiancé plus exactement, puisque nous avons prévu de nous unir l'été prochain. Il est juriste dans une compagnie d'assurance et vit à Stockholm. Après le mariage, j'emménagerai avec lui et je pourrai tourner le dos à Ormberg. Tous les fils ténus qui me rattachent à ce patelin, ces milliers de petits cordons ombilicaux, seront coupés.

Et Max représente les ciseaux qui rendent tout cela possible.

Je suis aux anges.

Je resterai évidemment en contact avec ma mère, j'irai la voir de temps en temps. Quelques fois par an. Ou, mieux encore, je l'inviterai à Stockholm.

La porte s'ouvre, laissant entrer un courant d'air froid, quelques feuilles mortes et un effluve de terre mouillée. Le corps massif de Manfred vient s'encadrer dans le chambranle.

— Bonjour. Comment ça s'est passé ?

— Pas très bien. Je reviens de l'usine. Ils n'ont rien trouvé.

Mon collègue ferme derrière lui, retire sa redingote et se laisse tomber sur la chaise en face de moi. Il affiche une expression de désespoir à la limite de la rage. Toute cette inquiétude et cette pression semblent déchaîner chez lui une virulence que je ne lui connais pas.

— Merde !

Je réponds à son juron par un signe de tête et l'observe. Il est vêtu d'un costume de tweed et ses cheveux lui collent aux tempes. Il pourrait venir d'une autre planète tant son accoutrement est baroque. Personne à Ormberg n'aurait l'idée de s'habiller ainsi. Pas même les Stockholmois qui se sont installés dans la ferme croulante de l'autre côté de la rivière et qui élèvent de curieux petits chevaux qu'on ne peut même pas monter, ou les Allemands qui ont fait l'acquisition de ces baraques décaties au fond des bois pour vivre « en harmonie avec la nature ».

Lorsque Manfred a débarqué avec ses collègues de la capitale, j'ai songé à lui conseiller de changer de look pour faciliter son intégration. Les gens d'ici ne respecteront jamais un homme fagoté comme un lord pour une partie de chasse à courre. Mais j'ai préféré tenir ma langue. Par la suite, Manfred a été tellement déstabilisé par la disparition de Peter que je n'ai pas osé aborder le sujet.

Déstabilisé, il l'est encore. Moi aussi, d'ailleurs.

Nous sommes morts d'inquiétude pour Peter et devons en plus gérer une nuée de journalistes qui posent des questions auxquelles nous ne voulons ni ne pouvons répondre. Je me demande où ils passent la nuit – les hôtels ne courent pas les rues à Ormberg. Il n'y a qu'un camping du côté du lac Långsjön, mais il est désert à cette période de l'année.

— Raconte, m'enjoint Manfred.

Il dépose une Thermos sur la table et fixe la carte dépliée devant moi.

Ormberg se trouve au milieu des terres fertiles de la Sudermanie. Quelques milliers d'hectares de forêt rocailleuse qui, à la différence des communes adjacentes, ne se prêtent guère à l'agriculture ; un bassin industriel autrefois florissant que l'exode a dépeuplé. Sur la carte, on ne voit qu'une étendue boisée et quelques exploitations dont la disposition semble aléatoire. En réalité, elles jouxtent le cours d'eau qui coule jusqu'à Vingåker.

Nous avons quadrillé le plan et mis en relief les lieux les plus importants : le monticule de pierres où était enterré le squelette, l'ancienne usine métallurgique et l'endroit où Hanne a été retrouvée.

— Aujourd'hui, les gens de l'association Missing People se sont concentrés sur cette zone, dis-je en indiquant deux carrés de la pointe de mon stylo. J'ai parlé avec Svante qui est en charge des opérations.

— Et alors ?

— Rien. Mais le terrain est accidenté, on peut passer à côté d…

Je m'abstiens de justesse de dire « un corps ». Aucun d'entre nous ne veut se représenter Peter comme un « corps ». Peter, ce policier venu de Stockholm, sympathique et non dénué de charme – si l'on a un faible pour les hommes mûrs, s'entend. J'ai appris au début des recherches qu'il a cinquante ans. Je sais également qu'il mesure un mètre quatre-vingt-cinq pour quatre-vingts kilos et qu'il entretient effectivement une relation avec Hanne. Il a un fils adolescent qui se prénomme Albin et qu'il ne voit que rarement, ainsi qu'une ex-petite amie qu'il ne supporte pas.

Lorsqu'on est l'objet d'une enquête policière, plus rien ne reste caché. Que vous soyez coupable ou victime, on va remuer votre linge sale et exposer aux quatre vents vos secrets les plus honteux.

Je me demande ce que Peter en penserait s'il nous voyait ici, installés dans l'ancien magasin, discuter de ses mensurations et de sa vie amoureuse. Pas sûr qu'il l'apprenne un jour. D'après nos informations, il a disparu vendredi et, depuis, les températures nocturnes sont descendues bien en dessous de zéro. Sans compter la tempête qui s'est déchaînée dans la nuit de vendredi à samedi, emportant plusieurs arbres et le toit d'une étable à une dizaine de kilomètres au nord d'Ormberg. Il n'est pas impossible que Peter ait eu un accident s'il se trouvait dehors ce soir-là.

Manfred dévisse le couvercle de la Thermos et étire le bras vers un gobelet. Il dégage les mèches humides de son front.

— Café ?

— Volontiers.

Il me sert une tasse fumante et me la tend.

— J'ai discuté avec Berit Sund, la femme qui héberge Hanne à la demande des services sociaux.

— Hanne vit chez *Berit Sund* ?

Quand j'étais enfant, la propriétaire de la masure décrépie derrière l'église et l'usine avait déjà atteint un âge canonique. J'ai du mal à l'imaginer s'occuper de quiconque, encore moins d'une femme amnésique et traumatisée. Il me semble néanmoins qu'elle a travaillé avec des personnes handicapées par le passé.

— Oui. Hanne a été placée temporairement chez elle, jusqu'à ce que les services sociaux trouvent une autre solution. C'est une bonne idée, ça nous permet d'aller lui parler si besoin. Au cas où sa mémoire revienne.

— Et alors ? Elle se souvient de quelque chose ?

— Non, de rien, répond Manfred, les yeux rivés sur sa tasse de café.

Sa silhouette de gros morse exprime le découragement. Il a l'air tellement abattu que je suis prise d'une envie de le consoler, mais j'ignore comment.

— Je ne comprends pas qu'elle ait réussi à nous cacher ça. Si on ne se rappelle plus où on est, ça veut dire qu'on est vraiment malade. Comment peut-on dissimuler une chose pareille ?

Manfred secoue la tête, faisant trépider son double menton.

— C'est bizarre, je te l'accorde, mais je pense qu'elle usait de stratégies pour gérer son quotidien. Tu te souviens de ce carnet qu'elle avait toujours sur elle ?

Je hoche la tête. Difficile de ne pas le remarquer. Quand Hanne ne l'avait pas sous le bras, elle écrivait dedans. Ou le lisait.

— Tu crois qu'elle y consignait des choses ?

Manfred avale une gorgée de café.

— Oui, j'en suis certain. Sinon elle n'aurait jamais pu travailler.

— Alors elle devait tout y inscrire ! Les gens, leur physique, ce qu'ils disaient…

Ma remarque reste sans réponse. Manfred se contente de regarder par la fenêtre crasseuse. Dehors, la journée a capitulé, laissant place à la nuit tombante. La pièce, plongée dans la pénombre, n'est éclairée que par l'écran de l'ordinateur portable et une ampoule nue au bout d'un câble fixé pour l'occasion.

Nous nous trouvons dans ce qui fut jadis le petit bureau attenant au magasin alimentaire. À côté, dans le local qui abritait la boutique, on peut encore voir les rayons et la caisse enregistreuse. Les murs sont barbouillés de graffitis et nous avons dû ramasser des montagnes de bouteilles vides, de mégots et de préservatifs usagés lorsque nous nous sommes installés. En arrivant, nous avons préféré en rire. Manfred a affublé notre nouveau bureau du nom de *Château Ormberg, le palais du péché au fin fond de la Sudermanie*. Et Hanne… a sorti son calepin, probablement pour prendre note de ce qu'il disait.

Manfred appuie son gros doigt sur la carte, laissant une tache de café sur le papier.

— Hanne a été trouvée ici, sur la route qui passe au sud d'Ormberg. Nous avons fouillé la forêt dans un rayon de un kilomètre et interrogé les habitants des environs. Les Brundin – qui sont de ta famille, Malin, non ? – ont passé la soirée du vendredi à Katrineholm. Ils étaient chez eux le samedi, mais n'ont rien remarqué de particulier. Les Olsson n'ont rien vu non plus. C'est ça ?

— En effet. J'ai parlé avec le père, Stefan Olsson, et avec la fille de seize ans. Ils n'ont rien noté. La fille était chez son petit ami le samedi soir quand Hanne a été retrouvée et le père était chez un ami à jouer aux jeux vidéo.

— Il jouait aux jeux vidéo ?

— Hé oui. Il y a aussi le fils, Jake. Il était seul à la maison samedi soir.

— Jake ? *Jake Olsson ?* Il s'appelle comme ça ?

— Hum, oui. Un nom typique d'Ormbergien.

Manfred m'adresse un sourire hésitant, comme s'il craignait de m'offenser s'il éclatait de rire. Nous avons appris à nous connaître au cours des deux semaines où nous avons travaillé ensemble, mais pas suffisamment pour situer la frontière entre plaisanterie et outrage. Surtout lorsqu'il s'agit d'un thème aussi sensible que mon village natal.

Par un petit rictus, je signifie à Manfred qu'il est temps de changer de sujet. Il comprend.

— Et la femme qui a trouvé Hanne ? demandé-je. Est-ce que quelqu'un lui a parlé à nouveau ?

— Oui. Elle habite à Vingåker. Je l'ai appelée ce matin : elle m'a répété sa version des faits et n'a rien à ajouter. Elle se rendait chez une amie à Ormberg autour de vingt heures samedi soir, a tourné par inadvertance dans le mauvais sens. Sur le chemin du retour, elle est tombée sur Hanne et s'est arrêtée en comprenant qu'il s'était passé quelque chose de grave.

— Et cette fille qu'elle a vue ?

— Elle confirme sa déposition : Hanne était accompagnée d'une femme d'une vingtaine d'années, en robe ou jupe dorée et haut noir. Peut-être un gilet. Mais sans manteau.

— C'est incroyable ! Qui sort dans la forêt habillé comme ça en cette saison ? Et par ce temps ?

Je repense à Hanne, cette spécialiste du comportement et profileuse hors pair. Manfred m'a parlé d'elle au cours des trois jours où nous avons travaillé sur l'affaire avant son arrivée : jamais, disait-il, il n'avait rencontré quelqu'un d'aussi pointu. L'exactitude de ses prévisions donnait presque la chair de poule et lui avait valu à Stockholm le surnom de sorcière.

Elle nous a menés par le bout du nez : aucun d'entre nous n'a vu la maladie ou ne s'est douté de la gravité de son état.

Mes sentiments vis-à-vis d'elle sont mitigés. J'ai souvent eu l'impression qu'elle me regardait de travers, surtout pendant mes conversations avec Andreas. Ces coups d'œil qui me collaient à la peau comme du chewing-gum me mettaient mal à l'aise sans que je comprenne vraiment pourquoi.

— Il faut qu'on retrouve le carnet en question, indique Manfred. Si elle y notait tout, il pourrait nous aider à localiser Peter. J'ai téléphoné à Hanne pour lui demander où il était, mais elle ne s'en souvenait pas. Quant à Berit, elle ignorait de quoi je parlais.

— Il n'est ni ici ni dans leur hôtel. Svante et moi avons vérifié.

— Elle l'avait peut-être en sa possession quand ils ont disparu ? Elle a pu le perdre dans les bois.

— Il apparaîtra sans doute au printemps, quand la neige aura fondu.

Manfred soupire.

— Et la voiture de Peter ?

Je consulte mes notes.

— Rien non plus, mais les collègues ont lancé un appel à témoins. Ils tracent les portables de Hanne et Peter, et vont voir si les cartes bancaires de Peter ont été utilisées.

Manfred sombre dans le silence. Il ferme les yeux. Prend une longue inspiration, comme pour maîtriser la colère qui monte à nouveau en lui.

— Je me pose des questions sur les inscriptions dans la main de Hanne, dis-je.

— Les chiffres qu'elle a notés sur sa paume ?

— Oui, elle ou quelqu'un d'autre. On discerne « 363 », le reste est illisible. Qu'est-ce que ça peut bien être ?

La porte s'ouvre en grand pour laisser entrer Andreas en jean, polaire et doudoune sans manche. Ses cheveux noirs et bouclés sont humides, ses épaules et ses bras trempés.

— Ça travaille dur, à ce que je vois ! clame-t-il en se postant jambes écartées un brin trop près de moi.

Andreas est le genre d'homme qui croit être un don de Dieu aux femmes, du simple fait d'être né avec une verge. Il est sans doute convaincu qu'il exerce sur moi une force d'attraction irrésistible. C'est faux.

Ce type ne m'attire pas le moins du monde. Je trouve son comportement pathétique – voire touchant. On dirait un garçonnet qui aspire à la reconnaissance de sa virilité. Plutôt que de lui donner satisfaction, je préfère me concentrer sur la carte, avec ses carrés représentant les maisons, sa ligne tortueuse pour la rivière et les lignes d'altitude qui forment une trame noire sur le mont Ormberg.

Mon collègue se racle la gorge, esquisse un pas de plus vers moi. Sa jambe frôle quasiment mon bras.

— Je viens de discuter avec un représentant de Missing People. Ils ont découvert quelque chose dans les bois, juste à côté de l'endroit où Hanne a été retrouvée. Je ne sais pas si ça a un rapport avec elle et Peter, mais…

Sans finir sa phrase, il fouille dans la poche de sa veste matelassée, en sort un sachet plastique qui semble vide au premier abord et le pose sur la table. Une goutte d'eau glisse de sa manche sur mon bras. Nous nous penchons vers le sachet pour distinguer ce qu'il contient tandis qu'Andreas poursuit :

— J'y ai envoyé les techniciens, histoire de ne rien manquer. Le gars de Missing People a trouvé des empreintes de chaussure, ils ont placé une couverture dessus pour ne pas que la neige les dissimule.

Je plisse les yeux pour mieux voir. Quelque chose brille à l'intérieur. Une minuscule paillette dorée.

Jake

La tour Eiffel mesure trois cent vingt-quatre mètres de haut, pèse environ dix mille tonnes et se compose de douze mille poutres de fer assemblées à l'aide de plus de deux millions de rivets originaires de la région suédoise du Värmland. La construction a duré deux ans, période pendant laquelle un seul ouvrier est décédé. En dehors de ses heures de travail, qui plus est. Quelle ironie ! En 1889, quelques jours avant l'ouverture, il voulait montrer la Tour à sa fiancée et, cherchant à l'impressionner, fit une chute mortelle du premier étage. Il a dû être étonné. Sa petite amie aussi.

J'ai déniché ces informations sur Internet. Il me semblait que pour réaliser une bonne reproduction de la tour Eiffel, j'avais besoin de maîtriser parfaitement le contexte de son édification.

J'observe mon modèle miniature, insatisfait. La partie supérieure paraît un peu inclinée et, lorsque je tente de la redresser à l'aide d'une pince, elle se met à pencher de l'autre côté. Ce n'est pas une mince affaire que cet ouvrage ! Même si j'y ai passé pas mal de temps et me suis appuyé sur une quantité de photographies et de dessins trouvés sur Google.

La venue de Melinda m'arrache à mes réflexions. Elle porte une splendide robe noire ajustée qui lui arrive à mi-cuisses. Ma sœur porte rarement d'aussi jolies robes. Elle est si belle que l'idée de l'essayer surgit dans mon esprit. Impossible ensuite de m'en départir.

Le revoilà, le *mal qui me ronge* ! Il me tourmente, ne me laisse pas une minute en paix, tel un chiot obstiné qui me collerait aux basques et me mordillerait les mollets. J'ai beau lui dire de me lâcher, c'est peine perdue. Au contraire, ça ne fait que l'encourager, comme s'il me croyait disposé à jouer avec lui.

C'est faux. Je veux que le *mal qui me ronge* cesse de m'importuner. Qu'il disparaisse dans la forêt comme ce policier.

Melinda s'arrête, admirative. Elle sent la laque et le parfum.

— Mais c'est superbe ! C'est toi qui l'as construite ? Magnifique !

En voulant s'approcher, elle trébuche sur les cannettes de bière découpées, éparpillées sur le sol, et se rattrape *in extremis* à mon bureau.

— C'est pour l'école. On doit fabriquer un objet à base de matériaux de récupération.

Euphorique, les yeux brillants, elle se penche sur ma tour Eiffel faite maison et en caresse délicatement la pointe.

— On dirait la vraie ! Comment tu as fait ?

Je pointe du doigt les boîtes en métal.

— Pas bête ! s'exclame Melinda avec un sourire en coin. Ici, ce ne sont pas les cannettes qui manquent. Comment tu les as fixées ensemble ?

— J'ai d'abord confectionné un squelette avec ces pièces-là, dis-je en montrant la soudure sur la partie supérieure d'une des cannettes. Cette partie est plus solide que le reste de la cannette. Je leur ai donné une forme à coups de marteau et les ai assemblées avec du fil de fer. J'ai ensuite découpé des morceaux plus fins que j'ai collés sur la structure.

— C'est incroyable ! Tu devrais devenir… celui qui dessine les plans des maisons…

— Architecte ?

— Oui, voilà. Tu devrais devenir architecte plus tard.

L'idée de « devenir quelque chose » plus tard ne m'avait jamais effleuré l'esprit, encore moins quelque chose comme architecte. C'est tout simplement inimaginable.

— Il n'y a pas d'architectes à Ormberg.

C'est vrai. Dans ce bled, il n'y a que des retraités et des chômeurs, hormis les Stillman qui vendent des vêtements pour chien sur Internet, et les Skog qui élèvent de ridicules petits chevaux. En revanche, l'été, les Allemands et les Stockholmois déferlent. S'ils randonnent en forêt, arborant leur treillis militaire de rigueur, et descendent la rivière en canoë, leur activité préférée demeure le barbecue. Pendant les calmes soirées estivales, les effluves carnés flottent au-dessus d'Ormberg, un gigantesque nuage d'exhalaisons nauséabondes. « Ça pue le Stockholmois », raille alors mon père en fronçant le nez.

— Tu peux m'aider à me lisser les cheveux ? demande Melinda.

— Bien sûr !

J'espère qu'elle ne voit pas le plaisir que ça me procure – lisser des cheveux est loin d'être un truc viril. Il n'y a que les coiffeurs homos à Stockholm qui font ça, ou peut-être les artistes qui y sont obligés pour susciter l'admiration des gamines et engranger des *likes* sur Instagram.

Je suis ma sœur dans sa chambre. Le sol est jonché de vêtements, strings et soutiens-gorge à dentelle. Un jean retourné posé sur la chaise vole à travers la pièce et atterrit au pied du lit. Une odeur de parfum flotte dans l'air et le bureau est couvert de maquillage : rouges à lèvres, crayons pour les yeux, ombres à paupières de toutes les couleurs. De petits tubes dont j'ignore le contenu se pressent dans une grande trousse rose agrémentée du mot *Bitch* écrit en strass.

Je rêverais d'en avoir une comme ça ! Mais cela prouverait mon déséquilibre mental. Je ravale la boule qui grossit dans ma gorge et ramasse le fer à lisser. Une légère odeur de cheveux brûlés s'en dégage et je sens la chaleur se diffuser dans la poignée.

— Allez, c'est parti !

Melinda attache les mèches supérieures de ses cheveux à l'aide d'une pince et je me mets à l'ouvrage. C'est devenu une sorte de rituel – je l'aide à se coiffer chaque fois qu'elle sort.

— Tu es adorable, marmonne-t-elle en attrapant du vernis.

— Tu vas où ?

Elle ouvre le flacon et peint l'un après l'autre ses longs ongles effilés.

— Voir Markus.

Markus, son petit ami, a dix-huit ans et conduit une Ford qu'il a achetée il y a un an à la casse et a lui-même restaurée. Melinda dit que c'était une épave, à l'époque, mais qu'il l'a transformée en vrai bolide.

J'ai du mal à me faire un avis sur Markus. Quand il vient chez nous, il ouvre à peine la bouche. Il reste là, muet, les cheveux drapés comme un rideau devant le visage. J'ignore à quoi il ressemble sous cette crinière. Que mon père ne le porte pas dans son cœur n'est guère un secret. C'est d'ailleurs un sujet de dispute entre ma sœur et lui. À en croire ses invectives – « Ne compte pas sur moi pour nourrir ton marmot ! » –, il redoute surtout qu'elle tombe enceinte.

— Et toi, tu fais quoi ce soir ?

— Je ne sais pas. Je pense que je vais rester ici.

— Tu ne vas pas voir Saga ?

Quand je pense à elle, l'intérieur de mon estomac frémit, comme si un minuscule insecte y rampait.

— Elle est invitée à une fête.

Melinda repose le vernis avec un claquement.

— Comment ça ? Il y a des soirées en semaine, maintenant ? Et toi, tu n'y vas pas ?

— Pas envie.

Je n'ai pas la force de tout expliquer à Melinda, pas la force de lui avouer le traitement que me réserveraient Vincent et ses copains dans l'éventualité où je m'y rendrais. Comme d'habitude, elle comprend quand même. C'est le superpouvoir de ma sœur : elle lit dans mes pensées, avant même que je les aie formulées, comme s'il s'agissait d'ondes radiophoniques qu'elle pouvait capter et décrypter.

Quant à moi, si j'ai un superpouvoir, c'est celui de confectionner des objets à partir de cannettes usagées.

— C'est à cause de Vincent, pas vrai ?

Je ne réponds pas. Les mâchoires du fer à lisser se referment sur une mèche de cheveux humides avec un crépitement.

— Quelle ordure ! Je le tue s'il continue à te harceler !

— S'il te plaît, ne fais rien !

— Si. Je vais le massacrer s'il ne te laisse pas tranquille.

Melinda partie, je descends dans la cuisine pour prendre un Coca. Mon père s'est encore endormi sur le canapé. Je l'enveloppe d'une couverture, éteins la télévision, ramasse des cannettes de bière vides pour les apporter dans ma chambre.

J'ai prévu de les recycler, mais d'abord, je dois lire quelques pages du journal de Hanne. Je l'extrais de sa cachette, grimpe sur mon lit et laisse courir mes doigts sur le livre marron.

C'est vraiment étrange. Lorsque je parcours ces lignes, j'ai l'impression d'entrer dans la tête de celle qui les a écrites, presque comme si je me transformais en elle, bien qu'elle soit très âgée et de sexe féminin ; comme si j'obtenais une partie des superpouvoirs de Melinda et que je pouvais lire dans les pensées.

Je ne sais pas encore si j'apprécie Hanne. En tout cas, elle me fait de la peine. Ça doit être terrible de devoir tout noter dans un carnet parce qu'on a perdu la mémoire. Mais elle est maligne : j'ai fini par comprendre pourquoi elle a compilé une table des matières. Elle ne peut évidemment pas relire tout le cahier chaque fois qu'elle a oublié un détail.

Hanne est rusée, certes, mais aussi isolée. Elle ne peut partager ses réflexions, surtout pas avec le fameux P.

Exactement comme le *mal qui me ronge*...

Tu as un secret, Hanne. Moi aussi.

Nous revenons tout juste de l'endroit où a été trouvée la victime. Le chemin est étroit, parsemé de nids-de-poule et bordé de hauts sapins. Aucun bâtiment. Personne.

Le monticule mesure une vingtaine de mètres de long sur deux ou trois mètres de large. C'est un grand amas de pierres de différentes tailles drapées de mousse.

Derrière, le mont Ormberg. Il monte en pente douce puis plus escarpée.

De l'autre côté, l'eau sombre de la rivière.

Nous nous sommes accroupis dans la mousse pour tenter d'appréhender l'impossible : le squelette d'une fillette de cinq ans a été retrouvé sous les morceaux de roches, les bras croisés sur la poitrine.

J'ai constaté que vu la taille et le poids des pierres, le ou la coupable devait avoir de la force. Il ou elle connaissait probablement les environs et le monticule, en particulier, avant d'y enterrer la fillette. Enfin, la position de la victime nous informe sur la relation que le bourreau entretenait avec elle : les bras croisés témoignent d'une tendresse, d'une affection à son égard.

Nous sommes restés silencieux un instant, puis Andreas a dit que nous devrions rentrer. J'ai encore remarqué une irritation chez Malin. Peut-être que

je me fais des idées, mais il me semble qu'elle ne le
porte pas dans son cœur.

Ormberg, le 23 novembre
Trois heures cinq du matin.
Assise sur la petite chaise, je regarde par la fenêtre.
Les flaques s'étendent dans l'asphalte troué. Des
mares d'eau sale que les nuages ont crachée et qui
reflètent l'éclairage du parking. La seule voiture
stationnée là est la nôtre.
Je me demande s'il y a d'autres clients que nous dans
cette auberge.
Au-delà du parking, il n'y a que la nuit. Ni animaux,
ni véhicules, ni âme qui vive.
Manfred est descendu à l'hôtel de Vingåker. Il a sans
doute eu raison. Le nôtre est perdu au milieu de la
campagne, entre Ormberg et Vingåker.
Je me suis réveillée en sursaut, la peur au ventre.
Je me suis demandé pourquoi, avant de me rendre
compte que j'ignorais où nous nous trouvions et
pourquoi nous étions là, dans ce lit inconnu.
Mon premier instinct a été de secouer P. et lui poser
la question, mais je me suis calmée. C'est la dernière
chose à faire. P. ne doit absolument rien savoir.
Je me suis concentrée, j'ai tenté de solliciter ma
mémoire, mais seule l'image d'Ilulissat m'est
apparue. L'iceberg, l'air froid et revigorant.
L'exquise sensation de plénitude.
Je n'aurais jamais dû quitter le Groenland. J'y avais
une force que j'ai perdue.
Je me suis glissée hors des draps avec mon journal,
me suis installée sur la chaise pour lire en espérant

*que le texte mettrait en branle quelque chose dans
mon cerveau, un flux d'images et de souvenirs.*

Mais cette fois, rien ne s'est produit.

*J'ai l'impression de lire ce livre pour la première
fois. Comme si ce qui y était décrit avait été vécu
par quelqu'un d'autre. Suis-je en train de devenir
quelqu'un d'autre ? Est-ce ce qui va se passer ou
est-ce un événement isolé, une amnésie traumatique
consécutive au surmenage ?*

*Incapable de retourner me coucher, j'ai consulté les
pages consacrées à l'enquête.*

*Selon la première piste de la police, la fille d'Ormberg
aurait trouvé la mort dans un accident – de la route,
peut-être – qu'on aurait voulu couvrir en enterrant
le corps. Mais les enquêteurs ont changé d'avis en
voyant qu'ils ne parvenaient pas à identifier la fillette.
Si elle avait été victime d'un accident, on l'aurait
cherchée – mais aucune disparition n'a été signalée
ni ici ni dans les communes limitrophes.*

*Conclusion : la fillette ne vient pas d'Ormberg et il
ne s'agit pas d'un accident.*

Je pose le carnet sur mes genoux, observe la tour
Eiffel qui luit d'un éclat mat sous la lampe de bureau.

Un grand froid se propage dans mon ventre puis
dans ma poitrine. Ce que décrit Hanne n'est pas une
nouveauté, ce qui ne m'empêche pas de ressentir un
profond malaise quand je songe à cette fille enfouie sous
les cailloux.

J'ai du mal à concevoir que ces lignes aient été écrites
il y a moins de deux semaines, que Hanne ait discuté
de la fille d'Ormberg dans l'ancienne boutique avec ses

collègues… D'ailleurs, je vois très bien qui est Malin. Non que je la connaisse, elle est bien trop âgée pour ça, mais je sais à quoi elle ressemble et où vit sa mère.

L'histoire de Hanne m'a transformé. J'ignore ce qui s'est passé en moi, mais la vie ne me semble plus aussi désespérée. Vincent et ses amis ne sont que des imbéciles pathétiques et le *mal qui me ronge*, aussi terrible soit-il, ne l'est pas autant que ce qui est arrivé à la fille d'Ormberg. Ou à ma mère.

Le *mal qui me ronge* n'est ni un cancer ni une démence, mais je voudrais quand même qu'il disparaisse.

J'attrape mon portable pour chercher « amnésie traumatique » sur Google.

Malin

Revenir chez sa mère quand on a quitté le nid n'est pas une sinécure. Étrangement, lorsque j'ai accepté de prendre part à cette enquête, il ne m'a pas effleuré l'esprit que je devrais retourner au domicile parental.

Avais-je vraiment le choix ?

Si j'avais pris un hôtel à Vingåker, ma mère aurait été inconsolable, et c'est la dernière chose que je souhaite. J'aime ma mère et, en un sens, je suis également attachée à Ormberg, même si je ne veux plus y vivre. La nature y est grandiose, les étés magiques – une idylle pastorale avec des maisonnettes rouges, de profondes forêts et l'eau tiède et claire du lac Långsjön.

Pourtant, je cherche désespérément à m'enfuir.

Je ne supporte pas les questions de ma mère, l'inquiétude dans ses yeux chaque fois que nous parlons de mon travail. Et la propriété qui tombe en ruine me fend le cœur.

Depuis le décès de mon père, voilà trois ans, l'entretien du pavillon laisse à désirer. La peinture des façades s'écaille, des parties de la toiture et les cadres des fenêtres se détachent. Le jardin s'est transformé en jungle. Une gouttière décrochée gît dans l'herbe haute, tapie dans les sous-bois comme un serpent prêt à vous mordre la jambe.

Sans oublier la grange, qui déborde des affaires poussiéreuses de mon père. Incapable de se débarrasser de quoi que ce soit, il y entassait les objets les plus hétéroclites : appareils électroménagers, transistors, guenilles mitées, pneus, instruments hors d'usage, anciens skis de fond en bois, pots de peinture, et tous les exemplaires de l'annuaire de l'Association suédoise du tourisme depuis 1969. Il est même mort avec un vieux lave-linge dans les bras – son cœur a lâché pendant qu'il l'y transportait. Quand ma mère a trouvé son mari sur le gazon, il étreignait encore la Cylinda, comme un naufragé sa bouée de sauvetage.

Des tonnes et des tonnes de bric-à-brac qu'elle n'a pu se résoudre à jeter, les reliquats d'une vie entière, s'amoncellent dans le hangar. Chaque fois que j'y entre, j'ai l'impression de regarder un vieux film. Les souvenirs affluent : en voyant le vélo qui m'a valu une chute dans le fossé, je me remémore la douleur au poignet ; quand j'inspire l'odeur de la toile de tente, je me rappelle ma *première fois*, dans mon sac de couchage. La chaleur de Kenny, les parfums, le froid émanant de la terre, sous le mince tapis de sol.

Et la Cylinda dont ma mère ne s'est jamais débarrassée. Elle l'a simplement posée là, au milieu du fourbi, dans la remise peinte en rouge de Falun.

La perte de ma virginité jouxte la mort de mon père.

La première fois que Max est venu à Ormberg, j'ai eu honte – et honte d'avoir honte. L'agacement que j'éprouve parfois vis-à-vis de ma mère ne m'empêche pas de l'aimer, et ni Ormberg ni mon enfance ne devraient susciter chez moi pareil embarras. Pourtant, mon village représente tout ce que je rejette : campagne, chômage, vieillissement; bâtiments en ruine, jardins souillés de carcasses de voitures et de baignoires rouillées qui servaient jadis d'abreuvoirs aux vaches; et par-dessus tout, ces gens qui s'accrochent désespérément au passé.

J'ai tellement plus d'ambition.

Max et ma mère se sont immédiatement bien entendus, ce qui ne m'étonne guère. D'un caractère affable, il a une grande capacité à communiquer avec les gens, à les valoriser. Avec lui, ils se sentent à l'aise et se livrent, même s'ils n'ont pas grand-chose à se dire.

Il ferait un excellent policier. Mais s'il y a bien une chose qui ne me plairait pas, c'est être en couple avec un agent. Max voudrait que je fasse des études de droit quand j'aurai déménagé à Stockholm et je crois que ses désirs vont devenir réalité. Je crois qu'être en couple avec un flic ne lui plaît pas non plus.

Je me gare devant l'ancien magasin alimentaire. Une fine pellicule de frimas couvre le parking. Tout est blanc et le soleil éblouissant me contraint à plisser les yeux lorsque je descends de la voiture. Mes joues subissent la morsure du froid. Des lambeaux de nuage se pourchassent dans le ciel bleu clair et le vent fait virevolter la poudreuse au ras du sol.

Nous sommes mardi et Peter a disparu depuis bientôt quatre jours.

Je pense au sympathique policier mince et musclé, à ses cheveux gris blond, à sa chemise de flanelle à carreaux, à son regard jamais fuyant, quel que soit son interlocuteur.

Depuis sa disparition, nous avons laissé de côté l'investigation sur la fille d'Ormberg. Un homicide vieux de trente ans peut attendre.

Bien que la police locale soit chargée de l'enquête sur la disparition, nous avons fait tout notre possible pour lui apporter notre concours. Nous avons pris part à la battue, rencontré plusieurs fois le responsable des recherches et fouillé dans la paperasse de Hanne et Peter à la recherche d'indices qui témoigneraient de ce qu'ils avaient prévu le vendredi soir.

Nous n'avons rien trouvé, ce qui, en soi, pourrait constituer un indice – peut-être que Hanne et Peter étaient sur une piste qu'ils avaient décidé de ne pas divulguer aux autres, pour une raison inexpliquée.

Andreas m'accueille d'un signe de la main. Penché en arrière contre le dossier de sa chaise, il a les pieds posés sur la table près des reliefs de sa brioche au safran. Certes, il a retiré ses chaussures et notre bureau est hautement improvisé, il n'empêche que c'est un espace de travail, pas son salon. Il laisse pendre un bras indolent sur le dossier de la chaise d'à côté et tient une boîte de *snus* de l'autre main. J'ai horreur des hommes qui suçotent ce tabac répugnant.

— Salut !

Son large sourire découvre le sachet noirâtre calé sous sa lèvre supérieure.

— Salut.

J'ai à peine le temps d'ôter mon manteau que l'on frappe à la porte. Elle s'ouvre pour laisser passer une septuagénaire fluette à l'épaisse tignasse grise et frisée. Ses immenses lunettes s'enduisent instantanément de buée lorsqu'elle pénètre dans la chaleur. C'est Ragnhild Sahlén.

Ragnhild réside de l'autre côté du champ, non loin du Roi du Tricot. Juste à côté de la maison verte où vivait Kenny.

Comme à chaque fois que je repense à mon petit ami de l'époque, mes tripes se nouent et mon cœur se soulève. Nous avons été ensemble de mes quinze ans jusqu'à cette terrible nuit pluvieuse d'octobre 2009. Alors âgée de dix-sept ans, j'étais incapable de gérer une telle tragédie. D'ailleurs, y a-t-il un âge où on le peut ?

— Bonjour Ragnhild.

La femme retire ses besicles et les essuie sur la manche du pull qui dépasse de son manteau. Avant de partir à la retraite, elle était institutrice à Vingåker, puis elle s'est engagée dans l'Association pour la sauvegarde du patrimoine qui réunit trois vieillards d'Ormberg. J'ignore ce qu'ils y font exactement, mais ils se sont pris de passion pour l'ancien complexe métallurgique – ils ambitionnent de le restaurer pour le transformer en musée, et mènent une lutte incessante contre la municipalité pour obtenir des fonds.

— Malin, mon enfant ! Ça fait belle lurette qu'on ne t'a pas vue !

— Ça fait deux ans.

— Tu devrais venir plus souvent, marmonne-t-elle en chaussant ses lunettes. Je crois que… la propriété aurait besoin d'un petit coup de neuf.

Je résiste à l'envie de lui demander si j'ai l'air d'un menuisier, car ce n'est pas de la maison qu'elle parle, mais de ma mère. Elle essaie de me dire que ma mère a besoin de moi. C'est sans doute vrai, mais j'ai d'autres intérêts dans la vie que de croupir à Ormberg.

— En quoi pouvons-nous vous être utiles ? s'enquiert Andreas, qui a posé ses pieds par terre.

Ragnhild se redresse un peu.

— Je veux porter plainte pour vol.

— Je suis désolée, dis-je, mais nous travaillons sur l'affaire de la fille d'Ormberg. Pour les dépositions, il faut vous rendre à Vingåker. Le commissariat est ouvert de…

— C'est de la folie ! Pourquoi déterrez-vous cette histoire ? Ça ne mènera à rien. Et moi qui ai vraiment besoin d'aide, je dois aller à Vingåker. Ça vous paraît normal ?

— Hélas, c'est comme ça.

J'adopte un ton compatissant malgré mon envie de la congédier sans autre forme de procès. Dans le silence qui suit, le visage pensif de Ragnhild se teinte de sournoiserie, comme si elle cherchait des arguments à m'opposer.

— Que s'est-il passé ? demande Andreas.

S'il n'était pas trop loin, je lui décocherais un coup de pied dans le tibia.

C'est un des immigrés du centre. Un jeune. Un *musulman*. Je l'ai aperçu avec un vélo volé. Un vélo de course, comme ils ont au Tour de France.

L'image de Ragnhild devant la Grande Boucle me semble si absurde que je ne peux m'empêcher de sourire.

— Alors, vous avez vu ce garçon dérober une bicyclette ?

Andreas n'a pas encore compris que Ragnhild ne nous lâchera jamais la grappe si nous tolérons ses jérémiades ; qu'elle est une force de la nature, plus redoutable et plus collante que la superglu. À l'écouter, nous devrions passer nos journées à traquer des tagueurs et des chats égarés.

Ragnhild ôte à nouveau ses lunettes, se frotte les yeux, balance le poids de son corps de l'une à l'autre de ses jambes maigrelettes. De petites flaques de neige fondue s'étendent autour de ses brodequins à crampons.

— Non, je vous ai dit que je l'avais vu *avec* un vélo volé !

— À qui appartenait ce vélo ?

Andreas tend le bras pour attraper son bloc-notes.

— Comment pourrais-je le savoir ?

De grosses taches rouges s'étalent sur le cou de Ragnhild. Mon collègue se fige dans son mouvement, l'air décontenancé.

— Comment savez-vous qu'il a été volé ? Si vous ne l'avez pas reconnu et que vous n'avez pas pris le garçon en flagrant délit ?

Serrant ses lunettes dans son poing, Ragnhild toussote.

— C'est clair comme de l'eau de roche ! Comment voulez-vous qu'il s'achète un tel bolide ? Évidemment qu'il a fait main basse dessus ! Et si la municipalité l'a financé, c'est elle que je vais attaquer en justice, car c'est *mon* argent qu'elle a dérobé. Moi, j'ai payé mes impôts toute ma vie. Vous avez une idée du prix d'un engin pareil ? *Moi*, oui, parce que la fille de Siv en a un et il a coûté vingt mille couronnes.

Andreas me lance un regard de connivence et je lui viens en aide :

— Comme je l'ai dit, Ragnhild, je suis désolée, mais nous sommes sur les dents. Le commissariat de Vingåker prendra votre déposition.

Enfin, au bout de dix interminables minutes, Ragnhild sort en claquant furieusement la porte. Un objet se fracasse contre le sol dans l'ancienne boutique, mais aucun d'entre nous ne cherche à savoir de quoi il s'agit.

— Quelle vieille bique ! commente Andreas en accentuant tous les mots.

— Oui, Ragnhild est… Ragnhild.

— Bien sûr, elle peut avoir raison, poursuit-il en tapotant sur la table avec son stylo.

— Oui. Même Ragnhild peut avoir raison. Parfois.

— Nous avons eu pas mal de problèmes dans un centre pour demandeurs d'asile en banlieue d'Örebro. Surtout des menaces et des bagarres. Parce qu'ils n'arrivent pas à s'entendre ou autre…

— Ils pourraient quand même faire un effort, puisqu'on leur ouvre la porte. Même s'ils ont vécu des tragédies… Ça, je ne le remets pas en question.

Ça me fait penser aux informations télévisées, aux images des bombes qui tombent sur Alep, aux enfants morts sur les plages de la Méditerranée. Lorsque je vois ça, je me sens si mal que je coupe la télévision. Personne ne devrait être contraint de quitter son pays à cause de la guerre et de la famine, surtout pas les enfants. En même temps, nous ne pouvons pas accueillir toute la misère du monde. La Suède est un petit État situé à des années-lumière des foyers de conflit.

Je crois aussi que ces gens se plairaient mieux dans une culture plus proche de la leur. Notre nation est assez développée et égalitaire ; les femmes ont les mêmes droits que les hommes. Rien que l'idée qu'on puisse me forcer à porter une burqa me fait sortir de mes gonds.

Enfin, si nous sommes vraiment obligés de les accueillir : pourquoi Ormberg, une bourgade minuscule et reculée qui souffre déjà de nombreux maux ? Pourquoi pas une plus grande commune qui jouit d'infrastructures en état de marche et d'emplois ?

Une *autre* commune.

— À quoi tu penses ? me demande Andreas.

— Rien. Des nouvelles de Peter ?

Andreas secoue tristement la tête.

— Non. Je viens d'en parler à Svante. On dirait qu'il s'est volatilisé. Deux jours de battue, et on n'a rien trouvé d'autre qu'une fichue paillette !

Dans le silence qui s'ensuit, le visage de Peter apparaît à nouveau sur ma rétine. Hanne et lui forment un couple singulier. Non seulement elle est plus âgée que lui, mais c'est aussi elle qui semble porter la culotte, bien qu'elle ne parle pas beaucoup. Peter la suit partout comme un toutou obéissant. Il paraît très attaché à elle. Il ne le dit pas, mais cela transpire dans ses actes : sa façon de poser son manteau sur ses épaules quand il fait froid dans le bureau ; le fait qu'il se rende jusqu'à Vingåker pour lui acheter ce thé qu'elle affectionne tant ; son regard qui l'accompagne lorsqu'elle se déplace dans la pièce. Je crois que c'est de l'amour.

— Que penses-tu de l'inscription dans sa main ? reprend Andreas.

Je hausse les épaules en essayant d'organiser mes réflexions. Je songe aux chiffres tracés à l'encre sur la paume déchiquetée de Hanne.

— Peut-être le début d'un numéro de téléphone. Ou une sorte de code. Quelque chose qu'elle ne voulait pas oublier, mais qu'elle ne pouvait ou n'avait pas envie d'écrire dans son carnet.

— Des coordonnées GPS ?

— Ça ne correspond à rien, en tout cas pas à un lieu ici, en Sudermanie. J'ai vérifié.

Andreas tourne quelques pages de son bloc-notes.

— Svante m'a transmis les informations fournies par les opérateurs de téléphonie mobile : ni Peter ni Hanne ne se sont rendus à Katrineholm comme ils te l'avaient dit. Si l'on en croit leurs portables, ils sont restés dans les parages. Celui de Hanne a été en contact avec l'antenne relais près de l'autoroute vendredi soir vers dix-neuf heures. Depuis lors, silence radio. Celui de Peter a borné au même endroit vers vingt heures. Je ne sais pas vraiment comment interpréter tout ça, mais je ne pense pas qu'ils aient quitté Ormberg. J'ai aussi passé en revue leur historique d'appels et de SMS des derniers jours. Tu peux y jeter un coup d'œil, mais moi je n'y vois rien de bizarre. Et la carte bancaire de Peter n'a pas été utilisée depuis vendredi.

— Alors que faisaient-ils dans les bois ?

— Excellente question ! J'ai parlé avec les techniciens : ils ont découvert des empreintes sur le sol, juste à l'endroit où se tenait Hanne. Quelqu'un a piétiné la terre en talons, là où la paillette a été trouvée.

— L'automobiliste qui s'est arrêtée avait raison : il y avait bien une femme en robe à paillettes et escarpins.

— Il semble que oui, mais ça ne nous apporte pas grand-chose. Il y a trop de questions sans réponses. Qui est cette femme et que faisait-elle dans la forêt ? Où se rendaient Hanne et Peter ? Où est Peter ? Et où diable est passée sa voiture ?

Le silence retombe, lourd d'une frustration si intense qu'elle est presque palpable. Puis Andreas me regarde et s'appuie contre le dossier de sa chaise, tout sourire.

— Au fait, reprend-il, comme si une idée géniale venait de germer dans son esprit.

— Oui ?

— Ça te dirait d'aller boire une bière à Vingåker ce soir ?

Je sens mes tempes s'embraser, l'agacement monter en moi. Dire que je commençais presque à l'apprécier.

— Je ne peux pas ce soir… Et d'ailleurs je suis fiancée et je déménage à Stockholm dans cinq mois.

— Et alors ?

Son sourire s'élargit, il lâche son stylo sur la table et caresse sa barbe de trois jours avec une lenteur affectée, puis saisit entre le pouce et l'index le tabac glissé sous sa lèvre, avant de le déposer dans le boîtier.

Ce qu'il peut me dégoûter ! Tout en lui m'écœure : son sourire triomphant, cet infâme sachet de tabac collé contre sa gencive, son outrecuidance lorsqu'il ignore mon refus, comme si notre conversation n'était pour lui qu'un jeu, un jeu à n'en plus finir qui a pour but de m'attirer dans son lit.

— Tu te crois irrésistible, c'est ça ?

Andreas ne me quitte pas des yeux.

— Non, *toi* tu es irrésistible.

Décontenancée, je cherche une réponse cinglante, mais suis prise de court par le grincement de la porte qui s'ouvre. Des pas lourds s'approchent de la pièce d'à côté.

Andreas continue à me contempler sans sourciller, un sourire plaqué sur le visage, comme si j'étais une bête de foire, un mouton à cinq pattes ou un veau bicéphale. Cela me met hors de moi.

Quand Manfred pénètre dans la salle, je m'efforce de contenir ma fureur : lors de précédentes altercations entre Andreas et moi, j'ai vu le regard acéré du policier de Stockholm signifiant clairement qu'il ne tolérait pas notre attitude.

Planté au milieu de la pièce, le pantalon ruisselant, Manfred déboutonne lentement son pardessus en nous fixant sans un mot. Il s'assied ensuite sur une chaise, se penche en avant et nous dévisage. D'abord Andreas, puis moi.

— Nos collègues ont trouvé un corps près du monticule de pierres.

— *Peter ?* chuchoté-je, sentant mon estomac se révulser.

Manfred me lance un regard à la fois vide et noir.

— Non. Une femme.

— Mais… ?

Les mots me manquent quand je comprends les implications de son annonce.

— Nous nous rendons tout de suite sur place, conclut Manfred.

Jake

Le bus scolaire nous a déposés dans le centre-ville. Saga et moi restons devant l'ancien magasin alimentaire tandis que les autres élèves se dispersent peu à peu.

Mon père dit que les principales qualités d'Ormberg sont la nature – la plus belle de Suède – et les forêts giboyeuses. Il y a une abondance de chevreuils, d'élans et de sangliers. Je ne suis pas d'accord avec lui : ce que je préfère, moi, ce sont tous les bâtiments à l'abandon dans lesquels on peut squatter. Saga et moi avions établi nos quartiers dans la vieille boutique. Nous y allions après l'école. Or, il y a un mois, quelqu'un a verrouillé la porte avec un énorme cadenas. Maintenant, ça grouille de flics.

Saga remue du pied la neige fraîche, balance sa frange rose sur le côté et regarde par la grande vitrine sale. La pièce du fond est éclairée – une lumière chaude pleut sur le sol où est posé un radiateur soufflant. Le ménage a été fait dans le local : les cannettes de bière et les journaux ont disparu.

— Tu crois qu'ils vont le trouver ? s'enquiert Saga.

J'observe les voitures stationnées devant l'entrée et je pense à P., le compagnon de Hanne, qui s'est évaporé entre les arbres. Je songe à tous les gens qui fouillent les bois : les réservistes et Missing People, cette étrange association qui cherche les personnes portées disparues.

Mon père dit qu'ils vont le trouver mort de froid, ce n'est qu'une question de temps. Personne ne peut survivre plusieurs nuits dans la forêt à cette époque de l'année, surtout pas un Stockholmois sans expérience ni équipement.

— Imagine si quelqu'un l'a tué, suggère Saga.

Elle s'appuie contre la vitrine, place les mains autour du visage et épie l'intérieur. Puis elle semble perdre tout intérêt pour la boutique, enfonce les mains dans les poches de son manteau et se tourne vers moi.

— Imagine s'il y a un assassin dans le village, poursuit-elle à voix basse, comme si elle craignait qu'on l'entende. Imagine que c'est le même mec qui a tué la fille enfouie sous les cailloux ?

— Un meurtrier ? À Ormberg ? Tu plaisantes ? D'ailleurs, la petite est morte il y a un siècle.

Saga hausse légèrement les épaules, embarrassée.

— Pourquoi pas ? Ma mère dit que Gunnar serait capable d'exécuter quelqu'un sans moufter !

— *Gunnar Sten ?* Mais il a au moins cent ans, non ?

— Justement ! Il est assez vieux pour avoir pu abattre cette fille il y a, genre, vingt ans. Et il est ultrasadique. Il paraît qu'il a failli massacrer un type à côté du lac quand il était jeune. Il lui a frappé le crâne à coup de pierre jusqu'à ce qu'il tombe dans les pommes.

— Vraiment ?

Saga hoche la tête avec sérieux. Quand nos regards se croisent, ses yeux clairs paraissent presque verts dans l'embrasement du couchant.

— Et d'après toi ? demande-t-elle. Qui aurait pu faire ça ?

Je réfléchis quelques instants. Selon moi, pas une seule personne à Ormberg ne pourrait tuer. Les gens d'ici sont des culs-terreux, incroyablement banals et ennuyeux. Hormis les réfugiés, bien sûr. Eux, je ne les connais pas, ils résident dans l'ancienne usine du Roi du Tricot où nous n'allons jamais.

— La famille Skog ? propose-t-elle.

Les Skog vivent dans le château près du lac. Ils viennent de Stockholm, élèvent des chevaux et ne se mêlent pas aux habitants du bourg. Mon père dit qu'ils sont « au-dessus de ça ». Je ne sais pas bien ce qu'il veut dire par là, mais je ne vois pas pourquoi ce serait *au-dessus* de quoi que ce soit de passer ses journées dans une écurie à ramasser du crottin.

Effectivement, ils sont excentriques. Mais de là à tuer...

— Ah ! Je sais ! Ragnhild Sahlén ! s'écrie mon amie.

— Cette mémé ? Tu rigoles !

Mais Saga me tire la manche avec enthousiasme et poursuit :

— Elle a bien buté son frère.

— Mais non ! Il s'est tranché la jambe avec sa tronçonneuse.

Saga me serre le bras plus fort, m'attire vers elle et baisse la voix.

— Oui, parce que la vieille était à côté de lui à radoter. Il paraît qu'elle a utilisé ses cendres comme engrais pour ses framboisiers. Après, elle a préparé de la confiture de framboise qu'elle a donnée à sa belle-sœur.

— Sans rire ?

— Je te jure ! Sinon… ça pourrait être Renée Stillman.

Elle affiche un sourire malicieux et écarquille les yeux.

— Mais pourquoi tuerait-elle un flic ?

— Elle a gagné plein de blé avec ses fringues pour chien. Des millions ! Apparemment, elle va se faire construire une piscine au printemps.

— Mais ça ne fait pas d'elle un assassin, si ?

Saga hausse les épaules, vexée. Elle serre son manteau contre son corps et se place dos au vent glacial.

— J'en sais rien, moi ! Fais-moi une autre proposition.

Je n'en ai pas. Ormberg est tellement peu excitant ! Impossible d'imaginer qu'un criminel se cache dans l'une des maisons rouges dispersées dans les bois, qu'une des personnes que je connais depuis ma plus tendre enfance soit capable d'ôter la vie d'un être humain.

— Un réfugié, peut-être ?

— Mais non, ils viennent d'arriver. Ça fait un bail que la fille est morte.

Elle a raison. Ça ne peut pas être l'un d'entre eux.

La porte de l'ancienne boutique s'ouvre brutalement, laissant sortir un homme de l'âge de mon père. De haute et lourde stature, il est accoutré comme les courtiers dans la série télévisée que j'ai commencé à regarder hier. Quand il se tourne vers nous, je vois que son pardessus marron lui serre le ventre. Il est suivi de près par un homme un peu plus jeune et de Malin, qui est entrée dans la police et a « pris la grosse tête » depuis qu'elle travaille à Katrineholm.

C'est en tout cas ce que dit mon père.

Les trois policiers se précipitent dans un grand SUV noir garé devant le bâtiment.

— Ils ont l'air pressé, commente Saga.

— Il s'est peut-être passé quelque chose.

Nous nous mettons en marche. Mon amie jette son sac à dos sur son épaule.

— Je peux t'accompagner chez toi si tu veux. Ma mère n'est pas à la maison, elle devait voir Björn.

Björn Falk est le nouveau petit ami de sa mère – un crétin constamment attifé d'une casquette qui conduit une voiture trop chère pour lui qu'il a achetée avec un héritage bientôt dilapidé.

— Qu'est-ce que tu en penses ? Je passe chez toi ?

Je songe à mon père, aux piles de cannettes et aux monceaux de détritus dans la cuisine, au canapé du séjour qu'il a transformé en lit et au plaid quadrillé dans lequel il est toujours enveloppé.

— Peut-être. Il faut que j'en parle à mon paternel. Je t'enverrai un SMS.

Saga opine de la tête et se recroqueville pour s'abriter du vent.

— On se tient au courant alors ?

— Oui !

Elle s'éloigne en pressant le pas vers l'église, le sac ballottant sur son épaule.

Quand j'arrive chez moi, mon père dort sur le sofa, comme prévu. Ses ronflements résonnent jusque dans le vestibule. On dirait un grand félin tapi dans l'obscurité qui m'accueille avec des rugissements sourds. Une odeur fade de sueur, de bière tiède et de nourriture sature l'air. La couverture à carreaux a glissé et gît en tas au pied du canapé.

114

En me penchant pour la ramasser, j'aperçois une forme oblongue qui dépasse légèrement de sous le divan. Accroupi, le bras tendu, je laisse courir mes doigts sur l'objet froid et métallique. Il me faut quelques instants pour comprendre qu'il s'agit du canon d'un fusil de chasse.

Un fusil, ici ? Pourquoi donc ? Mon père ne possède pas de permis de chasser même s'il lui arrive de braver l'interdit et d'emprunter l'arme d'Olle. Pourtant, je ne me souviens pas qu'ils soient sortis dans les bois ces derniers temps.

Je repousse doucement l'arme sous le canapé jusqu'à ce que le canon disparaisse. Le petit raclement fait tressaillir mon père qui grommelle quelque chose dans son sommeil.

Melinda débarque dans la pièce, les mains levées, me faisant signe de me taire.

— Ne le réveille pas. Il était d'une humeur massacrante tout à l'heure, mais je lui ai préparé à manger et il s'est endormi.

Je prends conscience en entendant ses paroles que nous parlons de lui comme d'un jeune enfant. Comme si Melinda et moi étions les parents et notre père le fils.

De retour dans le vestibule, je demande :

— Il s'est passé quelque chose ?

— Qu'est-ce que tu veux dire ?

— Oui, pour le mettre de si mauvais poil.

— Ah ! Je n'en sais rien. Il ne m'a pas raconté, mais il marchait en long et en large dans le salon, comme quand il va mal.

Cette idée me glace le sang. Je ne veux pas que mon père aille mal, encore moins quand il a planqué un fusil sous le canapé, mais je me convaincs qu'il existe une explication logique. Peut-être a-t-il prévu de chasser le chevreuil avec Olle ?

— Au fait, il a bouffé tout ce que j'avais préparé, mais regarde dans le frigo, je crois qu'il y a des boules chocolat-coco.

Effectivement, j'en trouve un paquet, attrape trois gâteaux et me sers un verre de Coca. Puis je donne de grands coups de poing dans la machine à glaçons intégrée au réfrigérateur jusqu'à ce qu'ils se détachent. J'ai l'impression de gagner au bandit manchot chaque fois que la glace tombe dans le verre.

Je monte l'escalier quatre à quatre – je vais enfin savoir ce qui arrive à Hanne. Je me suis posé la question toute la journée, impatient de rentrer pour continuer ma lecture.

Je m'installe sur mon lit, le carnet à la main. Je l'ouvre à la page cornée et enfourne une boule coco dans ma bouche.

Le matin.
Le pire est arrivé !
J'étais si épuisée lorsque le réveil a sonné que je n'ai pas réagi tout de suite. Quand j'ai fini par ouvrir les yeux, P. était assis nu dans le petit fauteuil près de la fenêtre et… il lisait mon journal !
Avec un hurlement, je me suis levée et me suis précipitée sur lui pour le lui arracher.
P. n'a pas essayé de m'en empêcher, il m'a simplement regardée avec un mélange de surprise et de peur. Il m'a fallu un instant pour prendre conscience qu'il devait être épouvanté. Saisi d'effroi.

116

Peut-être n'est-ce pas si étonnant : j'ai toujours été la plus forte de nous deux, émotionnellement parlant. La plus calme et la plus fiable.

Que se passera-t-il si je ne suis plus forte ? Comment P. va-t-il s'en sortir ? Qui sera sa béquille affective quand je ne serai plus là ?

Nous venons de terminer notre petit déjeuner. P. a serré ma main, m'a dit qu'il m'aimait et que rien ne pourrait changer ça.

Ça m'a fait plaisir, bien sûr, mais en même temps je me suis sentie si humiliée, comme prise en flagrant délit de quelque chose de terrible, comme si j'avais volé de l'argent dans son portefeuille alors que c'est lui qui a lu MON *journal derrière mon dos.*

Pourquoi ai-je si honte de ma maladie ?

Au bureau.

Nous sortons tout juste de réunion. Nous avons continué à étudier les documents de l'ancienne enquête : le rapport du médecin légiste, l'examen technique du lieu du crime, les interrogatoires.

Manfred a discuté avec le responsable de l'enquête préliminaire à l'époque, un procureur désormais retraité qui n'a « jamais cru à la théorie de l'accident de voiture ». Selon lui, il s'agissait plutôt d'un pédophile.

Cette hypothèse ne me convainc pas, mais ce qui importe pour le moment, c'est de comprendre qui est l'enfant.

Nous allons rencontrer le médecin légiste pour en savoir un peu plus sur la fille d'Ormberg. Manfred se montre particulièrement intéressé par une blessure au poignet. Il pense qu'elle pourrait nous aider à identifier la victime. Apparemment, cette piste n'a pas été bien suivie lors de la première investigation. Manfred s'en est ému, qualifiant les anciens policiers de « bande de fainéants d'une incompétence crasse ». Peut-être qu'il a raison.

Je l'espère. Autrement, nous n'avons pas grand-chose.

Malin

Nous nous sommes garés derrière les voitures alignées sur le bas-côté. Il fait presque nuit noire, à présent, et la température a dû baisser, car le froid me pique les joues et la neige crisse sous nos souliers quand nous nous acheminons vers l'orée du bois. À la lueur de sa grosse lampe torche, Manfred enjambe le petit fossé qui sépare la route de la forêt.

Le monticule de pierres…

Je repense à toutes les fois où je m'y suis rendue, adolescente. Pas seulement en cette funeste soirée où nous avons découvert la fille d'Ormberg, mais aux autres occasions. Les journées de printemps brumeuses où le gel emprisonnait encore le sol entre ses mâchoires glaciales. Les douces nuits d'août où mes amis et moi tentions de convoquer l'esprit de la forêt. Je me souviens du verre qui glissait d'une lettre à l'autre aidé par nos index, à la lueur des bougies, alors que les moustiques nous dévoraient.

Au fait, d'où vient la légende de l'enfant-fantôme ? Et *quand* est-elle apparue ? Il faut que je pose la question à ma mère.

— Que savons-nous de la victime ? s'enquiert Andreas. Est-ce que ça peut être la femme en robe à paillettes ?

— Pas la moindre idée, reconnaît Manfred.

Chaussé de souliers cirés, il progresse à pas comptés dans le manteau blanc d'une dizaine de centimètres. Son accoutrement est des plus inappropriés : on ne peut pas marcher dans la neige en brogues italiennes cousues à la main sans être considéré comme un demeuré. Et sans se transir les orteils.

Même un Stockholmois est capable de comprendre ça.

Les branches des sapins fléchissent sous le poids de la neige tombée ces jours derniers. C'est un paysage de carte postale, d'une beauté silencieuse, comme si la forêt elle-même dormait.

Manfred avance avec une dextérité étonnante, ses longues jambes franchissent aisément les souches et les rochers enneigés. Andreas se tourne vers moi et, au moment où je croise son regard, mon pied s'enfonce à travers la blancheur dans un trou peu profond. Mon collègue s'arrête, me tend une main et, quand je le remercie d'un signe de tête, une branche me fouette le visage, me précipitant de la poudreuse dans le cou. Je plonge les mains dans mes poches à la recherche de chaleur. Comble de la bêtise, j'ai oublié mes gants dans la voiture.

La forêt s'éclaircit, je discerne une faible lueur entre les conifères, puis nous débouchons sur la clairière baignée de lumière. La silhouette du mont Ormberg s'élève devant nous, jusqu'au ciel. Le sommet se confond avec l'obscurité de la nuit, gommant la frontière entre la terre et le firmament.

L'amoncellement de pierres drapé de neige s'étend au pied du mont. D'imposants projecteurs portatifs sont installés près d'un immense sapin à la lisière de la forêt et trois techniciens en combinaison immaculée et masque chirurgical sont accroupis au pied de l'arbre. L'un d'entre eux tient un appareil photo et je distingue de grands sacs quelques mètres plus loin.

Nos collègues de la police locale, déjà sur place, ont délimité la scène à l'aide de rubans bleu et blanc qui claquent dans la brise. Des flashes retentissent à intervalle régulier.

Quand Manfred se tourne vers Andreas et moi, son visage ne dévoile rien de ce qu'il pense, mais je le vois ouvrir et fermer le poing comme s'il comprimait une balle invisible.

Bien sûr, nous sommes soulagés de ne pas avoir découvert Peter mort dans la neige. Mais la situation est absurde : des centaines de personnes parcourent les bois depuis deux jours à la recherche de notre collègue et lorsqu'ils finissent par trouver un corps, il s'avère que ce n'est pas le sien.

Nous nous dirigeons vers Svante, le policier d'Örebro en charge de l'enquête sur la disparition de Peter, qui nous salue en nous apercevant.

Affublé du même bonnet bariolé à pompon que la dernière fois, la barbe givrée, il me fait à nouveau penser à un père Noël – un bonhomme pansu qui se promène avec des sacs remplis de cadeaux et laisse les enfants s'asseoir sur ses genoux.

Svante jette un regard oblique à l'onéreux manteau de Manfred. Le mouchoir en soie qui dépasse de sa poche de poitrine a l'air fané, comme une plante exotique déshydratée.

— Mais qu'est-ce qui se passe, bordel ? s'emporte Manfred avec un signe de tête vers le cadavre.

Il caresse sa barbe de sa main gantée avec un friselis et poursuit :

— On cherche un collègue et on tombe sur une femme tuée par balle ?

— Je ne peux qu'être d'accord. C'est diablement étrange. Je vais vous briefer sur ce que nous savons, mais je dois vous dire que nous avons trouvé autre chose depuis mon appel.

Manfred plisse le front et se penche en arrière. Sa bedaine se gonfle sous son pardessus.

— Quoi ?

Nous encourageant à le suivre, Svante se dirige vers une grande valise noire posée dans la neige auprès d'un des projecteurs. Il ramasse un sachet en plastique transparent qu'il tend à Manfred avant d'y braquer la lampe de poche.

Manfred en examine le contenu : une basket bleue maculée de salissures noires. À côté, des petits morceaux de glace à moitié fondus.

Je pousse un cri de surprise.

— C'est la chaussure de Hanne !

Manfred acquiesce.

— Hanne ? répète Svante. La femme amnésique ?

— Oui, répond Manfred. Où l'avez-vous trouvée ?

— À une vingtaine de mètres du corps, dans la forêt. Elle était enfouie sous la neige, nous ne l'aurions jamais repérée sans Rocky. Le chien.

Manfred me regarde et secoue la tête, incrédule, comme s'il avait du mal à comprendre que la basket de Hanne puisse être enfermée là, dans le sachet.

— Comment a-t-elle pu se retrouver là ?

Manfred rend l'indice à Svante et poursuit :

— Nous retournerons bavarder avec Hanne quand nous en aurons fini ici. Ça vaut le coup d'essayer.

Manfred marque une longue pause, pensif, les yeux rivés sur le mont Ormberg. Il chasse un flocon posé sur sa joue avant de reprendre :

— Est-ce que tu peux récapituler ce que nous savons ?

— Une patrouille accompagnée d'un chien a trouvé la femme à quatorze heures cinq. Le médecin légiste de garde estime qu'elle est morte depuis au moins trois ou quatre jours. Les températures ne sont négatives que depuis dimanche : si elle avait été exposée plus longtemps, le corps aurait été moins bien conservé et si elle était restée moins longtemps dehors, la couche de neige sur son pied aurait été plus fine. Son corps était sous un sapin, seul le pied en dépassait.

Manfred semble songeur.

— Ils n'ont pas déjà fouillé cette zone hier ?

— Si, mais ils ont dû la rater. Sans doute parce qu'elle était dissimulée.

Manfred balaie la scène du regard en silence puis esquisse un signe de la tête.

— Tu dis qu'elle est là depuis trois-quatre jours ? Ça veut dire qu'elle est morte vendredi ou samedi.

Andreas se racle la gorge.

— C'est à ce moment-là que…

Il se tait et observe la forme qui gît dans la neige, éclaboussée de la lumière des projecteurs.

— Que Peter a disparu, chuchote Manfred. La chaussure de Hanne ici, ça ne peut pas être un hasard. Que sait-on de la victime ?

— Pas grand-chose. Sexe féminin. Environ cinquante ans. Pieds nus. Vêtue légèrement. Tuée d'une balle dans la poitrine et frappée violemment au visage.

— On l'a frappée *et* on lui a tiré dessus ? s'étonne Manfred.

— Tout à fait. Allons la voir et je vous en dirai plus.

Un flash dans la nuit. Les techniciens prennent encore une photo. Dans l'éclat lumineux, le visage de Manfred semble bouffi et fatigué. Andreas observe l'amas de roches et lève les yeux au ciel.

— Qu'est-ce que c'est que cet endroit ?

Personne ne répond. Il n'y a rien à ajouter. On ne peut se départir de l'idée que le monticule est l'épicentre du mal dans ce village.

Je pense à la fille d'Ormberg et les souvenirs reviennent me hanter. Quand je ferme les yeux, je peux presque sentir la main chaude de Kenny dans la mienne, percevoir les tintements sourds des bouteilles de bière dans le sac plastique. Je me rappelle les petites feuilles lobées des fougères qui me chatouillaient la cuisse lorsque je me suis accroupie pour uriner et je perçois sous mes doigts la forme lisse fichée entre les cailloux – ce que j'avais pris pour un champignon.

Et à présent, ça !

Tout se concentre ici, près d'un vieux tas de pierres au milieu des bois.

Cela doit avoir un sens, mais lequel ?

Svante retire ses gants et pose les mains sur ses joues empourprées pour les réchauffer.

— Allons-y, lance Manfred.

Nous le suivons quand il se dirige vers la lisière. Nous nous approchons du corps par petits groupes, car nous ne tenons pas tous sur les plaques de cheminement placées par les techniciens. Svante avance jusqu'au cadavre et me fait signe. Il appelle aussi Manfred. Le plastique ploie sous nos pieds. À hauteur du corps, nous nous baissons, chacun posté sur une plaque.

Pour accéder au cadavre, les techniciens ont coupé les branches les plus basses de l'arbre. Elles gisent en tas un peu plus loin, à côté d'une bâche parsemée de sciure probablement utilisée pour protéger le corps.

La femme est étendue sous ce qui reste du conifère, les mains croisées sur la poitrine et la tête détournée de nous. Des cristaux de glace couvrent ses vêtements et la peau étrangement livide de son cou, de ses mains et de ses pieds, la faisant scintiller dans la puissante lumière. Elle porte un pantalon de jogging noir et une chemise en jean bleue qui semble bien trop grande pour elle. Sur son thorax s'étale une large tache sombre. Ses pieds sont nus, ses fins cheveux gris très longs. Sans doute devaient-ils descendre jusqu'à sa taille.

Au moment où j'aperçois le morceau de chair informe et sanguinolent qui fut jadis son visage, je sens mes jambes se dérober. *Elle a le même visage que Kenny.*

Une pierre rougie est posée à côté. Je détourne le regard, réprimant un haut-le-cœur.

— Tu as dit qu'un médecin légiste était venu ? demande Manfred à Svante, impassible.

— Tout à fait.

— Et ?

— Vraisemblablement tuée par balle puis frappée à la tête avec un objet contondant.

— Dans cet ordre-là ?

— Oui, sinon la blessure à la tête aurait provoqué une hémorragie plus importante. On verra ce que donne l'autopsie.

— Hum. Et on ne sait pas qui elle est ?

— Pas la moindre idée.

Manfred se tourne vers moi.

— Quelqu'un d'Ormberg que tu reconnais ?

Je me force à regarder la femme aux cheveux étalés dans la neige, tâchant de refouler le souvenir de Kenny. Elle ne m'est pas du tout familière. Bien que son visage soit défiguré au point d'en être méconnaissable, je suis certaine qu'elle ne vient pas d'Ormberg.

— Elle n'est pas d'ici.

Je pense à cette énigmatique coïncidence : deux victimes d'homicide retrouvées au même endroit à huit ans d'intervalle.

Manfred s'adresse à Svante.

— Des trouvailles balistiques ?

— On a un impact de balle à la poitrine, ce qui indique une arme à feu, mais nous n'avons découvert ni cartouche ni douille.

— Peut-il s'agir d'un accident de chasse ?

— Ça vous paraît plausible qu'on ait tiré par mégarde sur une femme qui se baladait pieds nus dans les bois ?

Svante ponctue sa remarque d'un petit gloussement, mais Manfred ne semble pas amusé.

— Qu'en est-il des armes par ici ? Il y a beaucoup de chasseurs ?

Svante éclate d'un rire un peu plus appuyé et je comprends à présent pourquoi : le commentaire de Manfred révèle sa profonde méconnaissance d'Ormberg.

— Eh bien… Si tu me donnais une couronne pour chaque fusil planqué dans les chaumières, je roulerais sur l'or…

Manfred se penche vers le corps.

— Le visage est assez endommagé.

Je me force à observer cette masse rouge informe de tissus broyés : les yeux sont deux puits de sang figé. Chancelante, la bouche pâteuse, je sens la forêt tourner autour de moi et je manque de tomber de la plaque. Manfred me stabilise d'une main sur l'épaule.

— Si tu comptes gerber, c'est ailleurs, ordonne-t-il froidement.

— Non, ça va.

Évidemment, ça ne va pas, mais je ne peux pas l'avouer à Manfred. C'est ce à quoi j'aspirais, non ? Traquer les vrais malfaiteurs, enquêter sur les crimes les plus graves. À présent, j'ai ce que je voulais, et plus encore.

C'est une chose de voir des cadavres en photo, ou sur une table d'autopsie – l'environnement clinique neutralise l'horreur. Mais ça ! Je jette un nouveau coup d'œil à la femme, aux cavités sanglantes percées dans son visage. Un tout petit morceau d'écorce dépasse d'un des trous.

Je repense à Kenny et une seconde vague nauséeuse m'envahit.

— C'est terrible comme manière de mourir, murmure Svante.

Ni moi ni Manfred ne répondons, mais c'est vrai, il a raison. C'est tellement injuste, tellement contre nature. Cette femme n'est pas âgée. Elle aurait pu vivre encore bien des années si personne ne s'était arrogé le droit de l'arracher à la vie.

Elle était la fille de quelqu'un, peut-être la mère ou la sœur de quelqu'un. À présent, elle n'est plus rien, juste un tas de chair glacée sous un sapin amputé.

La neige a recommencé à tomber. Le vent fait virevolter les flocons autour de nous.

Un flash d'appareil photo éclaire la scène.

— Est-ce que tu peux me rappeler ce que nous savons du *modus operandi* ? demande Manfred.

Il se redresse à grand-peine en haletant bruyamment. La plaque de cheminement vacille et l'espace d'un instant j'ai l'impression qu'elle va se briser sous son poids. Svante et moi nous levons également.

— Vraisemblablement tuée d'un coup de feu et placée ici, sous l'arbre. Puis frappée au visage avec un objet contondant, sans doute cette pierre.

Nous observons la roche ensanglantée de la taille d'un pamplemousse, posée à côté de la tête de la femme.

Un autre flash illumine la clairière.

— Intéressant, commente Manfred.

Il regarde le corps dans la neige et incline la tête. J'ai beau fermer les paupières, l'éclair a imprimé la silhouette de la femme morte sur ma rétine. Les cavités qui furent naguère des yeux me scrutent.

— Et les empreintes ? Peut-on voir d'où sont arrivés la victime ou le coupable ?

Svante secoue la tête, le pompon de son bonnet bondit d'un côté à l'autre.

— Il n'y avait pas de neige ce week-end, alors…

— Ah oui, c'est vrai.

La forêt se remet à tourner autour de moi et je me retiens à l'épaule de Manfred. Un autre flash. Les yeux fermés, je suis à nouveau prise d'un haut-le-cœur. Le corps ébranlé par un sanglot, je me retourne, saute aussi vite que possible sur les plaques de cheminement vers Andreas, resté près du projecteur.

— Ça ne va pas ? me demande-t-il au moment où je passe devant lui.

— Si.

— Tu es sûre ?

Un pas de plus, un autre hoquet. Encore des flashes.

— Ça va, je te dis.

— Au fait, les techniciens veulent prélever des échantillons de salive.

— Pourquoi ?

— Procédure de routine. Si jamais on a contaminé la scène de crime. Ils gardent notre ADN dans un fichier spécifique.

— Pas de problème.

Une jeune femme en tenue blanche me rejoint et effectue le prélèvement à l'aide d'un écouvillon qu'elle frotte contre l'intérieur de ma joue. Des crissements indiquent qu'Andreas s'approche de moi par-derrière.

— C'est tout ?

— Oui. Merci.

Je fais volte-face et je vide tripes et boyaux dans la neige.

Les tremblements qui ébranlent mon corps ne cessent que lorsque je suis étendue dans le lit de ma chambre d'enfant, la couverture remontée jusqu'aux oreilles. La lourde main de ma mère repose sur mon épaule et ses yeux inquiets me scrutent.

— Tu es sûre que tu ne veux pas un thé ?

— Certaine. J'ai juste besoin de dormir. Merci quand même.

Hochant la tête, ma mère se penche en avant et dépose un baiser sur ma joue. Puis elle caresse mon nez de l'index comme elle le faisait quand j'étais petite.

La chaleur de sa paume irradie contre ma peau, son odeur familière et sécurisante de savon et de fumets de cuisine flotte autour de moi, et je résiste à l'impulsion de tendre les bras et de l'empêcher de partir, comme si j'étais encore un bambin et elle mon seul point d'ancrage. Alors je reste immobile et la suis du regard lorsqu'elle sort de la chambre et clôt doucement la porte.

Dehors, l'obscurité se presse à la fenêtre telle une bête noire. Je crains que la vitre n'explose. Que la nuit hivernale fasse irruption dans la pièce comme de l'eau froide dans un navire en train de sombrer.

Je savais à quoi je m'exposais : je me doutais que cette enquête allait déterrer les vieux souvenirs qu'il m'a fallu des années pour oublier.

Je ferme les yeux de toutes mes forces et son image m'apparaît à nouveau.

Kenny.

Ses cheveux couleur sable, raides et un peu ternes ; ses yeux verts en amande et ses pommettes saillantes ; ses mains dures et ses lèvres suaves ; ses bras hérissés de piqûres de moustique et son dos glissant de sueur lorsque nous faisions l'amour.

Le soir où nous avons trouvé le squelette, nous venions de nous mettre en couple. Je ne me rappelle pas si nous avions déjà couché ensemble.

Notre amour a duré deux ans – une histoire sérieuse pour n'importe quel couple, une éternité à notre âge. Nous étions mal assortis, pourtant j'étais si folle de lui que mes jambes manquaient de se dérober chaque fois que je le voyais.

Et à présent, en dépit de mes efforts, les souvenirs de cette soirée d'automne reviennent me hanter. Cette soirée tragique qui changea à jamais le cours de mon existence.

Nous étions allés faire la fête près de l'ancienne usine. Il y avait Kenny, Anders, moi et deux copines. Kenny avait subtilisé deux bouteilles d'eau-de-vie à son père et nous étions tous ivres morts. Tous, sauf Anders, qui suivait un traitement antibiotique incompatible avec l'alcool.

Je crois que nous passions une bonne soirée, du moins jusqu'à ce que l'une des filles vomisse dans les cheveux de Kenny, l'obligeant à plonger dans la rivière glaciale pour se laver. Cet épisode avait sonné le glas de notre soirée.

Anders, qui venait de décrocher son permis, avait dû nous ramener chez nous dans la Renault bringuebalante du père de Kenny.

Je me souviens que l'atmosphère s'était réchauffée sitôt que nous nous étions installés dans la voiture, comme si la moiteur de l'habitacle confiné avait éveillé en nous l'envie de reprendre les festivités.

Kenny, assis sur le siège passager, a poussé à fond le volume de la radio, baissé les vitres pour laisser sortir la musique et crié qu'il voulait une bière. J'ai ramassé une cannette à mes pieds et la lui ai tendue depuis ma place derrière lui et là…

Un événement aussi terrible qu'étrange s'est alors produit, un événement provoqué par l'idée absurde d'un adolescent, un événement qui allait marquer les années à venir.

Pour une raison mystérieuse, Kenny a décidé qu'il allait se pencher par la fenêtre avant, que j'allais faire de même à l'arrière pour lui donner la bière par l'extérieur. Il a détaché sa ceinture, s'est levé sur des jambes incertaines en s'inclinant en avant pour ne pas se cogner contre le plafond, et a sorti la tête et le torse par la fenêtre. Je l'ai imité, j'ai ouvert une cannette de bière et la lui ai tendue.

Je me souviens que nous avons hurlé de toutes nos forces en trinquant. Nos cheveux volaient au vent et l'averse nous fouettait le visage. Nous n'étions qu'un groupe de copains dans un trou perdu au beau milieu de la Suède, nous ignorions que notre adolescence allait prendre fin moins d'une minute plus tard.

La route s'étirait devant nous, nébuleuse en cette soirée d'automne sombre et pluvieuse. Le torse de Kenny dépassait toujours par la portière lorsque j'ai aperçu quelque chose à côté de la chaussée, à une centaine de mètres devant nous. Tout en me rasseyant sur la banquette arrière, j'ai crié à Kenny de faire attention, mais au lieu de m'imiter, il a tourné la tête dans le sens de la marche.

C'était tout. Une bande de grands enfants. Un jeu idiot.

Puis vint le fracas.

Anders avait peut-être la vue brouillée par la pluie, peut-être était-il distrait par le tohu-bohu dans l'habitacle – quoi qu'il en soit, il n'a pas vu la remorque chargée de bois qui avait été placée sur le bord de la route pendant que nous faisions la fête.

Notre voiture n'est pas entrée en collision avec le véhicule, mais elle l'a frôlé, frôlé de si près que la tête de Kenny a percuté un rondin.

Après ça, il ressemblait à la femme près du monticule. Il n'avait plus de visage.

Jake

— Magnifique !

Saga se penche sur la tour Eiffel et en observe la partie centrale, tout sourire. Ses cheveux roses paraissent phosphorescents dans la lueur de la lampe de bureau. Dehors, il fait nuit. On ne voit ni la forêt ni la rivière, seulement l'obscurité qui transforme la vitre en miroir.

J'ai oublié d'envoyer un SMS à Saga après avoir trouvé un fusil sous le canapé, mais elle s'est pointée quand même. Saga ne demande jamais l'autorisation. Elle fait comme bon lui semble, et si on veut être son ami, il faut s'en accommoder.

— Merci, dis-je en contemplant ma construction.

— Tu n'as utilisé que des cannettes de bière ?

— Et un peu de colle et de fil de fer.

— Bravo ! Tu es un génie, tu le sais, non ?

Elle me donne une rapide accolade et me regarde dans les yeux. Mon cœur se serre. J'ignore comment réagir. Cela arrive souvent avec Saga ; je perds contenance, soit parce qu'elle dit quelque chose de farfelu, soit parce qu'elle se tient juste à côté de moi en me fixant. Ce n'est pas désagréable, mais j'ai l'impression d'avoir la bouche pleine de cailloux et les jambes en coton.

D'un bond, Saga a traversé la pièce et s'est assise en tailleur sur le lit.

— Tu vas avoir une super note, j'en suis sûre. Trop cool !

Je m'installe délicatement à l'autre bout du lit, aussi loin d'elle que possible.

— À ton avis, je devrais la peindre ?

Elle grimace.

— La peindre ? Pourquoi ?

— La vraie tour Eiffel l'est. Avant, elle était brun-rouge et maintenant elle est marron.

Quand elle s'approche de moi, je sens à nouveau un vide au creux de l'estomac.

— Non, ne la colore surtout pas. On ne distinguerait plus les matériaux d'origine alors que tout l'intérêt, c'était le recyclage. Il faut qu'on voie qu'elle est en cannettes de bière.

Malgré mes efforts pour me détendre, je demeure raide comme un piquet. Quand je me penche en arrière, j'ai l'impression que tout mon corps se retrouve de guingois ; je m'appuie d'une main sur le mur, mais cette position me semble tout aussi étrange, inconfortable et surtout avilissante.

— Et toi, qu'est-ce que tu as construit ?

— Moi ? Je n'ai pas encore trouvé de bonne idée. Je voulais d'abord fabriquer un objet à base de tampons hygiéniques. Ils sont extrêmement polluants ! Tu sais combien il s'en vend chaque année ?

— Non.

— Ça montre bien à quel point ça n'intéresse personne ! Mais on ne peut pas vraiment recycler des tampons usagés, si ?

Saga affiche une grimace de dégoût en tripotant son anneau dans le nez. Elle poursuit :

— J'ai aussi pensé à confectionner une robe à partir d'emballages de médicaments. À cause de sa fibromyalgie, ma mère avale des tonnes de cachets et j'ai collectionné les plaquettes vides. J'en ai un sac entier. Elles sont belles : argentées, brillantes.

— Bonne idée !

Je m'installe dos au mur, embarrassé par la proximité de Saga, mais je ne supporte plus d'être plié en deux.

— Devine quoi ? Ça ne suffit pas ! Je n'en ai même pas assez pour faire une jupe !

— Tu peux en faire autre chose ?

Avec un soupir, Saga s'appuie contre le mur à côté de moi. Elle est si près que je sens la chaleur de son corps contre ma joue et j'entends sa respiration. J'ai l'impression que deux voix antagonistes se disputent dans mon cerveau – l'une veut que je m'éloigne d'elle, l'autre que je reste là, dans sa chaleur, son souffle, sa délicate odeur d'agrume.

— Fait chier, je n'aurai jamais le temps !

— Je peux t'aider si tu veux.

Elle tourne son visage vers moi ; nos nez se frôlent presque ; je plonge dans ses yeux clairs, distingue ses taches de rousseur sous son maquillage et les traits d'eye-liner qui pointent vers le ciel comme des ailes d'oiseau.

C'est là qu'elle le fait : elle s'avance doucement et m'embrasse. Quand ses lèvres touchent les miennes, quelque chose explose dans mon corps. Il n'y a rien d'autre que la douce caresse de la bouche de Saga contre la mienne. C'est un baiser si léger que je le sens à peine, si léger qu'il aurait pu n'être l'objet que de mon imagination, si ce n'est que mes lèvres sont chaudes comme si je venais d'avaler un liquide brûlant.

Je n'ai plus envie de m'éloigner. Cette voix dans ma tête qui se plaignait de sa proximité a laissé la place à autre chose : je veux attirer Saga contre moi, l'embrasser à nouveau, mais je n'ose pas. Je reste aussi impassible que possible, comme si ma vie en dépendait.

— Tu es le meilleur !

Elle a l'air sincère.

Saga partie, je passe un long moment assis sur mon lit à effleurer mes lèvres. La sensation est la même. Pourtant, tout est différent.

Formons-nous un couple maintenant ? Peut-être que tout sera comme avant lorsque nous nous reverrons. Est-ce que je suis amoureux ? Comment le savoir ? Ce dont je suis sûr, c'est qu'un profond bien-être a envahi mon corps ; il me semble transformé – comme si les cellules de mon organisme s'étaient déplacées bien que je n'aie pas changé de forme.

Je me demande surtout si Saga est amoureuse de moi. Je pense que oui, mais le serait-elle encore si elle apprenait le *mal qui me ronge* ? Probablement pas.

Je saisis à nouveau le journal de Hanne. La mauvaise conscience me taraude : j'aurais dû le terminer. Pour une raison qui m'échappe, j'ai l'impression de la connaître. Comme si elle était devenue mon amie simplement en me donnant à lire ses notes.

On ne laisse pas ses vrais amis dans le pétrin : on leur vient en aide quand ils ont des ennuis.

Ormberg, le 24 novembre

Nous venons de terminer une réunion Skype avec le médecin légiste (Samira Khan) à Solna. Elle nous a présenté ses conclusions : la fille d'Ormberg a été retrouvée à l'automne 2009 après avoir été enfouie dans la forêt pendant une quinzaine d'années. Aussi a-t-elle été assassinée autour de 1994.

Elle avait environ cinq ans lorsqu'elle est morte, donc elle est née en 1989 (plus ou moins quelques années).

La mort a vraisemblablement été causée par une importante violence physique. Il y a une fracture comminutive à l'arrière du crâne avec plusieurs esquilles. Elle avait aussi plusieurs côtes cassées.

Ne voulant se livrer à des spéculations, le médecin légiste a constaté que les lésions avaient pu être provoquées par un accident ou par des sévices.

Elle a noté la présence de plaques de métal au niveau du radius droit, juste au-dessus du poignet, qui y ont été placées suite à une fracture du poignet (une opération banale qui semble avoir été exécutée de manière professionnelle). Sur les os, des marques témoignent d'une infection (ce qui pourrait nous aider à identifier la victime).

Le médecin pense que l'acte chirurgical a été réalisé au début des années quatre-vingt-dix, au vu de la technique opératoire et du type de vis utilisé pour fixer la plaque en titane. (Ce type de vis n'a été employé qu'un temps en Suède. Il y a aussi des modes dans ce domaine.) L'os commençait tout juste à cicatriser lorsque la fille est décédée. Elle a probablement été tuée dans les trois mois suivant l'opération.

Andreas et Malin vont contacter les hôpitaux pour voir s'ils ont soigné une patiente qui correspond à la description. (Ce qui n'a pas été fait lors de la première enquête.)

Nous avons également examiné ce qui reste des vêtements de la fillette : les tissus étaient complètement décomposés hormis un pull en matière synthétique relativement bien conservé. L'étiquette à la nuque indiquait la marque H&M.

Des images douloureuses me sont immédiatement apparues. Qui n'a jamais fait des courses chez H&M ? Celui ou celle qui a acheté ce pull ne pouvait se douter que nous allions examiner des photographies du squelette de la fille plusieurs années plus tard. Cette pensée m'a donné le vertige.

Nous n'avons pas trouvé de restes de chaussures, ce qui mérite d'être noté. (Les chaussures contiennent souvent du plastique ou du caoutchouc dont la décomposition dans la nature est plus lente.)

Pour conclure, le médecin légiste nous a informés que la fille était enterrée près de Katrineholm. La pierre tombale ne porte pas de nom, seulement un cœur et un petit oiseau.

Après la réunion, Malin a demandé si le coupable pouvait avoir pris les chaussures de la fille comme trophée. J'ai répondu que c'était possible, mais peu probable. Il arrive qu'un assassin emporte un trophée... mais des chaussures ? Je n'ai jamais entendu parler d'un criminel qui collectionne les chaussures de ses victimes. Ils s'emparent souvent d'objets plus petits : bijoux, mèche de cheveux voire, parfois, des

parties du corps. Quoi qu'il en soit, je lui ai promis de
me pencher sur la question.

Nous avons ensuite passé en revue les interrogatoires
réalisés après la découverte du corps de la fillette (en
particulier avec les habitants des environs).

Il y a trois propriétés situées à proximité du monticule.
Nous allons interroger à nouveau les propriétaires.

Les plus proches : Rut et Gunnar Sten. Andreas et
Malin vont leur parler demain.

Un peu plus loin, de l'autre côté du mont Ormberg :
Margareta et Magnus Brundin. C'est délicat :
Margareta est la tante de Malin (la sœur de son père).
Magnus, son fils adulte, est le cousin de notre collègue.
P. et moi allons les voir.

Enfin, la famille Olsson habite à quelques centaines
de mètres vers le sud. D'après Malin, le père, Stefan,
menuisier de son état, est alcoolique. La mère est
décédée il y a un an (d'un cancer). Les deux enfants
de la famille, Jake et Melinda, vivent avec leur père.
P. et moi allons aussi les interroger.

Je dépose le journal sur mes genoux. Il me semble tout
à coup lourd et encombrant.

Ils ont parlé de nous. De notre famille. Et ils ont traité
mon père d'*alcoolique*.

Un frisson me parcourt, comme si l'eau noire de la
rivière coulait dans mes veines en lieu et place du sang.
Certes, mon père aime boire de la bière, mais… les
alcooliques sont très malades, non ? Et ivres vingt-quatre
heures sur vingt-quatre.

Je n'y ai pas pensé plus tôt, mais le garage regorge
de sacs en papier pleins de cannettes de bière vides. Ils
tapissent presque tout un mur.

On frappe à la porte. Je pose rapidement le journal sur le lit avant de rabattre la couverture dessus. Melinda apparaît. Elle porte une minijupe grenat, un polo noir qui épouse sa poitrine et du rouge à lèvres framboise. Une odeur de laque l'accompagne.

Elle s'arrête au milieu de ma chambre, rit en découvrant mon expression et exécute une petite pirouette.

— Comment tu me trouves ?

— Tu es magnifique !

Je suis sincère. Ce que je ne peux lui dire, c'est que je rêve d'avoir d'aussi beaux vêtements. Une garde-robe remplie de minijupes brillantes, de débardeurs moulants, de longues robes ajustées et de bottes à talons cloutés. J'aime la sensation du tissu sous la pulpe de mes doigts : velours doux comme les cheveux d'un nouveau-né, soie glissante, tulle froissé ; paillettes aiguisées, laine rugueuse et cachemire duveteux.

Tout ce qui n'existe pas à Ormberg, qui n'existe que sur Internet et dans les magazines de Melinda.

Je crois qu'elle lit mon regard. Qu'elle sent mon désir. Qu'elle perçoit le *mal qui me ronge*. Car elle affiche un air consterné, comme si je venais de lui poser une colle.

— Quoi ?

— Rien.

J'hésite un instant, puis je prends mon courage à deux mains.

— Tu crois que papa est alcoolique ?

Elle se fige dans son mouvement, l'étonnement se lit sur son visage – manifestement elle ne s'attendait pas à cette question –, mais elle se contente de hausser les épaules.

— Pourquoi ?

— Comme ça.

Devant le miroir, Melinda tire un peu sur son débardeur et replace sa jupe. Puis elle passe la main dans sa longue chevelure brune, esquisse une moue et plisse les yeux comme quand elle prend des selfies.

— Je n'en sais rien. Il aime la bière, c'est sûr. Il adore la bière.

Elle jette un coup d'œil à sa montre avant de poursuivre :

— Zut ! Faut que je file ! Markus vient me chercher dans cinq minutes. J'ai cuisiné pour toi et papa. Il dort, ne le réveille pas, OK ?

— Ça roule.

Je la suis des yeux lorsqu'elle sort de la pièce. Son parfum s'attarde après son départ. Il semble me narguer, me rappeler la personne que je suis vraiment, mais que je ne pourrai jamais devenir.

Malin

La maisonnette de Berit Sund se dresse dans un paysage idyllique, imbriquée entre la forêt et un champ enneigé. Je n'ai pas vu Hanne depuis la visite à l'hôpital dimanche dernier, mais je lui ai parlé par téléphone.

Berit, qui doit avoir au moins soixante-dix ans, nous accueille, Manfred et moi, sur le pas de la porte. Petite et trapue, elle porte une barrette d'enfant pour maintenir sa fine frange grise au-dessus de son oreille. Son vieux chien au pelage beige et frisé se met à flairer le sol autour de nos pieds.

— Doux Jésus ! s'écrie Berit en me serrant douloureusement les mains. Malin ! Comme tu as grandi ! Et tu es dans la police maintenant ! Qui l'eût cru ?

Après une seconde d'hésitation, un sourire fend son visage, exhibant ses dents jaunies criblées de plombages. Elle me donne une rapide accolade.

— Entrez donc ! On ne va pas rester dans le froid !

Elle nous pousse dans le vestibule, puis s'arrête brusquement, tripote son pull et montre la forêt d'un signe de la tête.

— C'est vrai ce qu'on dit ? Vous avez trouvé une femme morte près du monticule hier ?

— Oui, hélas, dis-je.

143

— Jésus Marie ! s'exclame Berit. Savez-vous qui c'est ?

— Non, répond Manfred sans développer.

Berit ne pose plus de questions, mais me lance un long regard inquiet.

Dans l'entrée étroite flotte une odeur de café et de fumée. Devant la fenêtre, des géraniums font grise mine. Des chaussures sont alignées en rang d'oignon sur le sol.

Nous entrons dans la cuisine chauffée au poêle à bois. Des flammes orange lèchent la lucarne de la trappe en fonte. Du café et des biscuits de Noël garnissent la table.

— Je vais chercher Hanne, nous informe Berit. Faites comme chez vous.

Assis sur des chaises à barreaux, nous regardons par la fenêtre : un jardin potager ouaté de neige, quelques arbres et buissons nus et, au-delà, un champ qui s'étend jusqu'à la forêt de sapins. Un chat se faufile sous la table, frottant son pelage doux contre mes jambes. Berit s'éloigne en boitant vers une porte, marque une halte après quelques pas, soupire et se tourne vers nous :

— La hanche.

Elle disparaît dans la pièce adjacente avec une grimace. Je croise le regard de Manfred qui me fixe sans un mot avant de me servir du café dans une tasse ébréchée. J'accepte la boisson fumante. On entend des voix assourdies, puis Berit et Hanne pénètrent dans la cuisine. Notre collègue paraît en meilleure forme que lors de notre visite à l'hôpital. Ses yeux sont vifs, ses cheveux frisés bien coiffés. La plupart des égratignures semblent cicatrisées, mais je distingue quelques croûtes sur ses mains et son visage.

Quand Hanne nous aperçoit, elle s'arrête net, soucieuse. Puis son visage s'éclaire d'un petit sourire qui me rappelle une fois de plus sa beauté.

— Manfred !

Hanne avance à pas rapides vers lui et ils s'étreignent longuement en silence. Puis Hanne me dévisage, la tête légèrement penchée de côté, en clignant des paupières.

Comme la dernière fois, ai-je le temps de songer avant qu'elle me tende la main pour me saluer. Je la saisis avec délicatesse et esquisse un sourire.

— Bonjour Hanne. C'est moi, Malin, ta collègue.

Elle plisse les yeux, entrouvre la bouche, comme si elle s'apprêtait à s'exprimer, mais hésitait.

— Malin ? fait-elle en allongeant les syllabes, comme si elle les savourait.

Je prends garde à ne pas avoir l'air déçu ou choqué. Je ne veux pas la déstabiliser à un moment où il est fondamental qu'elle se souvienne de ce qui s'est passé vendredi.

Nous nous installons autour de la table et Manfred sert du café à Hanne. Berit ajoute quelques bûches dans le poêle.

— Un peu de café, Berit ?

Berit claudique jusqu'à la table. De près, elle paraît encore plus âgée. Un réseau de rides profondes se déploie autour de ses yeux. La peau de ses mains est aussi fine et transparente que du papier sulfurisé. Des veines bleues s'y faufilent, comme des serpents qui essaieraient de s'échapper.

— Non merci, je viens d'en boire. Je vais vous laisser papoter tranquillement. J'en profite pour promener Joppe.

Quand elle se retourne, je discerne trois longues écorchures à son bras gauche. On dirait qu'elle s'est fait griffer. Surprenant mon regard, Berit rougit, dissimule la coupure d'une main et abaisse sa manche. Elle sort de la pièce suivie du chien qui, je m'en aperçois à présent, boîte également.

Le silence règne.

Hanne, qui s'est assise à côté de Manfred, tripote sa tasse de café. Elle me regarde dans les yeux, penaude.

— Je suis désolée de ne pas t'avoir reconnue.

— Ce n'est pas grave.

Hanne esquisse un signe de tête, observe Manfred et sourit à nouveau.

— La barbe te va bien.

Manfred se caresse le menton et rit.

— Sans rire ? Ce n'est pas l'avis d'Afsaneh. Elle trouve que je ressemble à un motard de gang. Elle dit que je fiche la trouille à Nadja.

— Un motard de gang ? Loin de là !

— Qui est Afsaneh ?

Manfred se tourne vers moi.

— Ma femme. Et Nadja est notre fille. Elle va avoir deux ans.

— Ah.

— Comment va Nadja, d'ailleurs ? Elle n'a plus d'otites ?

— Elle va bien. Ils lui ont posé des tubes dans les oreilles et depuis, je touche du bois, pas une seule otite ! C'est un miracle.

Se penchant vers Manfred, Hanne ajuste le mouchoir en soie de sa poche. Le geste témoigne d'une intimité et d'une sollicitude qui me surprennent.

— Quand nous enquêtions sur la femme à la tête coupée, tu étais une épave, Manfred. Je t'assure. Nadja avait sans arrêt mal aux oreilles.

Manfred laisse échapper un petit rire et boit une gorgée de café.

— Je ne sais pas si c'étaient les otites de Nadja ou l'enquête qui faisait de moi une épave.

Je ressens alors un singulier sentiment d'exclusion. Il est tellement évident qu'ils partagent un passé auquel je n'ai pas accès. Ils ne travaillaient pas seulement ensemble, ils connaissent leurs familles et enfants respectifs, ont traversé côte à côte diverses épreuves – maladies infantiles, changement de couche et j'en passe.

Manfred se tourne vers moi. Peut-être se doute-t-il du cheminement de mes pensées parce qu'il sort son carnet de notes et se racle la gorge. Hanne semble comprendre l'allusion. Elle s'étire et déclare :

— Je sais pourquoi vous êtes ici et je vais faire de mon mieux pour vous aider. C'est étrange : j'ai tant de souvenirs. De mon enfance, par exemple. Le chemin de l'école – chaque arbre, maison et sentier est resté gravé. Et les enquêtes. Les meurtres, les viols. Mais depuis que nous sommes rentrés du Groenland, j'ai l'impression que plus rien n'accroche, vous comprenez ? Tout se mélange dans mon cerveau. Plus je sollicite ma mémoire, plus c'est confus.

Manfred pose sa grande main sur celle de Hanne.

— Ce n'est pas grave. On va avancer ensemble.

— Berit m'a dit que vous n'aviez pas d'indices concernant Peter.

La voix de Hanne est grêle.

— C'est vrai, répond Manfred. Nous le cherchons encore. Et nous allons le trouver, je te le promets.

Hanne se tourne vers la fenêtre. Son regard se perd dans le lointain, vers le champ qui s'étend comme un linceul blanc, et les sapins au-delà. Manfred serre sa main.

— Le corps d'une femme a été découvert dans la forêt hier, poursuit-il. Près du monticule. Elle a été assassinée. Une de tes chaussures a été retrouvée à proximité.

— Ce n'est pas possible !

Elle se frotte les mains en clignant des yeux plusieurs fois.

— Hanne, je pense que tu étais là, dans la forêt, lorsque la femme a été tuée.

Manfred marque une pause pour permettre à Hanne de digérer ce qu'il vient de dire avant de continuer :

— Je sais que tu as du mal à te remémorer, mais le moindre détail peut nous être utile. Un son, une odeur, une image mentale qui te semble inintéressante.

Hanne acquiesce, les yeux fermés.

— Le Groenland. Je m'en souviens avec précision. Après, tout est flou. Mais j'ai… des fragments de souvenirs. Je crois qu'ils datent du jour de la disparition de Peter. J'étais dans la forêt ; je courais, je fuyais quelque chose ou quelqu'un, j'ai cette sensation – la peur, le souffle court. Tout mon corps me faisait mal, mais je continuais à courir. Et j'avais froid, très froid. Il faisait si froid !

— Très bien, l'encourage Manfred en lui pressant la main. Tu te souviens de l'heure approximative ?

Les yeux clos, Hanne prend une profonde inspiration. Le bord de ses paupières tressaille.

— Ce que je sais, c'est qu'il faisait nuit.

— Bien. Et le temps ?

Hanne se tortille sur sa chaise, sourcils froncés.

— Je me souviens de la pluie sur mon visage. Et… une branche est tombée d'un arbre. Une tempête. Oui, il y avait une tempête.

Se tournant vers moi, Manfred prononce le mot « vendredi » du bout des lèvres. Hanne devait être dans les bois le soir de la tempête, le vendredi, ce qui signifie qu'elle a déambulé dans la forêt pendant vingt-quatre heures avant qu'on la trouve.

— Bon, fait Manfred. Très bien. Tu dis tout le temps « je ». Est-ce que Peter était avec toi dans les bois ?

Elle écarquille les yeux, soudain de marbre. Son regard erre à nouveau par la fenêtre où l'étendue cotonneuse est baignée de la clarté matinale.

— Je ne me rappelle plus. Je crois que… *Non*. Je ne sais pas.

— D'accord. Si on revenait un peu en arrière ? Te souviens-tu pourquoi tu ou vous étiez dans la forêt ?

— Nous… Non. Désolée !

Hanne secoue la tête avec lenteur et poursuit :

— Je suis navrée. Tout se brouille… Mais c'était forcément lié à l'enquête. Pourquoi serions-nous allés dans les bois ? Pour regarder les oiseaux ? Nous promener en amoureux ?

Manfred se fend d'un sourire oblique.

— Quels sont tes souvenirs de l'enquête ? demandé-je.

Après un long silence, Hanne reprend la parole, visiblement tourmentée :

— Sincèrement ? Je n'en ai aucun.

Lorsque les yeux de Manfred rencontrent les miens, j'y lis une grande déception.

— D'accord, aucun souci. As-tu d'autres réminiscences ?

Avec un signe de tête affirmatif, Hanne ferme à nouveau les yeux. Quelques rayons de soleil qui filtrent à travers la fenêtre embrasent une mèche cuivrée de ses cheveux.

— Nous étions dans une pièce sombre et étroite.

— Attends. Quelle sorte de pièce ? s'enquiert Manfred en fixant sa collègue.

— Eh bien… une pièce. Un espace confiné. Peut-être un garage ou une cabane. Je ne sais pas si c'est avant ou après la forêt. Puis je me souviens… (Elle lève les yeux vers le plafond en se frottant les mains.) De planches. En tout cas, c'est la sensation que j'avais sous les paumes. Quelque chose d'un peu rêche.

— Quel genre de planches ?

— Aucune idée. Des planches de bois, c'est tout. Et…

— Quoi ? demande Manfred avec enthousiasme.

— Des livres.

— Quel type de livres ?

— Je ne sais pas. Des livres normaux, mais… (Hanne se tait, place les mains sur ses tempes.) En anglais. Des bouquins en anglais empilés sur le sol crasseux.

J'échange un rapide coup d'œil avec Manfred. Le poêle à bois crépite et Hanne ouvre les yeux.

— Où ? murmure Manfred.

— Je l'ignore.

Hanne baisse la tête, me faisant croire qu'elle va se mettre à pleurer.

— À propos de livres…, dis-je. Tu ne saurais pas où est ton carnet ?

— Mon journal ? Non. Croyez-moi, si je le savais j'irais le chercher, parce que j'y écrivais tout.

Nous parlons encore un instant, mais comme elle n'a pas d'autres souvenirs, nous décidons de prendre congé. Au moment où Hanne se lève pour donner une accolade d'adieu à Manfred, j'aperçois un collier dans l'échancrure de sa chemise d'homme délavée. Je ne peux m'empêcher de lui poser la question :

— Joli pendentif, Hanne. Tu l'as depuis longtemps ?

Elle affiche à nouveau ce visage impénétrable qui signifie – je l'ai compris à présent – qu'elle ne s'en souvient pas.

— Aucune idée…

Peinée, elle approche la main de son cou et dégage le collier pour me le montrer. C'est un médaillon en or sur une chaînette du même métal. Le pendentif est entouré d'un liseré vert, sans doute en émail, et serti de pierres semblables à de petits diamants autour desquelles serpente un motif gravé.

— Il a l'air ancien, fais-je remarquer en m'avançant pour mieux voir.

Hanne acquiesce, les joues écarlates.

— C'est peut-être Peter qui te l'a offert ?

— Peut-être.

Elle rougit davantage, comme mortifiée par son incapacité à nous aider.

Jake

Ils ont trouvé une femme morte près du monticule.

Mon père me l'a annoncé avant mon départ en cours ce matin. Il a ajouté qu'il pariait un mois de salaire que la victime et l'assassin venaient de la « colonie d'Arabes » installée dans les locaux du Roi du Tricot.

Cette découverte macabre était aussi le principal sujet de conversation au collège, bien que personne ne sût ce qui s'était passé. Saga et moi voulions jeter un coup d'œil du côté du monticule, mais comme elle devait garder sa sœur cadette après les cours nous avons décidé de rentrer chez nous.

À présent, je suis assis à mon bureau avec le journal de Hanne que j'ai placé à l'intérieur de mon livre d'histoire au cas où mon père ou Melinda viendraient. Ma tour Eiffel est à côté de moi, achevée – du moins, aussi achevée que possible. Je la rends jeudi.

Quelque chose a changé en moi, je ne sais pas quoi exactement. Peut-être est-ce parce que Saga m'a embrassé, peut-être est-ce le récit de Hanne qui s'est insinué dans mon esprit, mais il me semble que rien n'est plus pareil. Le Coca a davantage goût de Coca, les arbres dehors sont plus beaux que dans mon souvenir.

Chaque sapin est un cône parfait, saupoudré de blanc, et la rivière serpente à l'infini entre les collines et les rochers.

Hanne possède désormais sa propre voix, comme si elle me parlait par le truchement des lignes serrées de son carnet. Comme si chaque mot, chaque syllabe m'étaient destinés. Je ressens une excitation mêlée d'inquiétude. J'ai l'impression d'avoir une responsabilité envers elle et Peter, même si je ne sais pas ce que je pense de lui. Après tout, je suis le seul à être au courant de ce qu'ils ont fait les derniers jours avant de disparaître dans la forêt.

J'en ai des picotements dans le ventre, comme si on m'avait fait avaler de force un gros glaçon. Immédiatement, je suis rongé par la mauvaise conscience d'avoir bâti ma tour Eiffel et passé du temps avec Saga ces derniers jours au lieu de finir le journal.

Je glisse la main sur la page. Le papier gondolé est rêche sous mes doigts. En voyant les pattes de mouche familières, mon cœur bondit dans ma poitrine.

— Bonjour, Hanne.

Samedi, jour de congé
J'ai travaillé dans ma chambre d'hôtel ce matin. J'ai cherché sur Internet des criminels qui emportaient les chaussures comme trophée. J'ai trouvé un tueur en série aux États-Unis qui volait celles de ses victimes. Fétichiste et schizophrène, il enfilait leurs souliers après les meurtres et se masturbait. Il a même coupé le pied d'une victime, l'a apporté chez lui et lui a fait essayer des chaussures.

153

C'est étrange : avec mes lunettes d'analyste, je peux constater que les pulsions de ce tueur avaient des causes psychologiques sous-jacentes, je peux creuser dans son enfance et trouver des circonstances atténuantes... mais je ne peux pas comprendre.

Cela me gêne, car cela souligne la frontière invisible, mais incontestable, qui sépare les êtres humains. On ne peut jamais totalement comprendre son prochain. Ni lui faire confiance.

Je songe alors à P.

Après le déjeuner, nous avons fait une longue promenade qui nous a menés jusqu'au monticule. Nous avons gravi le mont Ormberg. Le soleil brillait. L'air était froid et sec.

P. était d'excellente humeur. Il parlait de l'enquête et j'ai eu le malheur de demander qui était Malin. Ça m'a échappé. J'aurais dû consulter mon journal. Il a lâché ma main. On aurait dit que la lumière dans ses yeux s'était éteinte, remplacée par un vide embrumé.

J'ai tenté d'inventer des excuses à ma bévue, mais il ne m'a pas crue.

P. a beaucoup de défauts – il n'est pas toujours fiable, parfois insensible –, mais la bêtise n'en fait pas partie. Après trente ans dans la police, il sait déceler un mensonge.

Il m'a fait promettre d'appeler le médecin lundi.

J'ai évidemment menti : je ne veux plus jamais rencontrer la spécialiste de la consultation mémoire, celle qui ne cesse de répéter qu'il y a d'excellents centres d'accueil pour les personnes démentes – comme s'il s'agissait de voyages organisés et non de

centres médicalisés où on vous met des couches et
vous colle devant la télévision.
Je n'en suis pas encore là, mais c'est comme ça que
cela va se terminer.
Sauf si...
J'ai commencé à y songer : je ne suis pas obligée
d'arriver jusque-là. Je peux choisir de mettre fin à
mes jours avant de devenir un légume.
La difficulté est de savoir quand le moment est venu.
Pour l'instant, je m'en sors bien, je n'ai aucune
envie de mourir. Or, je dois exécuter mon plan avant
d'avoir complètement perdu ma volonté. Il y a un
point de non-retour : un moment après lequel je ne
pourrai plus réaliser cet acte. Un moment à partir
duquel j'accepterai sans broncher ma purée, installée
dans le canapé d'une maison médicalisée.

Je referme le journal et regarde par la fenêtre. Malgré
l'obscurité, je devine à travers les branches nues les
scintillements à la surface noire de la rivière.

J'ai une boule au ventre : je ne veux pas que Hanne
meure. Personne ne doit mourir, surtout pas elle. Je
pense à la silhouette maigre en chemisier trempé, à ses
pieds nus dans les bois, à ses cheveux ruisselants.

Moi qui croyais qu'elle était dangereuse, qu'elle était
une tueuse !

Pianotant sur mon mobile, je cherche sur Google les
mots « fétichiste » et « schizophrène » pour chasser
Hanne de mes pensées. En vain. J'ai l'impression
qu'elle me parle à voix basse depuis le carnet, comme
si elle m'appelait à l'aide.

Que fait-elle, maintenant ?

Mon père m'a raconté qu'elle vit chez Berit derrière l'église. Il m'a dit qu'il était incompréhensible que cette « bonne femme croulante » s'occupe de Hanne, avant d'ajouter qu'il y a tant de choses incompréhensibles de nos jours qu'en réalité c'est plutôt logique.

Était-ce vraiment différent, « avant » ? Mieux ? Moins dingue ? J'aurais voulu lui poser la question, mais Melinda est apparue en minijupe, déclenchant une querelle entre elle et mon père.

C'est typique de leur part : ils se disputent pour des bagatelles afin d'éviter les sujets importants. Comme ma mère, par exemple. Nous ne parlons jamais d'elle, bien qu'elle soit décédée il y a moins d'un an, que ses vêtements remplissent encore les placards et que son côté du lit demeure dans l'état où elle l'a laissé.

Je jette un coup d'œil à ma montre puis à l'obscurité au-dehors. Il est seize heures trente. Rien ne m'empêche de me rendre chez Berit pour voir comment se porte Hanne. Je ne compte pas frapper, juste essayer d'apercevoir Hanne et m'assurer qu'elle va bien.

Plus j'y pense, plus je suis convaincu que c'est la chose la plus juste à faire. Non seulement je *peux*, mais je *dois* aller la voir.

Je range délicatement le carnet dans le tiroir de mon bureau, éteins la lampe et me lève.

La maisonnette de Berit éclaire la nuit tel un sapin de Noël. La lumière chaude qui s'écoule par les fenêtres confère à la neige des reflets dorés. J'ai dissimulé mon scooter dans la forêt et j'ai fini à pied. Je ne brise aucune règle en venant ici, mais je ne veux pas qu'on me surprenne : comment expliquer la raison de ma présence et pourquoi il est si important pour moi d'apercevoir Hanne.

Je suis transi de froid. Mon haleine se transforme en vapeur et je ne sens plus mes joues. Mes doigts sont gelés malgré mes gants épais.

Approchant de l'habitation, je me demande quelle est la fenêtre la plus adéquate. À droite de la porte d'entrée, il y en a une si basse qu'il suffirait que je me poste devant pour voir à travers.

Tout est calme. Pas un bruit, rien ne bouge. Il n'y a que moi, la maisonnette et le silence inodore de cette soirée hivernale. Je m'approche de la fenêtre et des buissons s'accrochent à mon pantalon. Des rosiers. En quelques secondes, mes mollets sont balafrés de douloureuses griffures d'épines. Mais j'arrive à voir. La pièce est vide. À droite, deux banquettes, à gauche une petite table entourée de chaises à barreaux, au fond, une porte entrouverte. Je devine un mouvement dans l'embrasure, comme si quelqu'un se déplaçait dans la pièce derrière le battant.

Je recule, me dépêtre des rosiers et, après quelques instants de réflexion, je contourne la maison. La fenêtre suivante est trop haute : je dois grimper.

Un flocon se pose sur mon visage. Puis un autre. Je regarde autour de moi, mais je ne trouve ni seau ni échelle qui dépasse sous la neige. En me tenant aux panneaux en bois, je me hisse et coince les pieds dans l'étroite fente qui sépare la façade des fondations en pierre. Les doigts glissés entre deux planches pour me stabiliser, je jette un coup d'œil par la fenêtre, au bas de laquelle est posé un pot de fleurs.

Les deux femmes sont assises à la table de la cuisine. Berit me tourne le dos. Sa nuque courtaude et épaisse forme un bourrelet sur son col, comme une pâte à pain trop levée. Sur le sol, au pied du poêle, son vieux chien est allongé sur le côté. Je refrène mon envie de descendre : elles ne peuvent pas me voir. Il fait nuit et je dois être dissimulé derrière le pot de fleurs.

Hanne est méconnaissable avec ses longs cheveux touffus et bouclés et le rire qui illumine son visage. Elle tient une tasse de thé à la main, porte un châle sur les épaules et un gros pendentif autour du cou. Elle a l'air forte, heureuse, énergique – si différente de la femme qui a écrit qu'elle songeait à mourir. N'est-ce pas le propre des idées noires ? Elles ne se voient pas de l'extérieur, elles n'existent qu'en nous, dans ce cagibi obscur, fermé par une lourde porte, qui peut contenir à la fois des pulsions suicidaires et le *mal qui me ronge*. Ça doit être là que mon père a rangé le souvenir de maman.

Berit se lève, claudique jusqu'au poêle pour saisir la théière. Hanne lui tend sa tasse que la vieille femme remplit. La table de la cuisine se trouve près de la fenêtre qui donne de l'autre côté, vers l'église. Une étoile de Noël en paille est suspendue à un crochet fixé au cadre et, sur l'appui intérieur, j'aperçois une plante en pot d'aspect maladif. Les feuilles jaunies pendent mollement le long de la tige et quelques fleurs roses scrutent l'obscurité de l'autre côté de la vitre.

Mes bras brûlent à cause de l'effort, mais je m'agrippe au panneau de bois, ensorcelé par la scène qui se joue dans la petite cuisine. Difficile de se convaincre qu'il s'agit bien de Hanne. D'un certain point de vue, on peut dire que je la connais mieux que quiconque, mais elle reste malgré tout une inconnue.

Un bruit sourd résonne dans la nuit ; j'ignore s'il vient de l'intérieur ou de l'extérieur de la maison. Berit s'assied. Je distingue des voix à travers la vitre, mais sans entendre les mots.

Soudain, un autre bruit retentit. Une sorte de crissement, comme des ongles sur de la tôle. À présent, je suis sûr que cela provient de dehors, que quelque chose a bougé dans le jardin.

Hanne et Berit n'ont sans doute rien remarqué : elles continuent tranquillement à discuter en buvant leur thé.

Et là, sous l'étoile de Noël de l'autre fenêtre, se dessine un visage livide et inexpressif. Les yeux sont deux puits sombres et la bouche un mince trait.

Je lâche prise et tombe en arrière dans la neige. Au moment où mon échine heurte le sol, je prends conscience que la personne doit se trouver derrière l'angle de la maison, à moins de dix mètres de moi.

Une douleur sourde se diffuse dans mon dos, je peine à reprendre ma respiration. Je me lève et me précipite vers mon scooter. La poitrine en feu, le nez coulant, je fonce sans me retourner. J'ai bien trop peur que la silhouette derrière la fenêtre me rattrape, me pousse et m'étrangle de ses doigts blancs.

Mais personne ne vient. Personne ne pose une main osseuse sur mon épaule juste au moment où je crois m'en tirer ; personne ne souffle de l'air chaud dans mon cou lorsque je m'arrête près de mon deux-roues ;

personne ne le renverse au moment précis où je vais démarrer.

Il n'y a que moi, l'obscurité, et les flocons duveteux qui continuent de tomber sans bruit sur la maisonnette de Berit.

Malin

Au volant de ma voiture, je peine à distinguer la route. J'avais oublié à quel point la nuit était noire ici. Comme dans un cachot. Le blizzard rend la conduite plus ardue encore, m'obligeant à parcourir au ralenti les derniers kilomètres.

Arrivée devant chez ma mère, je remarque que l'éclairage extérieur a rendu l'âme. Demain, j'achèterai des ampoules. Ragnhild n'avait pas complètement tort lorsqu'elle disait que la propriété de ma mère aurait besoin d'un coup de neuf. Visser quelques lampes, c'est dans mes cordes, bien que je sois sans doute la plus malhabile de tous les habitants d'Ormberg. La force et la dextérité sont indispensables à la campagne. Ce n'est pas un endroit pour les gens qui ont deux mains gauches.

Chutes d'arbres, routes obstruées par la neige, véhicules qui tombent en panne au milieu de la forêt et coupures de courant à répétition à cause des tempêtes d'automne – les défis sont quotidiens et vous devez y faire face.

Ici, toute douilletterie est bannie. Vous n'avez pas le droit de vous plaindre du village ou de suggérer que vous aimeriez vivre ailleurs, par exemple à Stockholm – surtout pas à Stockholm. Si cette pensée a le malheur de vous effleurer l'esprit, gardez-la pour vous à moins que vous ne vouliez vous retrouver exclu de la communauté aussi vite et inexorablement que les estivants disparaissent au mois d'août.

Entrant dans la cuisine, je trouve ma mère aux fourneaux, un verre de vin à la main. Son corps petit et bien en chair est si différent du mien. Nous en plaisantions quand j'étais plus jeune : je lui ressemblais si peu, disions-nous, qu'elle avait dû me trouver chez les lutins, dans la forêt. Une odeur de baies de genévrier se dégage du ragoût d'élan qui mijote sur le feu.

— Salut ma chérie.

Elle pose son verre et me serre dans une étreinte aussi brève que vigoureuse qui manque de me couper le souffle. Oui, ma mère est faite pour vivre ici : résistante, robuste et plutôt satisfaite de la vie. De *sa* vie en tout cas. Pas de la mienne, qui la fait mourir d'inquiétude – surtout à cause de mon métier. Je crois qu'elle n'a pas compris que mon travail à Katrineholm consiste surtout à faire entendre raison à des ivrognes, interroger des voleurs à l'étalage et rédiger des rapports. C'est peut-être pour cette raison que j'ai sauté de joie quand on m'a proposé de participer à cette enquête. Enfin une affaire un peu grisante ! Un homicide. Enfin la possibilité de me sentir vraiment utile ! Et ce, à l'endroit le plus inattendu qui soit : Ormberg.

Je ne pense pas qu'un crime grave ait été commis ici depuis que ce touriste allemand a reçu un coup de couteau au cours d'une rixe près du camping. C'était il y a trois ans. Après quelques points de suture au centre de soin de Vingåker, il a pu rentrer dans sa caravane et continuer à écluser des bières.

Hormis cela, il ne se passe pas grand-chose : des petits vols, des dégradations et des graffitis sur ce qui fut jadis la fabrique Brogren, mais qui exerce désormais une force d'attraction hypnotique sur les adolescents d'Ormberg. Et puis des agressions sous l'emprise de l'alcool et des arrestations pour détention de stupéfiants – il y a plus de drogue dans les zones rurales qu'on ne le pense.

C'est tout.

Du moins jusqu'à il y a quelques jours.

Je m'installe à la table de la cuisine et me tourne vers ma mère.

— Besoin d'aide ?

Elle secoue la tête, essuie la sueur de son front du revers de la main et avale une gorgée de vin.

— Non, non. Reste assise, tu as bossé toute la journée.

J'ai travaillé, soit, mais les fesses posées sur une chaise – au bureau, chez Berit, puis à nouveau au bureau.

— C'est terrible, reprend ma mère d'une voix languissante. La femme morte près du monticule.

— Oui.

— Elle était du coin ?

— Non, je ne l'ai jamais vue.

Du bout de sa cuiller en bois, ma mère goûte la fricassée et la saupoudre d'épices fraîchement moulues.

— Et le policier de Stockholm alors ? Vous l'avez retrouvé ?

Je songe à Peter. Pour la première fois depuis sa disparition, je reconnais qu'il est plus probable qu'il lui soit arrivé malheur plutôt qu'il nous attende dans une maison de vacances avec un pied cassé.

— Non, toujours pas.

— Depuis combien de temps a-t-il disparu ?

— Cinq jours.

Ma mère incline la tête sur le côté, comme si elle réfléchissait aux chances de survie d'un individu si longtemps seul dans la forêt. Elle doit en conclure qu'elles sont minces, car, laissant tomber le sujet, elle se remet à touiller sa marmite.

La table est dressée : quatre assiettes aux motifs floraux, fatiguées par les ans, et les couverts en argent des grands jours qui restent habituellement dans leur étui en feutre, rangés dans le premier tiroir de l'armoire vitrée.

— On sera quatre ? Je croyais qu'il n'y avait que nous deux et Margareta.

Je fréquente peu ma tante Margareta. À l'instar de ma mère, elle a vécu à Ormberg toute sa vie d'adulte. Elle est une pure campagnarde : à sa force physique s'ajoute une résistance à la douleur hors pair. Jamais je ne l'ai entendue exprimer le désir de se trouver ailleurs qu'ici. Le centre du monde ou le bout du monde, selon le point de vue.

— Elle vient avec Magnus.

J'esquisse un signe de tête. Je n'ai pas raconté à ma mère que j'ai tiré mon cousin d'un mauvais pas lundi dernier en faisant déguerpir les garnements qui allaient lui coller une raclée. Outre le fait que je lui ai promis de garder le silence, repenser à cet épisode me met mal à l'aise.

— Maman, est-ce que tu as parlé du mariage au pasteur ?

Ma mère interrompt sa préparation culinaire, s'essuie les mains sur son tablier et vient s'asseoir à la table en face de moi.

— Malin, ma chérie, est-ce que vous avez bien réfléchi ?

— Qu'est-ce que tu veux dire ?

Elle se frotte les mains, pensive, les yeux rivés sur la table.

— C'est juste que… j'ai parfois l'impression que… enfin… Je me demande si… Est-ce que tu l'aimes vraiment ?

— Mais tu es folle, maman. Évidemment que je l'aime.

— C'est un grand pas de se marier. Vous n'allez pas un peu vite en besogne ? Vous pourriez commencer par habiter ensemble.

Elle n'a pas tort : nous avons à peine vécu sous le même toit. Nous nous sommes rencontrés pendant mes études à l'école de police et nous n'avons partagé un appartement qu'un peu plus d'un mois avant que je sois nommée à Katrineholm. Depuis, nous nous voyons le week-end. Certes, ce n'est pas idéal, mais je ne comprends pas pourquoi ma mère se permet de tels commentaires, pourquoi elle ne respecte pas mes choix alors que je respecte les siens. Comme vivre dans ce fichu trou, par exemple.

— Parfois je me demande si tu…, poursuit ma mère. Tu sais… Ce qui s'est passé avec Kenny…

— Mais maman, je t'en prie ! Arrête avec ça !

— Bon, bon…

— Pourquoi tu dis ça ? Je croyais que Max t'avait fait bonne impression.

Elle me regarde en poussant un long soupir. La peine et la fatigue se lisent dans ses yeux clairs rougis, les rides autour de sa bouche et ses paupières alourdies.

— Oui, c'est le cas, Malin, mais ce n'est pas moi qui vais l'épouser. Dis-moi pourquoi tu l'aimes. Ce que tu aimes en lui.

— Qu'est-ce que c'est que cet interrogatoire ? Je l'aime parce que… On est sur la même longueur d'onde, OK ? C'est un mec super. Il est drôle, intelligent et il a un bon boulot. On va avoir une vie tranquille.

— À Stockholm ?

— Qu'est-ce que ça peut bien faire ?

— Rien. Rien du tout. Mais j'ai parfois la sensation que tu veux fuir cet endroit, et ce n'est pas une bonne raison de se mettre en ménage. Si tu fuis, assure-toi que tu n'essaies pas d'échapper à toi-même.

Elle a raison, bien sûr : je veux m'échapper d'ici. Toute personne saine d'esprit prendrait ses jambes à son cou si elle se retrouvait dans ce coin paumé. On ne s'installe pas à Ormberg, sauf si on a un grain ou qu'on est né ici. Ou les deux. Mais mon histoire avec Max n'a rien à voir avec mon désir d'ailleurs. Max est tout simplement parfait. Il représente tout ce dont j'ai toujours rêvé : ambition, grande ville, sécurité économique. En plus, qu'est-ce que l'amour si ce n'est de l'amitié épicée d'un peu de sexe ? Je fais l'amour avec mon meilleur ami et cela me convient très bien – encore une chose que je ne peux pas avouer à ma mère.

Pourquoi les gens vous bassinent-ils avec l'amour, comme s'il s'agissait d'une force magique, surnaturelle ? Une sorte de religion. Je ne crois ni en Dieu ni en l'amour.

Le travail, la détermination, l'entêtement, et tout ce qui fournit des résultats – ça j'y crois. Les faits scientifiques, oui ; la superstition et les sentiments, non merci.

Surtout pas les sentiments – il faut s'en méfier comme de la peste. Autrement, les choses peuvent vraiment mal tourner : on peut par exemple tomber enceinte et rester coincée dans un endroit comme Ormberg. Prise au piège de ce patelin pour l'éternité, flanquée de gosses morveux et d'un type qui avait sans doute l'air séduisant un soir d'été sur la plage quand on était jeunes et bêtes et qu'on avait bu quelques bières.

Une lumière clignote devant la fenêtre. Des phares qui approchent dans l'obscurité. Une Saab défraîchie au pare-chocs rouillé stationne devant la maison. Magnus et Margareta.

Ma mère jette un coup d'œil à sa montre.

— Ce n'est pas trop tôt ! J'avais dit à Margareta de venir à dix-neuf heures.

À peine ma mère a-t-elle ouvert la porte que Zorro, un énorme berger allemand, se précipite dans le vestibule en aboyant. Il bondit autour de mes jambes comme une bille de flipper et me lèche les mains. Puis il galope dans la cuisine à la recherche de quelque chose à se mettre sous la dent. Le vieux chien de ma tante est plus débonnaire qu'il n'y paraît. Il est dans la famille depuis longtemps.

Magnus entre à son tour, piétine pour se débarrasser de la neige et ôte son manteau. Margareta lui emboîte le pas, vêtue d'un vieil anorak taché et d'une écharpe rose. Ses courts cheveux bruns emplis d'électricité se dressent sur sa tête quand elle retire son bonnet en laine orné de cœurs.

Ayant enlevé son tablier, ma mère lisse son pull du plat de la main et s'avance vers ses invités.

— Bonjour ! Comment allez-vous ?

Mon cousin fixe le sol en se débarrassant avec maladresse de ses grosses chaussures. Quand il se penche en avant, je découvre que son crâne s'est dégarni, sa calvitie devient évidente sous l'éclat chaud du plafonnier. Son corps colossal est plus voûté que dans mon souvenir, son visage plus ridé. On voit qu'il a dépassé les quarante-cinq ans.

— On fait aller, réplique-t-il avec flegme.

Je le serre dans mes bras et, une fois n'est pas coutume, il répond à mon étreinte. Peut-être est-il encore reconnaissant de mon intervention salvatrice.

— Ça va très bien ! s'exclame Margareta de sa voix éraillée de fumeuse. (Elle me donne l'accolade. Elle empeste la cigarette et le vieux chien.) Malin, bon Dieu comme tu es grande ! J'avais oublié ! Tu aurais dû faire basketteuse au lieu de flic.

Elle rit de sa remarque dévoilant des dents de guingois constellées de vilains plombages. Ses puissantes mains noueuses reposent sur mes épaules.

Magnus porte un pull en polaire qui moule son ventre grassouillet et un jean du style de ceux qu'on achète au supermarché qui jouxte l'autoroute, à mi-chemin vers Katrineholm.

— Entrez, asseyez-vous. C'est prêt.

Nous nous installons à table dans la cuisine. Les deux femmes se plaignent haut et fort du déneigement, Margareta menaçant de téléphoner à la mairie pour rouspéter cette année encore, sans quoi rien ne sera fait. Force est de constater qu'elle n'a pas son pareil pour pousser les décideurs à agir. Elle se mêle de tout à Ormberg. Elle y est sans doute la personne la plus influente, ce qui est assez impressionnant pour une mère célibataire, sage-femme retraitée dont le fils est l'idiot du village.

Avant le décès de Kenny, je déployais des trésors d'ingéniosité pour me soustraire à sa compagnie. Ma mère me rappelait alors qu'elle avait eu une vie difficile et qu'elle avait besoin de nous. Son premier enfant a succombé à une bronchite à l'âge de six mois et son mari – dont le nom ne doit pas être cité devant Margareta – l'a abandonnée pour une coiffeuse de Flen lorsqu'elle était enceinte de Magnus. Cela doit expliquer la proximité entre ma mère et sa belle-sœur.

— Magnus a trouvé du travail, gazouille Margareta.

— Félicitations ! s'écrie ma mère, tout sourire. Que vas-tu faire ?

L'intéressé baisse les yeux.

— Il va aider Ragnhild Sahlén à défricher le taillis près de la rivière. Ce sera au printemps, bien sûr.

— C'est un super boulot, ça !

Ma mère adresse à Magnus un sourire encourageant.

— Félicitations, dis-je à mon tour.

Il y a malgré tout des avantages à vivre dans un petit bourg comme Ormberg. Les habitants s'entraident. Il existe un esprit de communauté dont je n'ai jamais vu la trace ni à Katrineholm ni à Stockholm. Même si les gamins lui jettent des cailloux, il y a de la place pour lui. Il est intégré. On montre qu'on a besoin de lui.

Nous discutons encore du déneigement quelques instants, puis Margareta se tourne vers moi et pose sa main osseuse sur la mienne.

— C'est vraiment terrible, Malin. Terrible. Que vous soyez tombés sur un cadavre ! Près du monticule de pierres, en plus. N'est-ce pas étrange ?

J'acquiesce.

— Que s'est-il passé ?

— Je ne peux pas vraiment en parler.

— Je comprends.

Elle me tapote la main et continue comme si elle ne m'avait pas entendue :

— Mais ce policier de Stockholm... Vous l'avez retrouvé ?

— Non.

Elle secoue lentement la tête, les lèvres pincées.

— C'est horrible ! Imaginez qu'il soit dans les bois, congelé comme un bâtonnet de poisson pané !

— Margareta, voyons ! la rabroue ma mère en posant brusquement son verre.

— Pardon ! Mais c'est ce que vous craignez, non ?

Margareta me regarde dans les yeux.

— Effectivement.

J'essaie de chasser de mon esprit la vision de Peter comme un poisson surgelé.

— Je n'ai rien contre les Stockholmois, reprend Margareta en toussotant, mais on peut facilement se perdre dans la forêt si on ne la connaît pas. Si on sous-estime le danger. Et puis, il y a les pierres. D'habitude, je ne crois que ce que je vois, mais là... je vous parie qu'il y a des fantômes. Je me rappelle la famille allemande qui...

— Margareta, je t'en prie !

Ma tante hausse les épaules, visiblement offensée par la remarque de ma mère. En silence, Magnus enfourne mécaniquement le ragoût d'élan dans sa bouche.

— Vous pensez que sa disparition a à voir avec la femme morte ? s'enquiert ma mère.

— Aucune idée. Peut-être. Il doit bien y avoir une raison qui explique pourquoi Peter et Hanne, la femme qui a été trouvée dans les bois, s'y soient aventurés malgré la tempête. Nous ne savons pas. Mais…

— Quoi ? m'encourage Margareta, les yeux écarquillés.

C'est typique de ma tante : elle fourre son nez dans les affaires des autres avec une curiosité éhontée.

— On va le trouver, dis-je d'un air faussement assuré. Il faut juste que Hanne se souvienne de ce qu'il s'est passé.

— Il faut espérer que ça lui reviendra. Il ne peut pas rester là-bas tout l'hiver.

Ma mère lui lance un regard en guise d'avertissement, mais ne pipe mot.

— Ce que je veux dire, c'est que ce serait terrible si un enfant tombait sur le corps, ajoute Margareta, comme pour excuser son langage.

Mon cousin se fige, la fourchette suspendue devant la bouche, l'air paniqué.

— Qui est mort ?

— Pas quelqu'un que nous connaissons, dis-je.

Je me penche en avant, pose une main sur la sienne. Il la retire.

— Mais que dit cette femme qui a perdu la mémoire ? demande ma mère en saisissant la bouteille de vin.

— Hanne ? Je ne peux pas en parler. Je dois respecter le secret de l'enquête préliminaire.

Margareta se tourne vers ma mère, un paquet de cigarettes à la main.

— Je peux ?

— Bien sûr.

Elle lui tend le cendrier frappé du logo Cinzano que nous possédons depuis la nuit des temps. Margareta allume une cigarette, avale avec jouissance une bouffée avant de cracher ses poumons.

— Qu'est-ce qu'il leur a pris de placer cette pauvre femme amnésique chez Berit ?

Ma mère semble abasourdie.

— Quoi ? Elle est chez Berit Sund ?

Margareta opine du bonnet, les yeux pétillants de malice.

— C'est ahurissant ! La pauvre vieille a déjà du mal à prendre soin d'elle-même et de son clébard boiteux.

Elle tire à nouveau sur sa cigarette qui crépite et rougeoie.

— Il paraît que Berit est fauchée, fait remarquer ma mère, elle a peut-être besoin de renflouer les caisses.

— Berit est *toujours* fauchée, glousse Margareta. Je me souviens de l'hiver 1985. J'étais en route pour un accouchement à Berga. La situation était critique, le bébé était en siège et ils ne pouvaient pas se rendre à l'hôpital car il y avait une tempête et…

Je me désintéresse de la conversation, lasse d'écouter les bavardages incessants de ces deux commères. Magnus continue de fixer la table. Il ne m'a pas regardée dans les yeux une seule fois alors que tout le reste a fait l'objet de son attention : ma mère, Zorro, le ragoût et même le plafond de la cuisine.

Margareta vient d'entamer le récit interminable du jour où Berit lui a emprunté de l'argent pour remplacer la voiture qu'elle avait incendiée quand mon téléphone sonne. En temps normal, j'aurais peut-être décroché à table, mais cette fois l'appel représente une interruption bienvenue.

— Désolée, dis-je en me levant pour sortir dans le couloir. Je dois répondre, ça doit être le boulot.

C'est Manfred.

En entendant le bourdonnement du radiateur, je prends conscience que mon collègue demeure au bureau malgré l'heure tardive – vingt et une heures passées. Cela dit, comme sa femme et sa fille vivent à Stockholm, il n'a pas grand-chose d'autre à faire ici que travailler.

À Ormberg, il y a moult choses que l'on ne peut *pas* faire : on ne peut ni suer à la salle de sport, ni boire un verre dans un bar, ni commander une pizza à emporter. On ne peut pas non plus prendre un café, se procurer un journal, aller à la poste ou encore acheter du lait et des œufs pour la pâte à crêpes si jamais on a oublié en faisant les courses.

Bien que Stockholm ne se trouve qu'à deux heures de route, Manfred n'y est rentré qu'une fois depuis son arrivée il y a deux semaines. Je me demande ce qu'Afsaneh en pense.

Mon collègue ne s'excuse pas de téléphoner si tard – ce n'est pas son genre. Il préfère entrer dans le vif du sujet :

— Les techniciens ont appelé : le sang sur la chaussure de Hanne…

— Oui ?

— Ce n'est pas le sien. Le test d'ADN n'est pas terminé, mais ils ont cherché le groupe sanguin pour déterminer au plus vite si c'est le même que celui de Hanne. La procédure utilisée avant l'invention des tests d'ADN. Le sang sur la basket est du groupe O+, Hanne du groupe B+.

— Ça ne peut pas être le sang de Peter ?

— Non, il est AB-, un groupe rare. Seul un pour cent de la population suédoise.

— Alors tu dis que...

Ma voix s'éteint quand je pense à la femme maigre gisant dans la neige, à son visage qui n'était plus un visage, et à ses longs cheveux gris et fins.

— Comme par hasard, la femme assassinée est O+. Comme trente-deux pour cent de la population, certes, mais je suis convaincu que le sang sur la chaussure est celui de la victime. Il n'y a pas d'autre explication logique. Hanne devait être là quand elle est morte, Malin. Je ne peux pas encore le prouver, mais je sais que c'est vrai.

Jake

Aujourd'hui, j'ai fait l'école buissonnière. Ma classe était en sortie à la piscine de Vingåker. Sans moi. J'ai horreur du sport, peut-être à cause de ma taille minuscule et de ma propension à arriver dernier des courses. Melinda me dit que je rattraperai les autres, que je courrai et nagerai plus vite qu'eux une fois que j'aurai grandi. Je me suis mesuré pas plus tard qu'hier et je ne dépasse toujours pas le trait de stylo bleu tracé cet été sur le cadre de la porte de la cuisine. Quand nous nous changeons avant la gym, je suis encore le plus petit. Même sur la pointe des pieds, je n'atteins pas l'épaule de Vincent. Non que je me poste à côté de lui – surtout pas dans les vestiaires –, il me plongerait la tête dans les toilettes.

Revenons à la natation. Pour être honnête, ce n'est pas la seule raison qui me retient d'aller à l'école. J'ai à peine fermé l'œil de la nuit, hanté par le visage livide et les orbites noires et caverneuses derrière la fenêtre de Berit.

J'aurais pu chercher à découvrir l'identité de cet inquiétant personnage, mais l'effroi m'en a dissuadé. J'ai pris mes jambes à mon cou jusqu'à mon scooter que j'ai guidé en silence à travers les bois. Arrivé sur la route, je n'ai allumé le moteur qu'après m'être assuré qu'on ne me suivait pas.

Dès le lever du jour, j'ai commencé à me persuader que ce n'était qu'une illusion. Qui espionnerait Berit et Hanne dans l'obscurité ? Et pourquoi ?

Quoi qu'il en soit, j'ai beaucoup pensé à Hanne. Malgré son âge avancé, elle est forte et intelligente. En plus, elle ne fait que des choses palpitantes, comme partir au Groenland et traquer des criminels. Elle ne reste jamais affalée sur son canapé à boire de la bière ; elle ne se rend jamais à l'Agence pour l'emploi.

Si seulement ma vie pouvait être un peu plus excitante ! Mais à Ormberg, il ne se passe jamais rien. Il n'y a pas d'assassins ici, hormis celui qui a trucidé la femme à côté du monticule de pierres, bien sûr, mais il ne peut pas être d'ici.

J'ai surpris une conversation entre Melinda et mon père à ce sujet. Il prétendait que le meurtre avait été commis par un immigré – un *musulman*. « Ils ont une autre vision de la valeur des êtres humains, et des femmes en particulier. » « Ils sont prêts à tuer s'ils n'arrivent pas à leurs fins. »

Je me demande ce qu'il entend par « arriver à leurs fins », même si j'ai une petite idée. J'ai noté l'expression sur la paume de ma main et voulais demander à ma sœur, mais j'ai oublié.

Les hommes et les femmes paraissent avoir des envies différentes. On dirait que les hommes cherchent toujours à obtenir quelque chose des femmes : leur corps, par exemple. Comme s'ils portaient en eux un dangereux instinct dont les femmes doivent se méfier.

J'en suis peiné. Et perplexe. Les femmes n'attendent-elles jamais quelque chose des hommes ? N'y a-t-il que les hommes qui ont besoin d'« arriver à leurs fins » ?

Par ailleurs, cela signifie-t-il que je vais devenir le genre d'individu prêt à tout pour « arriver à ses fins », duquel les filles doivent se garder d'approcher ? Vais-je perdre le contrôle de moi-même en vieillissant ? Est-ce cela, devenir un homme ? Dans ce cas, je préfère m'abstenir.

Je pense à Saga, à ses lèvres si douces quand elles ont touché les miennes, au parfum de ses cheveux roses et à sa chaleur. À l'explosion dans ma poitrine, à la sensation qu'il ne m'était jamais rien arrivé d'aussi beau de toute ma vie, que cet instant représente un point de fracture dans mon existence qui la scinde en un avant et un après. Après lui, rien ne sera jamais pareil.

Comme quand ma mère est morte – version positive.

Saga ne semblait pas me craindre. Au contraire, j'ai l'impression qu'elle avait envie de m'embrasser.

Il y a une chose qui me chiffonne : n'y a-t-il que les musulmans qui sont dangereux pour les filles ? C'est peut-être à cause de ce livre qu'ils lisent, le Coran, où il est écrit qu'ils doivent faire la guerre aux infidèles. À la télévision, j'ai vu des images d'hommes masqués avec leurs drapeaux noirs floqués d'inscriptions arabes. Ceux qui se font exploser, ceux qui foncent sur la foule en camion, qui tranchent la gorge des prisonniers et veulent créer un califat mondial. J'ai parfois la trouille qu'ils viennent ici, à Ormberg, mais au fond de moi je sais qu'ils n'ont pas l'intention d'installer leur califat ici.

Ormberg est un mouroir, un bled trop ennuyeux même pour les combattants allumés de l'État islamique.

Dans la Bible, il est écrit qu'on doit aimer son prochain comme soi-même, ce qui signifie qu'on n'a pas le droit de blesser ou de tuer un autre être humain – c'est ce que nous a expliqué notre professeur. Or, d'après Saga, les chrétiens auraient massacré plus de personnes au nom de Dieu que les musulmans. Pour elle, ce sont les religions qui sont dangereuses. Il ne faut jamais se soumettre à une foi – elle fait de nous son esclave.

Je ne sais que croire.

Pas en Dieu, en tout cas, parce que s'il existe, il a laissé le cancer emporter ma mère, et je ne veux pas avoir affaire à lui.

J'ai emballé ma tour Eiffel dans une grande boîte que j'ai fixée au porte-bagages du scooter de Melinda – je vais remettre mon projet cet après-midi. Le journal de Hanne enfoui dans mon sac, j'enfourche le véhicule, direction la fabrique Brogren. En théorie, je n'ai pas le droit de le conduire : je n'ai pas encore quinze ans. Or, à Ormberg, où le deux-roues demeure le seul moyen de se rendre d'un endroit à un autre, cette interdiction n'est pas respectée. Mon père me défend d'utiliser le scooter lorsqu'il neige, mais il dort encore. Et puis, je suis prudent.

Les roues dérapent lorsque je bifurque devant le majestueux bâtiment rouge en tôle ondulée. Le ciel gris sombre, strié de mauve, est de mauvais augure. Un vol d'oiseaux noirs plane au-dessus de moi et tourne autour de la bâtisse lorsque je me gare.

Ma caisse sous le bras, je pénètre par la porte défoncée, barrée d'un panneau jaune : « Entrée interdite sauf personnes autorisées. »

La grande salle des machines est déserte et silencieuse.

Des pylônes en béton de différentes couleurs s'élèvent vers le haut plafond et une lumière diaphane filtre à travers les fenêtres crasseuses qui perforent le toit. D'imposants engins munis de pignons et de volants sont alignés contre les murs. Il y a des cylindres, des tours et d'autres machines-outils dont j'ignore le nom destinées au travail de la tôle. Des câbles parachevés par des crochets sont suspendus aux poutres et, sur toute la longueur du plafond, court une grande traverse soutenue par une structure rivetée. De larges tuyaux plissés tombent du plafond au-dessus des gros appareils comme des aspirateurs géants. Les façades sont garnies d'étagères, la plupart béantes.

C'est mon père qui m'a parlé des machines-outils. Il était employé ici avant que la production ne soit transférée en Asie et que l'usine mette la clef sous la porte. La moitié d'Ormberg bossait ici à l'époque, et les autres au Roi du Tricot. C'est pour cela qu'il y a tant de chômage aujourd'hui.

En passant devant le plus grand des engins – jadis capable d'écraser d'immenses plaques de métal pour en faire de minuscules cubes –, j'essaie de me représenter le travail ici. Mon père dit que ce n'était pas si mal, que c'était lumineux et toujours propre, que le salaire était correct et les collègues sympathiques. Il affirme également que les politiques ont délaissé Ormberg et que sa vie aurait été fort différente si la production n'avait pas été délocalisée.

Je me demande ce qui aurait été différent. Ma mère aurait quand même eu un cancer, non ? Mais peut-être que mon père n'aurait pas bu autant et n'aurait pas été obligé de pointer à l'Agence pour l'emploi.

Chaque fois que mon père évoque Brogren, la peine se lit sur son visage. Je m'évertue à lui remonter le moral : je lui explique qu'il y a des avantages à ne plus trimer là-bas, par exemple il a pu consacrer du temps à notre maison – nous n'aurions jamais eu une aussi grande terrasse s'il n'avait pas été licencié.

Dans ces moments-là, il rigole, me serre dans ses bras façon lutteur et me dit que j'ai raison. Au diable cette mégère de l'Agence pour l'emploi ! Au diable Brogren !

J'aime quand il fait ça.

Au fond de la salle des machines se dresse le bureau du contremaître. Il est vide, bien sûr, mais de vieux bottins téléphoniques gisent à ses pieds. Comme c'était compliqué, à l'époque ! Si l'on voulait appeler quelqu'un, il fallait chercher le numéro dans une sorte d'encyclopédie.

Il m'arrive de feuilleter d'anciens annuaires. Ils renferment le nom et le téléphone de tous les habitants et des différentes entreprises. Le papier fin froissé d'humidité manque de se déchirer si l'on ne fait pas preuve de délicatesse.

Par terre, près de la table, un matelas crasseux est flanqué de quelques bougies. Les bouteilles de bière et les mégots de cigarettes s'entassent sur le sol en béton – je ne suis pas le seul à squatter ici.

Je dépose avec prudence la boîte de la tour Eiffel, m'installe sur la couche moite, tire de mon sac à dos une cannette de Coca-Cola et le journal de Hanne. Je l'ouvre à la bonne page et me mets à lire.

Une chose étrange vient de se produire. P. est allé aux toilettes et je suis entrée dans la salle de bains un peu plus tard en quête de crème hydratante. P. était dans le coin, le pantalon sur les chevilles, le portable entre les mains, en train d'écrire un message.

Quand je lui ai demandé pourquoi il envoyait des SMS aux toilettes, il s'est fâché et m'a dit d'arrêter de l'espionner.

Des SMS aux toilettes, mais pourquoi?

Pourquoi?

Ormberg, le 27 novembre

Nous sortons tout juste d'une réunion. Gros progrès. Andreas a reçu une réponse positive d'un des hôpitaux : l'hôpital Kullbergska à Katrineholm a opéré une fillette de cinq ans à la suite d'une fracture du poignet en novembre 1993. La plaie s'étant infectée, la patiente a été traitée par antibiotique en intraveineuse pendant soixante-douze heures avant d'être renvoyée chez elle. Le médecin légiste a comparé les radios et le dossier médical avec le rapport d'autopsie : elle est sûre à quatre-vingt-dix-neuf pour cent que c'est elle.

L'enfant en question se nomme Nermina Malkoc. Elle a vu le jour à Sarajevo le 1er janvier 1988 et est arrivée comme demandeuse d'asile à l'été 1993 avec sa mère Azra Malkoc, également née à Sarajevo.

Bingo! s'est exclamée Malin quand Manfred nous a présenté le compte-rendu. Elle paraissait si euphorique, si confiante. Elle criait déjà victoire.

J'ai examiné les images du squelette de la fillette, de son crâne garni de longues mèches. Tout semblait tellement irréel, tellement indigne. Nous étions là, à manger des brioches et à jubiler parce que nous l'avions identifiée.

Sa mort. Notre joie. Les pâtisseries à la cannelle.

Tout le monde d'accord dans notre bureau crasseux et exigu.

Nermina et sa mère Azra résidaient au centre pour demandeurs d'asile d'Ormberg. Au début des années quatre-vingt-dix, lorsque de nombreux réfugiés ont fui l'ex-Yougoslavie, l'atelier textile désaffecté, le Roi du Tricot, a également servi de lieu d'hébergement. Visiblement, Azra et Nermina se sont échappées au début du mois de décembre 1993. Puis, elles semblent avoir disparu dans la nature. En revanche, Esma Hadzic, la sœur aînée d'Azra, qui a aussi vécu au centre d'accueil, habite toujours en Suède. À Gnesta, plus exactement, ville située à une heure de route d'ici. Esma est apparemment en vacances à Gran Canaria, mais Manfred lui a parlé par téléphone : elle a dit que personne n'avait eu de nouvelles ni d'Azra ni de Nermina depuis leur disparation du centre. En outre, elle a révélé qu'Azra était enceinte à ce moment-là.

Andreas et Malin vont interroger Esma et réaliser un test ADN dès son retour.

Nous avons exploité les nouvelles informations.

Manfred a contacté l'Office des migrations ; Malin et Andreas se sont penchés sur le centre d'accueil d'Ormberg : Qui y était employé au début des

années quatre-vingt-dix ? S'est-il passé quelque
chose de particulier qui puisse avoir un lien avec
Azra et Nermina ?
P. a épluché la liste des criminels de la région et a
appelé le procureur.
Nous avons réfléchi à la possibilité qu'Azra ait tué sa
fille : quand un enfant est assassiné, le coupable est le
plus souvent un parent ou un beau-parent. Qu'Azra
ait disparu après la mort de Nermina peut corroborer
cette hypothèse : elle a pu se mettre au vert.
Nous allons fouiller dans le passé d'Azra, tenter de
découvrir si elle avait des problèmes psychiques ou
si elle était violente.

Je suis interrompu dans ma lecture par un bruit. Un claquement provenant de l'autre côté de la salle des machines, comme une porte qui se ferme. Je m'empresse de ranger le journal dans mon sac et je tends l'oreille. Des pas résonnent dans le silence.

Jetant un coup d'œil derrière le bureau, je devine une silhouette qui s'approche dans l'obscurité. Il me faut quelques instants pour m'apercevoir que c'est Saga. J'ai des papillons dans le ventre. Une vague de chaleur m'envahit.

En collants rayés, chaussures montantes et blouson matelassé, les cheveux roses rassemblés en chignon sur sa tête, elle balance son sac à dos dans la main droite. Quand je la salue, elle se met à courir vers moi.

— Salut, lance-t-elle, essoufflée. Je savais que tu serais là.

— Salut ! Tu n'es pas allée nager ?

— Non. J'ai horreur des piscines. Tu sais combien de produits chimiques ils foutent dedans ? Pour tuer les bactéries dans l'eau, je veux dire.

— Aucune idée.

— Tu vois ? Personne ne réfléchit à ce genre de choses.

— Pourquoi faut-il tuer les bactéries ?

Saga pose son sac à côté du matelas et se laisse tomber près de moi. Des taches humides grandissent sur les épaules de son manteau. Ça doit faire un bail que je suis ici – j'ai l'impression qu'il s'est remis à neiger.

— Les gens font pipi dans l'eau. Tu te rends compte ?

— Donc il faut y verser plein de produits.

— Exactement. Mais je pense que ces produits sont plus dangereux qu'un peu d'urine.

Saga fixe le plafond, songeuse. Puis elle reprend.

— En tout cas, moi, je ne veux pas boire la tasse dans cette eau-là. Elle est sans doute plus toxique que les rayonnements radioactifs ! Et beaucoup plus dégueu.

Je ne peux m'empêcher de rire. Le silence s'installe. Saga tire une plume, puis deux, d'un petit trou dans sa doudoune. Elles tombent délicatement vers le sol comme les flocons au-dehors.

— Dis ? fait-elle d'une voix hésitante.

— Oui ?

— Est-ce qu'on est ensemble maintenant ?

— Oui.

Nous restons quelques instants assis sur le matelas défraîchi. Je me sens bien. La situation n'a rien d'étrange

– comme si c'était la chose la plus naturelle au monde que nous formions un couple, comme si ça ne changeait rien, même si tout est différent.

Puis Saga tend la main vers son sac et en sort un emballage en plastique dont elle extrait un objet de la taille d'une demi-brique de lait.

— Qu'est-ce que c'est ?

— C'est mon projet. Une pyramide en allumettes usagées.

— Magnifique !

Saga esquisse un sourire indulgent.

— Pas vraiment, mais peu importe. C'est la pyramide de Khéops.

Elle caresse délicatement les bâtonnets de bois. Son vernis à ongles noir écaillé étincelle dans la lumière diffuse provenant de la fenêtre. Quelque part, des gouttes d'eau s'écrasent sur le sol en béton.

— Tu ne les as pas collées ? Comment tu as fait pour les fixer ?

— Je les ai attachées avec du fil dentaire. Je voulais que tout soit recyclé.

— Impressionnant !

— Je crois que je n'ai jamais utilisé autant de fil dentaire que cette semaine. J'ai les gencives qui saignent rien qu'en les effleurant ! Mais si j'avais employé du fil neuf, ça aurait été de la triche, non ?

J'acquiesce.

Un bruit sourd nous interrompt et je distingue au loin des voix. Des rires, un cri aigu, des pas qui approchent.

Nous nous baissons instinctivement derrière le bureau, mais trop tard, ils nous ont vus.

Vincent, Muhammed et Albin se précipitent vers nous tels des chiens de chasse attirés par l'odeur du sang. Vincent ouvre la marche – comme toujours. Il est le leader incontesté. Le roi des connards d'Ormberg.

Arrivé à notre hauteur, il crache le tabac qu'il avait sous la lèvre avec une force surprenante, formant un projectile marron, avant de croiser les bras sur sa poitrine. Puis il se racle la gorge et nous regarde.

— Ça alors, *Ya-ké*. T'as trouvé une meuf !

Cette remarque provoque l'hilarité de ses camarades. Albin allume une cigarette, inhale la fumée qu'il garde quelques secondes dans la bouche avant de la souffler vers le plafond.

Ils s'avancent et Saga se colle contre moi. Ma perception devient d'emblée plus fine – le froid et l'humidité qui s'immiscent sous mon manteau, les relents de moisissure, la respiration de mon amie et le grésillement de la cigarette d'Albin lorsqu'il tire dessus.

— Tu sors avec cette demeurée ? demande Vincent en indiquant Saga de la tête. Dans ce cas, on peut te remercier. Aucun d'entre nous ne voudrait la baiser même si elle nous suppliait. Tu nous rends un fier service.

Un rictus se dessine sur son visage ; il poursuit :

— La vache ! Quel joli couple ! La demeurée avec cet attardé de pédé. Vous iriez bien à Stockholm, avec les tapettes de votre espèce.

Il ponctue sa phrase par un rire gras. Muhammed affiche un large sourire. Albin suçote sa cigarette, l'air hésitant.

186

— On va y aller, tente Saga en rassemblant ses affaires.

Le tissu de sa doudoune bruisse quand elle se lève, les joues empourprées, les mains tremblantes.

— Déjà ? ironise Vincent. On vient à peine d'arriver.

Il saisit la pyramide de Saga posée sur le bureau, l'observe en fronçant les sourcils comme s'il s'agissait d'un problème mathématique d'une grande complexité. Par exemple, deux plus deux.

— Qu'est-ce que c'est que ce *machin* ?

Il tourne la structure en allumettes dans tous les sens, l'approche de la source de lumière et plisse les yeux avant de la secouer comme pour examiner s'il y a quelque chose à l'intérieur.

— Rends-la-moi ! supplie Saga, les bras tendus vers la pyramide.

— Si tu me dis ce que c'est.

Vincent aperçoit alors la caisse contenant la tour Eiffel et lâche l'objet qui s'écrase avec fracas, éparpillant des allumettes sur le sol humide.

Muhammed et Albin semblent hésiter, dévisageant Vincent comme s'ils attendaient ses ordres tandis que ce dernier se penche pour attraper ma réplique de la dame de Fer. Elle brille d'un éclat mat dans la faible clarté, scintille un peu quand Vincent la balance d'avant en arrière en la tenant par le sommet.

— Me dis pas que tu es resté chez toi à construire ce *truc* ? T'as rien de mieux à faire ? Ta maman te manque ? Ton allumeuse de frangine ne veut pas traîner avec toi ?

— C'est la tour Eiffel.

Vincent lâche la miniature qui heurte le béton avec un bruit métallique. Elle gît sur le côté, légèrement de guingois, mais toujours intacte. Le chef de la petite bande fait un signe à Albin qui avance à sa hauteur, l'air incertain. Il jette sa cigarette en direction d'une vieille machine et s'éclaircit la gorge.

Albin est à plaindre. Tout le monde le sait. Non seulement c'est un imbécile qui n'obtient jamais la moyenne, mais en plus son père est handicapé. Sa grand-mère a pris un médicament dangereux pendant sa grossesse et le père d'Albin est né sans jambes.

Vincent aussi est à plaindre. C'est ce que dit Melinda. Son père est rarement à la maison : il travaille sur une plateforme pétrolière en mer du Nord.

Je m'escrime à penser à cela alors qu'Albin s'approche de ma tour Eiffel et me considère avec un visage dénué d'expression. Je convoque les images des moignons de son géniteur, de son fauteuil roulant qui reste coincé quand il essaie vainement de franchir un pas de porte trop haut.

Impossible. J'ai beau m'y efforcer, je ne parviens pas à le plaindre. C'est la peur qui domine ; j'ai du mal à respirer, comme si on avait serré une corde autour de mon corps et que mes poumons étaient remplis d'une pâte gluante.

Albin pose un regard interrogateur sur Vincent qui l'encourage d'un mouvement de la tête.

— Écrase-moi cette merde !

— Non !

Je bondis sur mes pieds.

— Non ! Nooon !

Albin me fixe, l'air las. Il hausse les épaules comme si cet ordre n'était qu'une excentricité parmi d'autres de Vincent. Encore une exhortation qu'il n'a ni la force ni la volonté de remettre en question.

Il lève sa grosse basket humide et l'abat sur la tour Eiffel, comme sur une vulgaire araignée au fond d'une cave.

Malin

La légiste, Samira Khan, est de petite taille – elle m'arrive à peine à la poitrine. Elle porte une longue tresse noire qui lui tombe dans le dos, des vêtements verts et un tablier en plastique qui crisse à chaque mouvement. Ses gants et lunettes sont posés sur un banc à côté d'elle.

Elle nous serre la main à tour de rôle.

Près de deux semaines se sont écoulées depuis notre réunion Skype consacrée au squelette enfoui sous les pierres. Nous ignorions alors que nous rendrions visite à Samira pour discuter d'un autre homicide – et que Peter allait disparaître sans laisser de traces.

Manfred, Svante et moi-même avons parcouru les cent quatre-vingts kilomètres qui nous séparent de Solna pour voir le docteur Khan en personne. Andreas est resté à Ormberg pour rencontrer les collègues de Svante et coordonner nos investigations.

Bien que nous n'ayons pas encore la preuve que le sang sur la chaussure de Hanne provient de la femme assassinée près du monticule de pierres, nous travaillons pour l'instant à partir de cette hypothèse. Ce qui signifie que Hanne – et peut-être aussi Peter – a été témoin du meurtre de la femme, ou du moins qu'ils étaient dans les environs lorsque l'homicide a été commis. Ce qui a immanquablement des conséquences pour l'enquête sur Peter : en premier lieu, on peut supposer que lui et Hanne ont disparu vendredi, le jour où la femme a été tuée, et que les événements sont liés ; en second lieu, nous devons désormais présumer qu'il a été victime d'un crime. Qu'il soit porté disparu depuis six jours indique qu'il ne s'agit pas d'un accident : s'il gisait dans la forêt avec une jambe cassée ou s'il avait glissé et s'était noyé dans la rivière, nous l'aurions déjà retrouvé.

Samira enfile ses gants.

— Alors, avez-vous retrouvé votre collègue ? s'enquiert-elle, comme si elle lisait dans mes pensées.

Elle fait claquer le latex pour l'ajuster à ses doigts.

— Pas encore, répond Manfred.

— Et vous pensez que sa disparition peut être liée au meurtre de cette femme ?

Elle esquisse un signe de tête vers la dépouille étendue sur la table d'autopsie en acier inoxydable au fond de la pièce.

— Nous pensons qu'il y a un lien entre notre autre collaboratrice, Hanne, et la scène du crime, explique Svante.

— Hanne ? La femme amnésique ?

— Tout à fait.

La légiste serre son tablier en plastique autour de sa taille et se redresse un peu.

— On peut commencer ?

Nous gagnons la table en Inox où repose un corps fluet, soigneusement recousu après l'autopsie. De longs cheveux gris encadrent le visage diaphane.

Samira énumère des données, la voix basse et professionnelle. Engagée, mais dénuée d'émotion. Elle a dû faire ça des centaines de fois.

— Femme inconnue, environ cinquante ans. Un mètre soixante-quinze, cinquante-huit kilogrammes…

Svante l'interrompt :

— Elle a l'air en sous-poids.

— Son IMC est légèrement en dessous de dix-neuf, c'est encore dans la norme, mais à la limite de la maigreur.

Avec un signe de tête affirmatif, Svante plonge une main dans son énorme barbe comme s'il y cherchait quelque chose. Je considère la femme, en évitant son visage lacéré.

— Elle était en bonne santé, poursuit la légiste. Tous ses organes internes étaient sains, mais il y a un détail…

Après un coup d'œil à ses documents, elle reprend :

— On observe une certaine atrophie musculaire, c'est-à-dire un affaiblissement des muscles squelettiques. Cela peut signifier qu'elle avait une maladie que je ne peux pas identifier ici et maintenant, ou qu'elle était très inactive. En tout cas, on peut constater que sa minceur n'était pas liée à une pratique sportive intensive. Encore un détail.

On entend un claquement lorsqu'elle écarte les lèvres de la femme. Je ferme les yeux de toutes mes forces.

— Sa bouche est en piteux état. Elle souffrait de parodontite, de caries et avait perdu plusieurs dents. Elle a de vieux plombages sur les prémolaires du bas. Il semble qu'un alliage d'or ait été utilisé. L'odontologue légiste ne les a pas encore examinés, mais je ne pense pas qu'ils aient été fabriqués en Suède. Venez voir.

La voix de Samira est posée, les mots précis, les explications pédagogiques. J'ai pourtant du mal à me concentrer sur ses paroles. Et a fortiori à regarder le visage de la femme.

— Intéressant, commente Manfred, sincère.

— Ce n'est pas si rare. La raison la plus habituelle est une phobie du dentiste. Nous voyons aussi cela chez les toxicomanes et les malades mentaux.

Manfred et Svante marmonnent quelque chose, penchés sur la table d'autopsie.

— Mais rien ne porte à croire qu'elle se droguait, poursuit Samira. Elle n'a pas de cicatrices ou de traces de piqûre d'aiguille. En outre, j'ai reçu les premiers résultats des analyses chimiques du sang et des urines. Négatif pour…

Samira consulte des papiers sur un banc à côté d'elle avant de continuer :

— Pas de traces de neuroleptiques à faible dose, de zolpidem, de benzodiazépines ou d'acides gamma-hydroxybutyrique ou GHB. Mais j'attends encore quelques résultats d'examens.

Samira esquisse un pas de côté, me regarde dans les yeux et fronce les sourcils.

— Ça va aller ? Tu as besoin de t'asseoir ?

Manfred et Svante se retournent et me dévisagent sans piper mot.

— Oui, ça va.

Je ponctue ce mensonge d'un sourire forcé. Avec un signe de tête, Samira se penche à nouveau sur le corps.

— Elle a eu au moins un enfant, ça se voit au bassin.

— Seulement un ? s'enquiert Svante.

— On ne peut pas le savoir. On peut uniquement dire qu'elle a accouché au moins une fois.

Une idée me vient. J'avance de quelques pas vers Manfred et me retrouve au niveau du sommet du crâne de la femme.

— Tu nous as expliqué que les caries ont pu être soignées à l'étranger, dis-je en plongeant dans les iris noirs du docteur.

— C'est fort possible, oui. Et vu ses problèmes dentaires, on pourrait croire qu'elle n'a pas eu accès à des soins modernes. Elle pourrait être une réfugiée. Je ne pense pas que l'odontologie fonctionne particulièrement bien en Syrie, par exemple.

Affichant une grimace peinée, Samira incline la tête et effleure du bout du doigt le bras sans vie. Le geste témoigne d'une tendresse surprenante.

— Mais elle a un physique plutôt européen. La plupart des conflits armés qui font rage aujourd'hui sont en dehors de l'Europe.

Le silence s'installe. Manfred se racle la gorge. Montre l'impact de balle sur sa poitrine.

— Et si on se penchait sur les lésions ?

Je rentre à Ormberg avec Manfred. Svante, qui doit gagner Örebro, a pris sa voiture. Au moment où nous sortons de l'autoroute E4, Manfred se tourne vers moi.

— Tu crois qu'elle est une immigrée ?

Je réfléchis en regardant par la vitre.

— La fille sous le monticule de pierres, Nermina Malkoc, vivait au centre pour réfugiés d'Ormberg. Les

194

deux corps ont été retrouvés au même endroit. Aucune n'avait de chaussures. Et comme au début des années quatre-vingt-dix, le Roi du Tricot servait de centre d'accueil pour demandeurs d'asile. Je me demande si ça peut vraiment être une coïncidence.

— Tu veux dire que quelqu'un s'en prendrait aux réfugiés ? Qu'il pourrait s'agir de crimes racistes ?

Je hausse les épaules et scrute les immeubles qui se découpent sur le ciel crépusculaire.

— Qui sait…

— Toi et Andreas, vous irez parler avec un responsable du centre demain. Ils doivent bien savoir si quelqu'un manque à l'appel.

De retour au bureau, Andreas nous salue d'un signe de la main avant de se lancer dans des récriminations contre les journalistes qui ont fait le pied de grue devant la porte toute la journée. Je l'observe, assis tout seul à la table. Les chaises de Peter et de Hanne sont vides. En dépit du manque d'espace, nous n'avons pas retiré leurs affaires. Tout reste à sa place, comme un rappel opiniâtre de ce qui s'est passé – la boîte de tabac de Peter, son bloc où sont griffonnées quelques notes et le tube de crème pour les mains de Hanne.

Manfred se lance dans un compte-rendu de notre réunion avec la légiste. Manteau ôté, je m'installe en face d'Andreas, évitant soigneusement son regard, et me plonge dans mes e-mails.

Je suis interrompue par la sonnerie de mon téléphone. C'est Max. Ignorant les yeux inquisiteurs d'Andreas, je m'isole dans la pièce adjacente, l'ancienne boutique.

J'avance jusqu'à la petite fenêtre sale placée derrière ce qui fut jadis la caisse du magasin. Du bout de ma chaussure, je creuse de profonds sillons dans la poussière, découvrant le carrelage couleur moutarde. Dehors, il fait déjà nuit et de grands flocons de neige descendent du ciel obscur.

C'est Noël dans moins d'un mois. J'espère que Peter sera rentré sain et sauf et que nous aurons résolu l'enquête d'ici là. Je croise les doigts pour être loin d'Ormberg.

Max va bien, très bien même. Son chef l'a félicité pour sa contribution dans une expertise d'assurance compliquée. Une femme d'une cinquantaine d'années qui prétend avoir subi un traumatisme du rachis cervical a mené un long combat contre la compagnie d'assurance où il travaille. Grâce à son concours, la compagnie est dispensée de la dédommager. Il cache mal sa fierté.

— C'est fantastique ! Elle n'aura pas un sou de notre part !

Quelque chose me gêne dans son interminable exposé. Pas tant que la pauvre femme blessée se retrouve privée d'indemnité que cette accablante logorrhée. Ses histoires de travail m'ont toujours barbée. Sans compter qu'il ne me demande pas une seule fois comment je vais.

La question de ma mère me revient inopinément à l'esprit : *Est-ce que tu l'aimes vraiment ?*

Mon agacement redouble, mais cette fois c'est ma mère qui en fait les frais. Elle qui croit savoir ce qui est le mieux pour moi, bien qu'elle ne soit pas parvenue à s'extirper de ce trou, qu'elle habite encore dans la maison qui l'a vue grandir et qu'elle a les mêmes fréquentations depuis l'enfance.

Max conclut la conversation en m'informant que nous ne pourrons pas nous voir ce week-end parce qu'il doit travailler. Je réponds que ce n'est pas grave, car je dois rester à Ormberg pour bosser sur l'enquête.

— Ah bon, d'accord, se contente-t-il de dire, toujours sans demander comment ça se passe pour moi.

Lorsque je raccroche, un étrange mal-être s'est emparé de moi, comme si je venais de prendre conscience d'une chose sans réussir à formuler ma pensée. Puis je comprends. Je ne veux pas aller à Stockholm à la fin de la semaine. Je n'ai pas la force de me prélasser dans le canapé devant le nouvel écran plat à écouter Max pérorer à propos de son métier ; je n'ai aucune envie de déguster une entrecôte et de boire deux verres et demi de vin rouge, ni de m'envoyer en l'air avec lui dans son grand lit au prix exorbitant avec double matelas en crin de cheval et tête de lit en lin capitonné parfaitement assorti à la couverture.

Que m'arrive-t-il ? J'ai obtenu tout ce dont je rêvais. Désormais, il me semble que ça n'a plus d'importance.

— Tout va bien ?

Andreas arque un sourcil quand je m'assieds en déposant mon mobile.

— Pourquoi ça n'irait pas ?

J'ai conscience de l'agressivité qui teinte ma voix. Manfred s'éclaircit la gorge.

— On peut passer en revue les témoignages récoltés par nos collègues au sujet de la disparition de Peter ou vous avez un truc à régler avant ?

Visiblement au bout du rouleau, il croise mon regard de ses yeux brillants et injectés de sang. Son corps volumineux s'affaisse sur sa chaise comme un vieux sac de pommes de terre.

— Bien sûr, dis-je.

Manfred feuillette une liasse de papiers posée sur la table.

— En tout, il y a eu quatre témoignages, dont trois anonymes. Le premier, d'une certaine Ragnhild Sahlén qui vit à proximité de l'ancienne fabrique textile… autrement dit, près du centre d'accueil pour les réfugiés.

Andreas me fixe.

— Ce n'est pas elle qui…

— Si, c'est la vieille qui voulait porter plainte pour un vol de vélo.

Décontenancé, Manfred saisit un stylo, prêt à prendre des notes.

— J'ai raté quelque chose?

— Aucunement, réponds-je. Ragnhild Sahlén est venue nous voir un jour pour signaler un larcin. Elle était persuadée qu'un des réfugiés avait piqué un vélo.

— Ça, c'est à Vingåker. On n'a pas de temps à perdre avec des conneries pareilles.

— C'est ce que je lui ai dit. Pourquoi a-t-elle appelé?

Manfred laisse courir sa plume sur le papier tout en lisant.

— Elle a déclaré avoir vu un homme du centre d'accueil crier « Allahu akbar » le soir de la disparition de Peter et Hanne. Selon elle… (Manfred marque une pause, se frotte les yeux avant de continuer.) Il serait impliqué dans la disparition de Peter, raison pour laquelle il aurait hurlé.

— Tu plaisantes ? s'enquiert Andreas en ouvrant sa boîte de tabac pour en glisser un sachet sous la lèvre.

— Hélas non. Est-ce qu'on peut ignorer cette information ?

— Tout à fait, dis-je.

Manfred poursuit :

— Les trois autres témoignages sont également en lien avec le centre pour demandeurs d'asile. Une personne affirme avoir vu deux hommes noirs transportant un tapis roulé pénétrer dans la résidence le soir où Peter a disparu et où la femme inconnue a été tuée. Un tapis suffisamment grand pour cacher un corps humain. (Manfred mime des guillemets en prononçant l'expression.) Et une femme a raconté qu'elle avait vu trois jeunes hommes noirs entrer dans la forêt près de l'église le même soir. Selon elle, ils avaient l'air menaçant.

— Qu'est-ce qui lui permet de dire ça ?

— Elle n'a pas précisé, soupire Manfred. Enfin, un homme a téléphoné pour rapporter qu'il y avait eu un feu dans la cour du centre d'accueil samedi dernier. Il s'est dit qu'ils brûlaient peut-être un corps.

— Bon sang ! s'exclame Andreas. *Qu'ils brûlaient un corps ?* Parce qu'il a vu de la fumée ? Qu'est-ce que c'est que cet endroit ?

Un silence s'ensuit. Je sens l'agacement revenir, assorti d'un besoin de défendre les Ormbergiens. Andreas semble les mépriser alors même qu'il est né et a grandi non loin d'ici.

— Le fait est que si tu vas dans les chaumières et que tu parles avec les gens, que tu prends le temps de les écouter, tu comprendras pourquoi ils laissent ce genre de témoignages.

— Ah bon ?

Andreas paraît dubitatif. Sans me départir de mon calme en dépit du brasier de mes joues, je continue :

— Ormberg est un petit village. Pour une raison étrange, la commune a décidé de placer une centaine d'Arabes au milieu des bois, au milieu des habitants. Une centaine de personnes qui viennent de pays où les valeurs sont complètement différentes, qui ont vécu la guerre, la torture, l'horreur. Ici, ils obtiennent des aides en veux-tu en voilà : un toit, de la nourriture, des indemnités et une formation. Ormberg a toujours été une zone de fort exode rural. Les industries ont fermé et sont parties en Asie. La poste a fermé, la crèche aussi. Même ce petit magasin de bouffe a fermé !

— Ormberg n'est pas un cas isolé, réplique sèchement Manfred.

— Oui, mais ici, ça fait des générations que ça dure ! Avant la crise du textile et la faillite de Brogren, il y avait une scierie et une usine métallurgique. Maintenant il n'y a rien. Rien du tout. Les gens se sentent abandonnés. Normal que ça les agace de voir les demandeurs d'asile arriver et se faire tout servir sur un plateau d'argent : du personnel arabophone au centre de soin de Vingåker, des créneaux horaires spéciaux pour les femmes à la piscine…

Je me tais en voyant le regard d'Andreas où se mêlent méfiance et appréhension, comme si j'étais un animal rare et dangereux, ou un enfant en train de jouer avec une arme à feu chargée.

— Où veux-tu en venir ?

— Ce que je dis, c'est que je les comprends, même si je ne suis pas d'accord avec tout ce qu'ils disent. Je ne suis pas *raciste*, si c'est ce que tu penses.

200

— Mais bon sang, Malin, tu te rends compte de ce que tu racontes ? Tu te rends compte… ? Ça aurait pu être toi !

— Pardon ? De quoi tu parles ?

— Malin, *tu* aurais pu être celle qui fuit la guerre et la famine.

— Mais arrête, Andreas ! Justement, je *suis* d'Ormberg et personne ne soutient ceux qui sont d'ici. Il faut balayer devant sa porte avant de secourir le reste du monde.

Manfred abat sa gigantesque main sur la table avec une telle force que les montagnes de papier se soulèvent et dégringolent par terre. Des éclaboussures de café jaillissent de son gobelet en carton.

— Nom de Dieu ! Je ne sais pas ce que vous avez, mais, quel que soit le problème entre vous, vous devez le régler en dehors des heures de boulot !

Il se lève et se met à arpenter la pièce.

— J'essayais simplement d'expliquer pourquoi les gens agissent comme ils le font. Ils sont déçus parce qu'ils n'ont jamais obtenu d'aide. Parce que Ormberg n'a jamais reçu un dixième des ressources qui sont offertes aux réfugiés. Toi, qu'est-ce que tu en penses ? Tu n'y as jamais réfléchi ?

Manfred suspend son mouvement puis pivote vers moi avec une lenteur de mauvais augure, son grand corps pareil à une statue de marbre.

— Ce que je pense du centre pour demandeurs d'asile n'a aucune espèce d'importance ! On se contrefout de savoir si j'estime qu'il faut des horaires de piscine spéciaux pour les musulmanes. Nous sommes ici pour investiguer un homicide. Maintenant deux. *Au moins* deux, même, parce que si nous trouvons le cadavre de Peter, ça fera trois.

Manfred ne semble pas voir le regard que je jette aux images épinglées sur le mur, des images qui représentent le squelette de la fille d'Ormberg et la femme sans visage dans la neige. Il continue sa tirade :

— Bon sang ! Si vous n'êtes pas capables de mettre de côté vos divergences politiques, je vous renvoie chez vous ! Je contacterai aussi vos chefs pour leur faire part de votre manque de professionnalisme. C'est clair ?

Il se laisse choir sur une chaise, exhale un long soupir et fixe le plafond.

— Il est hors de question que je tolère vos chamailleries, martèle-t-il en détachant les mots. Maintenant ça suffit !

Il souffle à nouveau, se masse les tempes avec le pouce et l'index, avant de poursuivre :

— Demain, vous irez au centre d'accueil pour vous entretenir avec le personnel et voir si la victime était connue là-bas. Ensuite, vous rendrez visite à la tante de Nermina, Esma, à Gnesta. Elle est rentrée hier des îles Canaries. Nous devons en apprendre davantage sur Nermina Malkoc. Et nous devons trouver sa mère.

Jake

Saga et moi sommes installés dans son lit et regardons un film d'horreur sur son ordinateur portable. C'est l'histoire d'une fille qui est possédée depuis qu'elle a couché avec un garçon qui renferme un démon. Elle doit maintenant se trouver un nouvel amant pour s'en débarrasser.

— Je crois qu'ils ont peur du sexe aux États-Unis, affirme mon amie, comme si elle connaissait tout du sexe et peut-être aussi tout des États-Unis.

— Hum…

Je plonge la main dans le sachet de confiseries. Je suis sûr que Saga l'a acheté parce qu'elle avait de la peine pour moi, à cause de l'histoire de la tour Eiffel. Ça me fait chaud au cœur.

Je pense à Vincent, à Muhammed et à Albin. Je revois le regard ennuyé de ce dernier lorsqu'il a haussé les épaules et écrasé ma construction sous sa grosse godasse mouillée. Le travail de plusieurs semaines parti en fumée en seulement quelques secondes.

Saga m'a aidé à ramasser la dépouille de la tour Eiffel. Sa pyramide s'en est relativement bien tirée. Il suffisait de replacer les quelques allumettes qui s'étaient décrochées en heurtant le sol et on ne voyait même pas qu'elle avait été brisée.

En revanche, ma tour Eiffel n'a pu être sauvée – elle était plate comme une crêpe et si tordue qu'elle était méconnaissable. Je l'ai néanmoins apportée à l'école et l'ai tendue à Eva, notre prof, en lui expliquant ce qui s'était passé. Son cou s'est empourpré lorsque nous lui avons décrit les agissements d'Albin. Elle nous a répondu qu'elle en toucherait deux mots au proviseur dès la fin du cours.

Peut-être a-t-elle mis sa menace à exécution, mais cela ne change rien : la tour Eiffel est détruite, Vincent, Albin et Muhammed demeureront les « grosses enflures » qu'ils étaient. L'expression est de Saga, qui adore traiter Vincent de grosse enflure derrière son dos.

Mon père dit que Vincent et ses copains vont se calmer en grandissant. *Se ranger*. Il dit aussi que Vincent est en réalité à plaindre ; que pas mal de jeunes deviennent comme ça à la puberté. Il se passe tellement de choses dans leur corps que leur cerveau a du mal à suivre.

Apparemment, c'est un *truc de mec*.

Si j'ai bien compris, Vincent est esclave de son organisme. Comme piégé par les muscles, l'acné et tout le reste.

Encore une raison de ne pas devenir un homme.

Saga me regarde droit dans les yeux en esquissant un signe de tête vers l'ordinateur.

— Ta note, sur une échelle de un à dix ?

Je considère la fille possédée qui court dans la forêt en poussant des hurlements.

— Huit, peut-être. Je le trouve pas mal, ce film. Et toi ?

— Neuf, sans hésiter.

Lorsque Saga se rapproche de moi, une bouffée de chaleur me submerge. Mon cœur accélère quand son bras effleure le mien. Je devine plus que je ne sens le fin duvet qui couvre ses bras.

J'y ai pensé des milliers de fois : cela pourrait se reproduire. Nous pourrions nous embrasser à nouveau. N'est-ce pas ce qu'on fait lorsqu'on est ensemble ?

L'idée est aussi exaltante qu'effrayante. Comme lorsqu'on s'apprête à sauter du plus haut plongeoir dans le lac : en contemplant la surface lisse de l'eau, on tergiverse. On a beau savoir qu'il n'y a pas de danger, l'appréhension demeure.

Saga met le film en pause. Elle cligne des yeux et me dévisage avec sérieux. Son mascara jette une ombre noire sous sa paupière inférieure, la poudre rouge sur ses joues scintille dans la faible clarté de l'écran.

— Tu crois que le monticule de pierres est hanté ?

— Tu me demandes si je crois à l'enfant-fantôme ?

Elle hoche la tête et s'humecte les lèvres, les yeux légèrement écarquillés.

— Je ne crois pas aux fantômes.

À peine ai-je prononcé cette phrase que le visage cadavérique derrière la fenêtre de Berit me revient en mémoire. Ces orbites obscures. Cette bouche mince.

— Moi non plus. Mais c'est étrange quand même.

Saga caresse du bout des doigts le clavier de l'ordinateur.

— Qu'est-ce qui est étrange ?

Après une seconde d'hésitation, elle semble se résoudre à m'ouvrir son cœur.

— Qu'ils y trouvent des macchabées. Ça ne peut pas être un hasard… que deux cadavres soient découverts là-bas. Même si vingt ans séparent les assassinats.

Je songe à Nermina qui s'est exilée en Suède pour y mourir ; à tout ce que je ne peux révéler à Saga.

Tout ça, à cause du *mal qui me ronge*.

Si je ne m'étais pas affublé des vêtements de ma mère ce soir-là, j'aurais pu déposer d'emblée le journal de Hanne à la police. Je n'aurais pas été contraint de m'enferrer dans des mensonges.

Mon amie me regarde, indécise, puis se lance :

— La femme qui a été retrouvée mardi. Elle a été tuée par balle. Et elle était pieds nus.

— Quoi ? Pieds nus dans la neige !

— Oui. L'ex-mari de la sœur de ma mère, qui habite à Brevens Bruk, a un fils qui est en couple avec une nana de Kumla. Elle travaille comme secrétaire au commissariat d'Örebro. Mais tu ne le répètes pas, hein ? Promis ?

— Juré. Qu'est-ce qu'elle a dit d'autre ?

Saga triture l'anneau dans son nez.

— Qu'elle ressemblait à un fantôme, avec ses longs cheveux gris sinistres.

— Mon père dit qu'elle vient sans doute du centre pour les réfugiés. Et l'assassin aussi.

— D'où il tient ça ?

Elle hausse légèrement ses sourcils parfaitement dessinés.

— Qui d'autre aurait pu la tuer ? Gunnar Sten peut-être ? La famille Skog ? Ou carrément l'enfant-fantôme ?

— Nathalie a raconté qu'elle avait entendu l'enfant-fantôme près du monticule. Deux fois. Il lui a même parlé, il l'a appelée à voix basse.

— Nathalie débite toujours des âneries.

Mon amie paraît gênée.

— C'est vrai, mais…

Sa voix s'éteint et elle se penche vers moi, le visage grave, les pupilles immenses et noires dans la pénombre. Je ne bouge pas, comme pétrifié. Je n'ose – je ne veux pas – me mouvoir. Alors elle m'embrasse et je réponds à son baiser au goût de chewing-gum. C'est plus facile cette fois, comme si mes lèvres connaissaient le mode d'emploi. Je ferme les paupières sans savoir pourquoi – peut-être que les sensations deviendraient trop fortes autrement, que je ne parviendrais pas à enregistrer tout ce qui se produit.

Des pas approchent devant la chambre. Nous nous écartons l'un de l'autre.

— C'est ta mère?

— Non. Elle est shootée aux anxiolytiques. Elle ne risque pas de nous déranger.

Au même moment, on frappe des coups légers à la porte.

— Saga, viens débarrasser tes affaires dans la cuisine!

Elle lève les yeux au ciel.

— Plus tard, maman.

— Non, maintenant. Et j'aimerais te parler.

Saga se lève en soupirant et glisse une main dans ses cheveux roses.

— Je reviens tout de suite, promet-elle en disparaissant par l'embrasure.

Mais elle se fait attendre. Les minutes s'écoulent sans que rien se passe. Je perçois des voix indignées dans la cuisine, mais ne distingue pas les mots. Je lorgne l'ordinateur, mais je ne peux tout de même pas continuer le film sans Saga. Je finis par tirer de mon sac le livre d'histoire qui renferme toujours le journal de Hanne et je me mets à lire.

Les premiers paragraphes font état des différents interrogatoires menés par Hanne et P. C'est tellement barbant que je saute plusieurs pages.

Ormberg, le 28 novembre
P. a modifié le code secret de son téléphone. Je m'en suis aperçue quand il était sous la douche. M'apprêtant à consulter la météo, j'ai tapé les quatre chiffres qu'il utilise depuis un siècle, mais impossible de déverrouiller le mobile.
Il n'a jamais changé de code auparavant. La seule personne qui se sert de son portable à part lui, c'est moi. Il doit y avoir quelque chose là-dedans qu'il ne veut pas que je voie. Je repense au jour où il écrivait des SMS dans la salle de bains, le pantalon baissé.
Il me cache quelque chose. Je dois découvrir quoi.

Début d'après-midi au bureau.
Malin et Andreas viennent de rendre visite à Rut Sten, qui dirigeait le centre d'accueil pour demandeurs d'asile d'Ormberg au début des années quatre-vingt-dix.
Apparemment, elle se souvenait d'Azra et Nermina, mais n'avait rien de spécial à signaler. Mère et fille

ont quitté les lieux de leur propre chef le 5 décembre 1993. Selon Rut, cela pouvait être en lien avec le titre de séjour.

Manfred grignote des petits gâteaux. Je ne lui jette pas la pierre. P. lui demande si c'est bien raisonnable. Je le plains : certes, il est obèse, mais il est assez grand pour décider tout seul ce qu'il ingurgite. Si j'avais été à côté de P., je lui aurais flanqué un coup de coude, mais il se tenait près de la porte, les yeux rivés sur son portable.

Son portable...

Je m'abstiens de lui en parler. Si je l'accuse d'avoir des secrets, il me retournera le reproche. Je l'entends déjà : « C'est toi qui as des secrets. »

Ce qui n'est pas faux.

Alors je ne dis rien. Je ne l'interroge pas sur son changement de code. (Peut-être est-ce une coïncidence, un hasard qui n'a rien à voir avec moi, le centre de l'univers.)

C'était de l'ironie. Je ne suis le centre du monde pour personne. Ni pour P. ni pour personne d'autre. À peine pour moi. J'ai l'impression de me désagréger peu à peu en minuscules bribes qui partent dans tous les sens comme des feuilles d'automne sur la rivière noire et froide d'Ormberg.

J'écris le journal de ma disparition. Pas physique, mais métaphorique – car chaque jour qui passe, je m'enfonce un peu plus dans le brouillard.

Que serai-je quand je ne serai plus Hanne ? Quand ce qui me constitue – mes souvenirs, mon histoire – se sera estompé et aura été pulvérisé par la maladie ?

QUE *serai-je alors ? Un corps dépourvu d'âme ? Une âme dans un corps dysfonctionnel ? Un tas de chair rempli de sang qui pulse dans les artères ?*
J'y pense sans cesse.
Je ne crains pas la mort, je crains de me perdre. C'est pourquoi ce journal revêt une telle importance. Pour retracer ma vie, mais aussi pour me rappeler qui je suis.
J'existe. Pour quelque temps du moins.

P. a consulté le fichier des personnes condamnées ou fortement soupçonnées d'infractions. Il y a peu de criminels à Ormberg et dans les environs. Il y a surtout des gens qui se battent après une soirée trop arrosée ou des usagers de drogues.
Toutefois, deux cas sont dignes d'intérêt :
D'abord, Björn Falk, qui est né et a grandi à Ormberg, mais a vécu à Örebro entre 2009 et 2016. Il est revenu s'installer à Ormberg après avoir hérité de la maison de ses parents. Il a été condamné pour violence, agressions et harcèlement moral sur son ex-compagne. À deux reprises, les sévices étaient si graves qu'ils auraient pu conduire à la mort de la victime. Une fois, il l'a enfermée dans un sauna ardent avant d'en bloquer la porte. Elle a dû subir trois greffes de peau pour soigner les brûlures sur le haut du corps. Falk a également été sous le coup de deux mesures d'éloignement pour protéger des ex-petites amies qu'il avait persécutées.

210

Ma poitrine se serre. Björn est le nouveau copain de la mère de Saga. Je mettrais ma main à couper qu'elle ignore qu'il est un bourreau qui tabasse les femmes. Je devrais en parler à Saga pour qu'elle prévienne sa mère… mais je ne le peux pas.

Ce qui est inscrit dans ce cahier, je ne peux le révéler à personne.

J'ai des fourmillements dans la nuque et suis pris de malaise en repensant que les écrits de Hanne renferment peut-être des choses que je ne dois ni ne veux lire. Des choses qui devraient rester secrètes.

Peut-être devrais-je arrêter ma lecture. À peine cette pensée a-t-elle effleuré mon esprit que mon regard s'accroche au paragraphe suivant. Mon cœur sursaute dans ma poitrine.

Ensuite, il y a Henrik Hahn, un pédophile qui a agressé des enfants à Örebro (dans l'école où il travaillait). Il a été condamné en 2014 à l'internement psychiatrique et se trouve actuellement à l'hôpital Karsudden en banlieue de Katrineholm. Son épouse Kristina et son fils Vincent vivent à Ormberg.

Le choc est tel que le journal me tombe des mains.

Le père de Vincent, un pédophile ?

Vincent nous a pourtant raconté qu'il bossait sur une plateforme pétrolière de la mer du Nord. Qu'il y était responsable des ordinateurs et des systèmes informatiques et qu'il était rarement autorisé à rentrer à la maison.

Il est interné à Karsudden, avec tous les tarés ? C'est un gros pervers ? Un pervers bien plus répugnant que moi. Car d'après mes dernières informations, aimer les vêtements féminins et le maquillage n'a rien d'illégal.

Vincent Hahn.

Le roi des connards à Ormberg.

Mon père avait raison, après tout. Peut-être que Vincent est réellement à plaindre.

Malin

Le grand édifice centenaire en brique est pompeux avec son immense façade percée de hautes fenêtres voûtées. Une lumière chaude s'écoule par les vitres, épousant l'obscurité bleu-gris du mois de décembre et jaspant la neige à ses pieds de reflets dorés.

Le local de la direction, situé à une cinquantaine de mètres du bâtiment principal, est également éclairé. Une étoile de Noël solitaire décore une fenêtre.

La neige crisse sous nos pas lorsque nous gagnons l'entrée depuis le parking.

— Bon sang, ce qu'il fait froid ! marmonne Andreas.

Je ne peux qu'être d'accord. Le thermomètre affichait moins neuf ce matin quand j'ai pris mon petit déjeuner avec ma mère.

Je ralentis et jette un nouveau coup d'œil à la bâtisse aux allures de manoir. Plus de deux cents personnes y travaillaient avant la faillite du Roi du Tricot au début des années soixante. Cet établissement qui, outre la fabrique Brogren, fut le premier employeur d'Ormberg, n'a pas résisté à la concurrence étrangère.

Je tente de me représenter l'âge d'or de l'entreprise, à la fin des années cinquante. À l'époque où elle nourrissait des familles entières ; où les parents faisaient les trois-huit et se relayaient dans cette cour. Les enfants attendaient à la maison, se divertissant sans doute avec les gadgets technologiques dernier cri dont ils pouvaient faire l'acquisition grâce au double revenu parental : télévision, téléphone, vinyles. Et, au-dessus des vastes forêts, quelque part dans le silence et l'obscurité de l'espace, flottait le satellite Sputnik.

Le développement, la confiance dans l'avenir…

Puis une chape de plomb s'est abattue sur Ormberg.

Nous frappons à la petite porte marron située à droite de l'entrée principale.

Une femme aux courts cheveux gris emmitouflée dans un poncho en laine de couleur naturelle nous ouvre. Ses yeux clairs sont ceints d'épais traits de crayon noir et ses lèvres cramoisies me font penser à une plaie sanglante au milieu de son visage. Autour du cou, elle arbore un pendentif en métal émaillé en forme de scarabée.

La femme nous reçoit avec le sourire. Elle se présente : Gunnel Engsäll, assistante sociale et directrice du centre d'accueil.

Sa poignée de main est étonnamment ferme. Lorsque Andreas bute sur le pas de porte, elle éclate d'un rire tonitruant aussi inattendu qu'un orage au beau milieu d'une placide journée d'été.

— Oups ! Vous n'êtes pas le premier à vous casser la figure là-dessus. Entrez, je vous en prie.

Nous empruntons un couloir, dépassons une porte qui donne sur une grande pièce – peut-être un réfectoire ou une salle de réunion. Quelques enfants jouent sur le sol. Un garçon traverse l'espace en courant, une crosse de floorball à la main. Deux adolescentes gloussent dans un canapé.

Nous continuons notre chemin jusqu'à un bureau et nous installons dans des fauteuils. La petite pièce présente un charme douillet en dépit de son aménagement spartiate – peut-être grâce aux coussins multicolores qui décorent le sofa.

Gunnel indique qu'elle n'a que vingt minutes à nous consacrer. Ensuite, elle a rendez-vous avec un représentant de la municipalité avec qui elle doit discuter d'équipements de lutte contre les incendies et autres « emmerdements administratifs ». Elle ponctue sa remarque d'un rire sonore qui emplit le bureau.

Andreas sort ses notes et explique la raison de notre visite.

— Mardi dernier, une femme a été retrouvée morte dans la forêt, à moins de deux kilomètres d'ici. Elle était…

Gunnel lève une main, faisant tinter ses bracelets.

— Elle ne vient pas d'ici.

Andreas ouvre la bouche, comme s'il s'apprêtait à répondre, mais les mots ne sortent pas.

— Comment pouvez-vous le savoir ? demandé-je. Nous n'avons pas encore…

— J'ai déjà entendu parler d'elle. La cinquantaine ? Longs cheveux gris ?

Andreas me jette un coup d'œil, l'air hésitant. Je reprends :

— Qui vous a raconté ça ?

Son visage reste de marbre.

— Ormberg n'est pas très grand. Par ailleurs, il ne manque aucun habitant du centre. Je le sais. Si quelqu'un avait disparu, j'aurais été la première au courant.

— D'accord, fait Andreas. Bon. Alors j'ai encore quelques questions. Revenons une semaine en arrière, vendredi 1er décembre…

Il consulte son carnet.

— C'est ce jour-là qu'elle a été tuée ? s'enquiert Gunnel.

Après une pause, Andreas s'éclaircit la gorge.

— Je ne peux pas en parler. Secret de l'enquête. Mais je voulais vous demander si quelque chose d'inhabituel s'est passé ce soir-là.

Gunnel tourne doucement la tête vers la fenêtre, regarde au-dehors avant de répondre :

— Pas que je sache.

— On nous a informés que vous aviez fait un feu.

La femme cligne des paupières et dévisage Andreas sans comprendre.

— Un feu ? Oui, peut-être. Quelques-uns des garçons ont essayé d'en allumer un, puis le vent s'est levé… Pourquoi ? C'est interdit ?

— Non, pas du tout. Simple vérification. Un autre témoin affirme que des individus ont transporté un tapis roulé dans le centre d'accueil. Un tapis suffisamment grand pour dissimuler un corps.

Gunnel croise les bras sur la poitrine, l'air renfrogné.

— Vous vous moquez de moi ?

Andreas se racle la gorge et baisse les yeux sur ses chaussures. J'interviens :

— Nous devons tout contrôler.

— Si quelqu'un avait apporté un cadavre, vous ne croyez pas que je m'en serais aperçue ? Et d'habitude, on grille des saucisses d'agneau et des marshmallows, pas des *humains* !

216

Gunnel se lève, se met à arpenter la pièce et s'arrête devant la fenêtre. Elle fixe un instant le ciel gris avant de poursuivre.

— Qu'est-ce qu'il leur prend, à ces gens ? Il y a tant de haine autour de nous ! Tant de personnes qui reportent leur colère sur les réfugiés ! Pourquoi s'acharne-t-on sur les plus faibles ? Ceux qui sont déjà à terre. Vous pouvez me l'expliquer ?

Nous restons cois. Andreas semble vouloir disparaître sous terre. Quant à moi, je suis partagée. Certes, l'hostilité et la violence sont indéfendables, mais il y a quelque chose d'agaçant chez Gunnel et son exposé politiquement correct sur la xénophobie, comme si elle était exempte de tout reproche.

— Et hier, renchérit-elle, il y a cette vieille femme qui est venue… Ragnhild.

— Ragnhild Sahlén ?

— Oui. Elle débitait des sornettes à propos d'un vélo qui aurait été volé par quelqu'un de chez nous. Elle a dit qu'elle allait faire fermer le centre.

Gunnel retourne à sa chaise et s'y assied.

Andreas croise mon regard.

— Vraiment ?

Gunnel acquiesce.

J'essaie de changer de sujet – le comportement de Ragnhild a beau être notable, j'ai du mal à croire qu'elle ait quelque chose à voir avec le meurtre de la femme.

— Est-ce que vous avez travaillé ici au début des années quatre-vingt-dix ?

— Oui, quelque temps. Pendant la guerre en ex-Yougoslavie. C'était la même rengaine à l'époque. Les villageois s'indignaient de la présence des réfugiés.

Je me souviens que nous avons passé certaines nuits dans le jardin, l'extincteur à la main ! Quelqu'un incendiait les buissons devant le centre tous les quatre matins. Nous avons porté plainte, la police est venue plusieurs fois, mais le coupable n'a jamais été démasqué.

— Nermina Malkoc, ça vous dit quelque chose ? Une fillette de cinq áns qui était hébergée ici avec sa mère, Azra Malkoc. Elles sont parties en décembre 1993.

Les yeux plissés, Gunnel tripote le gros scarabée en émail qui pend à son cou.

— Hélas, non. Mais je n'ai pas la mémoire des noms.

Andreas montre une photo de Nermina à Gunnel qui l'observe en silence.

— Non, désolée. Vous devriez discuter avec Rut Sten, elle était directrice du centre à l'époque. Elle est retraitée maintenant. Autrement, vous pouvez voir avec Tony, qui était gardien.

— Nous avons déjà parlé avec Rut, répond Andreas. Elle se rappelait Azra et Nermina, mais ignorait ce qu'elles étaient devenues après avoir quitté Ormberg.

On frappe à la porte et un jeune homme, les cheveux coiffés en queue-de-cheval, passe la tête.

— Ils sont arrivés. On s'est installés dans la maison de la direction. Tu nous y rejoins ?

Gunnel esquisse un signe affirmatif.

— Alors ? demande Andreas, une fois que nous sommes dans la voiture.

Nous nous rendons à Gnesta pour rencontrer Esma, la sœur d'Azra Malkoc qui vient de rentrer des îles

Canaries. Nous espérons qu'elle pourra nous aider à localiser la mère de Nermina.

— Alors quoi?

— Pas trop choquée par la position de Gunnel?

— Qu'est-ce que tu insinues? Arrête un peu. Combien de fois dois-je te dire que je ne suis pas raciste?

Je repense à notre altercation d'hier, devant Manfred, et à ce qu'Andreas a dit – que c'est *moi* qui aurais pu fuir la guerre et la famine. Comment ose-t-il? Non seulement ce type est égocentrique, misogyne et fanfaron, mais en plus il se fait mousser à mes dépens. Comme si monsieur était un parangon de vertu!

À cause des balivernes d'Andreas, Manfred doit croire que je suis la pire des xénophobes.

Nous n'échangeons pas un mot pendant tout le trajet. Le crépuscule descend. La neige se met à tomber alors que nous bifurquons vers le centre-ville.

Andreas stationne la voiture dans la neige boueuse devant chez Esma Hadzic, un immeuble gris à trois étages. Je plaque mon manteau contre mon corps alors que nous trottinons jusqu'à la porte d'entrée. Les flocons tourbillonnent autour de nous dans l'obscurité, absorbant tous les sons. On n'entend plus que les craquements de nos chaussures qui transpercent la fine croûte gelée.

Deux pressions sur la sonnette. Esma ouvre. Grande, les traits délicats et les cheveux bruns coupés en un carré court austère, elle doit avoir la quarantaine. Pourtant, son visage a quelque chose d'enfantin, comme si les rides n'étaient qu'un masque qu'elle pouvait arracher pour dévoiler un minois de fillette.

Ce n'est qu'en lui serrant la main que je remarque sa canne et ses doigts déformés, pareils à de vieilles branches noueuses.

Elle saisit mon regard.

— Je souffre de rhumatisme, déclare-t-elle sèchement. Je reçois une pension d'invalidité depuis plus de vingt ans.

Arc-boutée sur sa béquille, elle s'achemine à petites enjambées vers la cuisine et nous fait signe de la suivre.

Ayant retiré chaussures et manteaux, nous lui emboîtons le pas dans un appartement exigu, mais clair et d'une propreté impeccable. Le sol de l'entrée et de la salle de séjour est couvert de tapis orientaux ternes, mais les murs sont nus comme dans un monastère. La cuisine est chichement meublée : une table en pin et quatre chaises trônent sur le linoléum. Il n'y a ni rideaux ni bibelots.

Nous nous installons. Esma nous sert du café et des biscuits aux épices. Ma conscience se révolte lorsqu'elle me tend la tasse de ses pauvres mains ankylosées.

— Je peux vous aider ?

— Non, répond-elle fermement en posant la porcelaine devant moi.

Elle se sert un café puis s'assied avec une extrême lenteur à côté d'Andreas.

— C'est Nermina, n'est-ce pas ?

La question est posée dans un filet de voix. Je décèle une pointe d'accent dans son suédois parfait.

Andreas s'éclaircit la gorge, le regard happé par les mains difformes.

— Comme notre collègue vous l'a expliqué au téléphone, nous n'en sommes pas encore tout à fait sûrs. Nous devons confirmer l'identité au moyen d'un prélèvement d'ADN de membres de sa famille. Toutefois, plusieurs indices portent à croire que l'enfant trouvé près d'Ormberg en 2009 peut être Nermina. Il y avait des plaques de métal dans le radius de l'un de ses avant-bras. Elles ont sans doute été placées là au cours d'une intervention chirurgicale visant à soigner une fracture. Si nous avons bien compris, Nermina s'est cassé le poignet à l'hiver 1993.

Esma lève les yeux vers la lampe de la cuisine. Son regard s'embue et elle cligne rapidement des paupières.

— C'était à la mi-novembre. Elle est tombée d'un arbre au centre pour réfugiés et a atterri sur la main. Ils l'ont opérée à Katrineholm. Elle est rentrée le jour même, mais a dû retourner à l'hôpital trois jours plus tard à cause d'une poussée de fièvre. Elle y est restée plusieurs jours. Azra se faisait un sang d'encre. Alors, ce… squelette découvert sous les pierres. La fille d'Ormberg. Sait-on quand elle est morte ?

— Quelques mois après l'intervention chirurgicale au poignet, selon la légiste, parce que les lésions n'étaient pas tout à fait guéries. S'il s'agit de Nermina, cela signifie qu'elle est décédée au début de l'année 1994. Mais le corps n'a été trouvé qu'il y a huit ans. À l'époque, elle n'avait pas pu être identifiée. L'enquête a piétiné jusqu'à ce que nous la reprenions cette année à la fin du mois de novembre.

— Et comment est morte la fille… qui est peut-être Nermina ? demande Esma.

— Elle a subi des violences physiques, répond Andreas. Il peut s'agir d'un accident ou d'une agression. Est-ce que vous voulez les détails ?

Esma inspire profondément et hoche la tête. Quelques mèches sombres lui tombent sur le visage. Elle les balaie de ses doigts boursouflés.

— Oui. Je veux savoir. Quasiment toute ma famille a péri pendant la guerre et je suis allée reconnaître presque tous les corps. J'ai étreint la dépouille de mon mari à Tuzla, j'ai enterré mon frère à Srebrenica, je me suis rendue aux charniers de Kamenica, au stade de Nova Kasaba où un millier d'hommes et de jeunes garçons étaient enfermés avant leur exécution. On doit savoir, c'est comme ça que ça marche. Quand on a été dépossédé de tout le reste, la connaissance est la seule chose qui nous aide à aller de l'avant. Vous comprenez ?

Andreas acquiesce sans mot dire, fouille parmi les papiers dans son sac, en tire une carte d'Ormberg et quelques clichés du monticule. Il les dépose délicatement devant Esma puis lui parle des pierres et du squelette exhumé en 2009. Il explique que l'enquête n'a donné aucun résultat à ce moment-là, mais qu'aujourd'hui la police rouvre des affaires classées. Il conclut en décrivant la manière dont la légiste a tenté d'identifier le corps.

Je pousse un soupir de soulagement : Andreas n'a pas précisé que je faisais partie de ceux qui avaient trouvé Nermina.

Esma se raidit lorsque Andreas lui présente une photographie du monticule de pierres. Elle demeure quelques instants pétrifiée puis un gémissement douloureux s'échappe de sa gorge. Elle pose les mains sur les feuilles, promène ses doigts infirmes sur les pins et les rochers.

— Nermina… Nermina, ma chérie. Tu étais sous ces cailloux ?

Elle éclate en sanglots, le visage enfoui dans les mains. Andreas déchire un morceau de papier essuie-tout et le lui tend. Elle le remercie et se mouche.

Elle reste immobile quelques secondes puis recouvre ses esprits, écrase laborieusement son mouchoir entre ses deux paumes et le laisse tomber sur la table.

— Nous ne sommes pas encore certains que ce soit Nermina, dis-je à voix basse, bien que la probabilité qu'il s'agisse de quelqu'un d'autre soit infime.

— Évidemment que c'est elle, répond Esma sèchement. De toute façon, je savais qu'elles étaient mortes. Il n'empêche que ça fait mal.

— Qu'est-ce que vous voulez dire par là ? s'enquiert Andreas. Comment pouviez-vous le savoir ?

Esma hausse légèrement les sourcils.

— Azra était ma petite sœur. Cela fait près de vingt-cinq ans qu'elle et Nermina ont disparu du centre pour réfugiés d'Ormberg. La seule raison plausible pour laquelle elle n'a pas pris contact avec moi, c'est qu'elle est morte.

— Vous dites qu'elle a disparu, la coupé-je. Mais la directrice du centre à l'époque affirme qu'elle et Nermina sont parties de leur plein gré.

Un sourire douloureux se dessine sur le visage d'Esma. Elle approche sa tasse de ses lèvres et sirote son café brûlant.

— Oui, disparu… C'est un bien grand mot. Azra pensait que leur demande de titre de séjour allait être déboutée et elle voulait essayer d'aller à Stockholm.

223

— Je croyais que tous les Bosniaques avaient le droit de rester en Suède pendant la guerre, commente Andreas.

— C'est plus compliqué que ça. À l'été 1993, le gouvernement a délivré un permis de séjour permanent à cinquante mille Bosniaques déjà en Suède et a introduit parallèlement une obligation de visa pour les ressortissants de Bosnie. Non pas que la situation se soit stabilisée… Il s'agissait de réduire la « pression migratoire ».

Esma ponctue sa phrase d'un petit grognement avant de continuer :

— Azra et Nermina se trouvaient en Croatie à ce moment-là. Elles ont réussi à se procurer un passeport croate et ont pu entrer en Suède malgré l'obligation de visa. Or, une fois ici, elles n'ont pas pu obtenir de titre de séjour, bien qu'elles aient pu prouver leur origine.

— Alors elles ont choisi de se cacher.

— Oui. Azra pensait qu'elles ne pourraient pas rester. Et il n'y avait pas d'avenir pour elles ni en Croatie ni en Bosnie.

— Vous souvenez-vous quel jour elles ont disparu ? demande Andreas.

— Oui. Le 5 décembre.

Andreas note la date dans son carnet.

— Savez-vous dans quel quartier de Stockholm elles souhaitaient se rendre ?

— Non. Désolée. Aucune idée. Je sais seulement que quelqu'un devait les aider à gagner Stockholm, mais j'ignore où elles projetaient d'aller ni qui allait les assister. Je crois qu'Azra avait des amis à la capitale. D'autres Bosniaques qui étaient arrivés avant elle.

224

— Vous avez indiqué à notre collègue qu'Azra était enceinte lorsqu'elle a disparu. C'est exact ?

Esma cligne plusieurs fois des yeux.

— Oui, c'est ce qu'elle m'avait dit.

— De combien de mois ?

— Je ne sais pas. Ce que je peux vous dire, c'est que ça ne se voyait pas. À mon avis, elle est tombée enceinte l'été avant son départ en Suède. Cela dit, elle était maigre comme un clou quand elle attendait Nermina, alors je ne peux pas être sûre.

— Comment allait-elle ?

Esma hausse les épaules.

— Bien, je crois.

— Et psychologiquement ?

Elle me dévisage, le regard empreint d'une indéfinissable circonspection.

— Pourquoi ?

— Il nous faut une réponse avant de vous apporter des explications.

— Elle allait très bien, psychologiquement parlant, tranche-t-elle.

Andreas toussote.

— Et son mari ?

— Mort. Elles ont perdu sa trace. Il est retourné en Bosnie depuis la Croatie, puis personne ne sait ce qu'il lui est arrivé. Il est sans doute enterré dans une des fosses communes, lui aussi. On ne retrouvera jamais tous ceux qui ont disparu.

Avec ménagement, Andreas retire les images, plie la carte et range le tout dans son sac.

— Le corps de l'enfant – peut-être Nermina – a été retrouvé en 2009, déclare-t-il. Le saviez-vous ? Qu'une fillette avait été retrouvée à Ormberg ? Les journaux s'en sont fait l'écho.

— Non. Ou plutôt, je ne sais pas… Pas que je me souvienne. Si j'en ai entendu parler aux informations, je n'ai pas pensé à Nermina. Pourquoi aurais-je songé à elle ? Tant d'années s'étaient écoulées. Et je partais du principe qu'elle était avec Azra.

Sa voix s'éteint. Je reprends :

— Vous nous avez dit que vous saviez qu'Azra et Nermina étaient décédées. Vous ne croyez pas qu'Azra ait pu se cacher ? Que quelqu'un a tué Nermina, mais qu'Azra a survécu ? Elle vit peut-être à Stockholm…

— Vous plaisantez ? m'interrompt Esma.

Son beau visage parcheminé se durcit. Elle se redresse imperceptiblement, soutient mon regard et serre sa tasse si fort des deux mains que ses articulations prennent une teinte diaphane. Elle continue, presque dans un murmure :

— Il est évident qu'elle m'aurait contactée si elle avait pu ! Ce n'était pas important pour elle de rester en Suède au point de se cacher pendant plus de vingt ans. Ce n'est pas si bien que ça ici !

Esma fixe l'obscurité par la fenêtre. Quelques flocons virevoltent, comme en apesanteur, éclairés par la lampe de la cuisine.

La remarque d'Esma éveille quelque chose en moi, une sorte d'agacement peut-être. Je suppose que je suis étonnée qu'elle ne soit pas plus reconnaissante d'avoir trouvé en Suède un refuge – et d'avoir pu y demeurer après la fin du conflit. D'aucuns estiment sans doute qu'Esma n'a aucune raison d'avoir touché une pension d'invalidité toute sa vie ici, alors qu'elle aurait pu regagner son pays natal.

Et je suis en partie d'accord.

— Pensez-vous qu'elle ait pu retourner en Bosnie ? s'enquiert Andreas.

— Vous voulez dire qu'elle serait rentrée après la guerre ? Oui, j'imagine que c'est une possibilité. Comme je n'avais pas de nouvelles, j'ai effectivement cru qu'elle et Nermina étaient reparties en Bosnie. Mais même si c'était le cas, elle m'aurait contactée. J'ai beau avoir sept ans de plus qu'elle, nous étions proches, Azra et moi. J'étais presque comme sa mère. Non, je ne pense pas qu'elle soit encore en vie.

Nous nous attardons un peu chez Esma. Andreas réalise sur elle un frottis buccal afin que les techniciens puissent comparer son ADN avec celui du corps que nous pensons être Nermina. Il glisse l'écouvillon dans un sachet plastique qu'il enferme dans une enveloppe en papier kraft.

Esma prépare un autre café et nous montre des photographies de la Bosnie. L'album en cuir couleur olive habillé de reliefs dorés est si vieux que les pages se décollent avec peine. Bien que les clichés de Polaroid aient pâli, je suis frappée par la splendeur des collines verdoyantes. Je lui dis que c'est magnifique, elle acquiesce.

Azra est magnifique, elle aussi. Elle ressemble beaucoup à sa sœur. Même visage mince, mêmes pommettes saillantes, mêmes yeux sombres. Simplement plus jeune. Plus jeune et ignorant ce que lui réserve l'avenir, posant en chemisier à fleurs devant une maisonnette en pierre.

Les détails ressortent clairement sur cette image d'une netteté remarquable : les boucles d'oreilles discrètes, le reflet du soleil dans ses cheveux bruns, l'incisive légèrement oblique et le joli collier qu'elle porte autour du cou – un médaillon en or cerné d'un liseré vert. Le bijou me rappelle quelque chose. J'ai l'impression de l'avoir déjà vu, sans parvenir à me souvenir où.

Esma feuillette l'album, s'arrête sur un cliché de Nermina bébé.

— C'est difficile à comprendre…, soupire-t-elle en plissant le front. Que les gens puissent faire ça. Je ne pense pas seulement à ce qui est arrivé à Nermina. Je pense à la guerre. Les voisins peuvent se retourner les uns contre les autres, piller et tuer. Huit mille hommes et garçons ont été assassinés au cours du massacre de Srebrenica. Ils ont été séparés de leur famille, embarqués et exécutés comme du bétail. Et le monde n'a pas levé le petit doigt. Huit mille ! Les hommes sont malades. Et ça ne prend jamais fin. Le mal nourrit le mal. Nous avons un proverbe en Bosnie : *Ko seje vjetar, žanje oluju.* Ça veut dire : Qui sème le vent récolte la tempête.

— Qui sème le vent récolte la tempête, répète Andreas. On dirait une phrase biblique.

Esma hausse les épaules.

— Ça l'est peut-être.

Je fixe à nouveau le portrait de Nermina. Joues potelées de nourrisson, genouillère rose et tétine décorée d'une fleur.

Au même moment, je me souviens pourquoi le collier d'Azra me semblait si familier. Mon estomac se noue, ma bouche s'assèche.

— Puis-je revoir la photo d'Azra ?

— Bien sûr.

Esma recule de quelques pages. Je me penche en avant pour examiner le pendentif.

— Joli bijou.

— Oui, le médaillon avait appartenu à notre mère. Azra ne s'en séparait jamais. On pouvait l'ouvrir. Elle avait un portrait de Nermina à l'intérieur.

— Portait-elle le collier lorsqu'elle a disparu ?

— Elle ne le retirait jamais.

— Pouvons-nous emprunter la photo ? Nous en prendrons soin, promis. Et vous la récupérerez.

Elle lève un sourcil surpris.

— Euh… D'accord.

Elle détache avec délicatesse la vieille image et me la tend.

— Nous devrions y aller maintenant, fais-je en tirant légèrement Andreas par le bras.

Il semble comprendre mon intention. Nous prenons congé d'Esma en nous engageant à la contacter dès que nous en saurons davantage.

À peine Esma a-t-elle refermé la porte derrière nous qu'Andreas se tourne vers moi et chuchote :

— Qu'est-ce qu'il y a ?

— Le médaillon. Le médaillon d'Azra. Hanne le portait autour du cou quand Manfred et moi lui avons rendu visite.

Jake

Mon père dort, bien qu'il ne soit que dix-huit heures.

À pas de loup, je dépasse la salle de séjour et pénètre dans la buanderie, les bras chargés d'affaires sales fourrées dans un sac plastique.

Autrefois, quand ma mère était vivante, nous possédions un panier à linge en rotin, garni d'un ruban en dentelle au bout duquel était suspendu un sachet de lavande séchée. Or, la corbeille a été brisée pendant une fête organisée par Melinda et mon père ne l'a jamais remplacée.

Ce n'est pas grave, un sac en plastique remplit la même fonction. Ce qui me manque, c'est la lavande. La mère de Saga a un savon qui diffuse la même odeur. Chaque fois que je l'utilise, je songe à notre panier à linge sale. Et à ma mère.

J'allume. Le sol est jonché de vêtements.

Je dégage quelques pulls d'un coup de pied pour accéder au lave-linge, y fourre mes habits, verse la lessive dans le tiroir et presse le bouton « marche ». La machine émet un gargouillis et sursaute.

Je repense à ce que m'a dit Saga tout à l'heure : Nathalie a entendu à deux reprises l'enfant-fantôme près du monticule de pierres et il lui a parlé, l'invitant à le rejoindre.

Les fantômes sont une invention de l'esprit, pas vrai ? S'ils existaient, ils ne tueraient pas deux personnes… si ?

Et cette femme qui a été assassinée, celle qui se promenait pieds nus en plein hiver… Qui était-elle et que faisait-elle à côté du tas de cailloux ?

Au moment où je m'apprête à éteindre la lumière, j'aperçois l'une des chemises à carreaux de mon père roulée en boule et fichée entre un panier de rangement métallique et le mur. J'ignore pourquoi, mais je m'accroupis et étire le bras pour l'atteindre. Mon acte manque de logique – le sol est tapissé de fringues, pourquoi devrais-je m'intéresser à cette chemise ? Pourtant, j'ai la sensation étrange que quelque chose ne tourne pas rond. Comment a-t-elle atterri là ? En outre, elle semble déchirée… Pourquoi ?

J'ai vu cette chemise marron des milliers de fois : c'est l'une des préférées de mon père. Je la sors de son recoin. L'étoffe est souillée d'une large tache brune et dure sous mes doigts. Une des manches, arrachée, ne tient plus qu'à un fil.

Que s'est-il passé ? Pourquoi mon père a-t-il logé son vêtement là au lieu de le jeter ? Et surtout, que dois-je en faire ? Je finis par le replacer derrière le panier métallique avant de regagner ma chambre.

Peut-être devrais-je en toucher deux mots à Melinda quand elle rentrera. Je ne lui ai pas raconté l'histoire du fusil que j'ai déniché sous le canapé : j'aurais eu l'impression de trahir mon père. Et maintenant, la chemise. Il doit y avoir une explication rationnelle, mais tout de même…

La salissure ressemblait sacrément à du sang séché…

Mon père a dû s'accrocher le bras quelque part, se griffer et déchiqueter son habit. En fermant les yeux, je vois du sang étalé sur sa peau constellée de taches de rousseur.

Les larmes brûlent derrière mes paupières et ma respiration devient laborieuse.

Depuis la disparition de ma mère, j'ai peur que quelque chose de terrible arrive à mon père – qu'il sorte de la route en voiture, qu'il se noie à cause d'une crue soudaine de la rivière ou qu'il contracte une maladie mortelle.

Je sors le journal de Hanne, le soupèse et inspire l'odeur de vieux papier humide. Je décolle les pages avec délicatesse pour ne pas les déchirer.

Si Hanne avait été là, j'aurais pu lui demander que faire à propos de mon père. Je suis sûr qu'elle aurait su répondre.

Je me plonge dans la lecture, mais il s'agit d'un long compte-rendu d'une réunion avec quelqu'un qu'elle appelle le « responsable de l'enquête préliminaire ». Je suis à deux doigts d'abandonner lorsque mon regard accroche quelques mots un peu plus bas : ... *rendre visite à la famille Olsson.*

La famille Olsson… c'est nous. Mon père, Melinda et moi.

Hanne est venue ici ?

Je poursuis ma lecture.

Ormberg, le 29 novembre

P. et moi venons de rendre visite à la famille Olsson. La route était abominable, de plus en plus étroite à mesure que nous approchions, parsemée de profonds nids-de-poule gorgés d'eau. Nous aurions pu rester bloqués.

P. s'est exclamé qu'il nous aurait fallu un « engin à chenilles » pour avancer.

Et nous n'avions aucune idée de ce qui nous attendait !

Au beau milieu des bois, près de la rivière, se dressait une villa semblable à celle de Fifi Brindacier. Elle doit dater du début du XXe siècle, mais elle a été agrandie dans tous les sens. D'étonnantes extensions poussaient çà et là comme des tumeurs cancéreuses. Une gigantesque terrasse faisait le tour de la maison. Des planches s'amoncelaient sous des bâches à plusieurs endroits de la pelouse.

J'en ai conclu que les travaux n'étaient pas terminés. Le jardin était jonché de débris et de bric-à-brac hors d'usage – vélos, pneus, barbecues, outils cassés – mais la terrasse proprette semblait neuve : le bois tirait sur le vert, sans doute du fait de l'imperméabilisant.

Sous l'abri à voiture, le long d'un mur, étaient alignés des sacs-poubelle noirs.

P. les a percés : ils contenaient des cannettes de bière vides.

Stefan Olsson a ouvert la porte. À en juger par son odeur de transpiration et d'alcool rance, cela devait faire une semaine qu'il ne s'était pas lavé. Il portait un vieux jogging et une seule chaussette.

Il nous a conduits dans sa cuisine, nous a expliqué qu'il était seul – ses enfants étaient à l'école – et s'est excusé de n'avoir pas eu le temps de faire le ménage. Nous lui avons bien sûr répondu que cela n'avait aucune importance.

J'ai été atterrée par l'intérieur de la maison, malgré mes efforts pour ne pas me laisser affecter.

Quelle misère !

Il ne s'agissait pas de pauvreté, plutôt de négligence. Des objets et accessoires, il y en avait pléthore : un immense réfrigérateur, une machine à expresso, un Sodastream, un robot boulanger, etc. Des reliefs de repas et des ordures s'amoncelaient partout : dans l'évier, par terre. Des cannettes vides étaient alignées contre tous les murs.

Stefan a quarante-huit ans. Son épouse, Suzanne, est décédée il y a un an (d'une leucémie).

Stefan nous a longuement parlé de sa femme et de ses enfants, en a eu les larmes aux yeux, s'est mouché. Il s'est une fois de plus excusé du désordre et a demandé, à voix basse, ce qu'il ferait sans sa fille et son fils.

Ça devrait être l'inverse, ai-je pensé : ce sont les enfants qui ne devraient pas s'en sortir sans leur père. Mais je n'ai pas fait de remarque : il avait l'air tellement désespéré.

P. lui a demandé s'il recevait de l'aide. Stefan a répondu que ses parents et ceux de Suzanne n'étaient plus de ce monde, mais qu'il touchait le chômage, effectuait parfois des petits boulots pour les vacanciers, et qu'ils ne mouraient pas de faim.

Stefan s'est montré particulièrement disert à propos de ses enfants, Jake et Melinda – des jeunes gens attentionnés et responsables, qui s'occupent de lui lorsqu'il n'en a pas la force. Mais il n'a pas caché son inquiétude pour Jake, qu'il a qualifié de « fragile ».

P. a entamé l'interrogatoire : Stefan et sa femme habitaient-ils ici dans les années quatre-vingt-dix ? Oui. Stefan se souvenait-il que le Roi du Tricot avait été aménagé en centre d'accueil pour les réfugiés au cours de cette période ? Bien sûr. Tout le monde était contre, on ne voulait pas de « problèmes ». Se rappelait-il la fille d'Ormberg ? Évidemment : cela avait été l'unique sujet de conversation pendant des mois.

P. lui a parlé de Nermina Malkoc, expliquant que c'est sans doute son corps qui a été exhumé sous le monticule de pierres en 2009. Il lui a demandé s'il reconnaissait le nom ou s'il s'était déjà rendu dans ce lieu d'hébergement.

Stefan n'avait jamais entendu parler d'elle et a dit ne jamais être allé au centre d'accueil, ni aujourd'hui ni à l'époque. Il a dit faire son possible pour que lui et ses enfants ne s'en approchent pas, maintenant que les réfugiés syriens sont arrivés. Pourquoi ? Parce qu'il ne voulait pas de « problèmes ».

Le voilà à nouveau, ce mot, « PROBLÈME ». Comme si le gros problème d'Ormberg était les réfugiés et non le chômage, l'exode rural et la pyramide démographique inversée.

Afin de percer à jour son raisonnement, j'ai insisté : quel GENRE de problèmes ?

Au lieu de répondre à la question, Stefan a entrebâillé le réfrigérateur, en a sorti une bière qu'il a ouverte, et s'est affalé sur sa chaise.

(En dépit de son odeur nauséabonde, je ne pouvais m'empêcher d'apprécier cet homme. Peut-être à cause de la bienveillance qui teintait sa voix quand il évoquait ses enfants ou le tourment dans ses yeux quand il mentionnait la « fragilité » de son fils.)

P. lui a demandé s'il était absolument sûr de ne jamais être allé au centre pour réfugiés au début des années quatre-vingt-dix.

Stefan est tombé dans le piège : il a affirmé n'y avoir JAMAIS mis les pieds.

P. a produit de vieux documents qu'Andreas avait dégottés, prouvant que Stefan avait réalisé des travaux de menuiserie au centre d'accueil à cinq reprises au cours de l'année 1993.

Stefan n'est pas parvenu à camoufler son embarras. Il s'est excusé, arguant d'un trou de mémoire.

Notre conversation s'est arrêtée là. La fille de Stefan, Melinda, est entrée : une jeune femme boulotte à l'accoutrement vulgaire et au maquillage outrancier.

Lorsque nous sommes partis, Stefan ne nous a pas dit au revoir. Il s'est contenté d'ouvrir une nouvelle bière.

En dépit de la compassion que je ressens pour lui, je ne peux qu'être d'accord avec P. : son comportement est suspect. Pourquoi veut-il dissimuler qu'il a travaillé au centre pour les réfugiés ?

Il y a quelque chose qui cloche.

Stefan Olsson ne nous a pas tout dit.

Le journal me glisse des mains. Ma poitrine est soudain oppressée, comme si je me trouvais pris dans un étau ou que je respirais à travers une paille.

Ça n'est pas possible.

Je ne l'accepte pas.

Ils ne croient tout de même pas que mon père a quelque chose à voir avec les meurtres ?

Malin

Il est près de vingt et une heures lorsque Andreas et moi atteignons la maisonnette de Berit. Les fenêtres sont éclairées. La fumée qui s'élève lentement de la cheminée se dissipe dans l'air glacial.

Nous avons parlé sur tout le chemin du retour : d'Esma, de la guerre en Bosnie, de Nermina. Nous avons tenté de comprendre par quel miracle le médaillon de sa mère a pu se retrouver autour du cou de Hanne – si tant est que ce soit le même.

Lorsque j'ai vu la photographie chez Esma, j'en aurais mis ma main à couper, mais à présent je n'en suis plus si sûre.

La neige crisse sous nos pieds lorsque nous nous acheminons vers chez Berit. Andreas frappe. Rien. Puis le chien aboie.

— Je crois que Berit est dure d'oreille. Tu devrais peut-être…

Je n'ai pas le temps de finir ma phrase qu'il abat ses poings sur la porte. Au bout de quelques secondes, des bruits de pas approchent, puis Berit nous ouvre, la tête couverte d'un fichu destiné à maintenir ses bigoudis. Le chien a cessé de japper, mais passe le museau par l'embrasure en reniflant.

— Malin ? s'étonne la vieille femme.

Son regard glisse sur Andreas. Elle cligne des yeux et écarte les lèvres comme si elle s'apprêtait à dire quelque chose.

— Navrée de vous déranger à une heure aussi tardive. Voici mon collègue Andreas, d'Örebro. Nous aimerions parler à Hanne.

— Vous l'avez retrouvé ?

Sa voix est réduite à un murmure.

— Non, il s'agit d'autre chose.

Berit hausse légèrement les épaules.

— Ah. Vous feriez mieux d'entrer.

Elle nous précède dans le salon en boitillant.

— On est en train de boire le thé.

Nous retirons manteaux et chaussures. Les géraniums pâlots et dégingandés sur l'appui de la fenêtre semblent encore plus misérables que dans mon souvenir. Des feuilles jaunies et desséchées gisent autour des pots.

Dans la cuisine, la chaleur est agréable. Le poêle à bois crépite et une lampe à huile brûle sur la table. Une étoile de Noël en paille tressée est suspendue à la fenêtre qui donne vers l'ouest. Hanne est assise, une tasse à la main, enveloppée dans un châle. Elle se lève en nous voyant entrer, comme dans l'expectative.

— Bonjour.

Elle me décoche un regard interrogateur. Lorsqu'elle me tend la main pour me saluer, je prends conscience qu'elle ne me reconnaît toujours pas. J'aurais dû y être préparée, mais pour une obscure raison, je pensais qu'elle se souviendrait de moi, maintenant. Qu'elle aurait progressé avec le temps.

— Bonjour Hanne. Je suis Malin, une collègue de Manfred.

Un sourire prudent erre sur ses lèvres.

— Ah. Comment va Manfred ?

— Bien.

Elle fronce les sourcils, affichant une expression tourmentée.

— Et *Peter* ?

— Rien pour l'instant. C'est pour ça que nous sommes ici. Nous voudrions te parler de quelque chose.

Saisissant sa tasse, Berit pivote vers nous.

— Je vais promener Joppe. Vous mettrez une bûche dans le poêle tout à l'heure ?

J'acquiesce, lève les yeux sur Berit et ses bigoudis. Les griffures à son avant-bras gauche sont rouge vif aujourd'hui, visiblement infectées.

— Votre bras n'a pas l'air d'aller fort.

— Ça guérira, assure-t-elle en cachant ses plaies de la paume.

Elle claudique jusqu'à l'entrée. Son chien l'imite. Andreas et moi nous asseyons en face de Hanne.

— Comment vas-tu ? demandé-je.

Elle hausse les épaules.

— Bien. Les égratignures ont presque cicatrisé. Mais je n'ai toujours pas de souvenir ce qui s'est passé dans la forêt. Si c'est pour ça que vous êtes venus, je ne peux pas vous aider.

— Nous voulons te parler d'un autre sujet. De ton collier.

— Mon *collier* ?

Hanne semble désarçonnée. Elle dégage son châle et approche la main de son cou. Quelque chose brille entre ses doigts.

— Pourrions-nous y jeter un coup d'œil ? interroge Andreas.

— Bien sûr.

Elle détache la chaîne et me tend le bijou.

Le médaillon repose au creux de ma main, chaud et lourd. Je l'examine avec attention : un liseré en émail vert court le long du bord, entourant les quelques pierres qui scintillent à la lueur de la lampe à huile.

— C'est forcément celui-là, commente Andreas.

Je me contente d'acquiescer en silence. Il a raison. Le médaillon ressemble comme deux gouttes d'eau au bijou que porte Azra sur la photographie de l'album d'Esma.

— *Quoi ?* demande Hanne – son regard vagabonde entre mon collègue et moi.

Je me tourne vers elle.

— Peter et toi avez participé à une enquête ici, à Ormberg. Est-ce que tu te rappelles ?

— Oui. Non. En fait, il y a tant de choses que j'ai oubliées. Tout est si confus.

— Une fillette a été assassinée au début des années quatre-vingt-dix. Ce bijou appartenait à sa mère, explique Andreas. Elle s'appelle Azra Malkoc.

Hanne paraît choquée.

— Mais je ne savais pas…

— Te souviens-tu comment tu as eu ce collier ?

— Non. *Désolée !*

L'espace d'un instant, j'ai l'impression qu'elle va éclater en sanglots. Elle prend une profonde inspiration et semble se détendre un peu.

Andreas fouille dans sa poche, en tire un carnet de notes qu'il ouvre pour en extraire la photographie d'Azra.

— Est-ce que tu la reconnais ?

Hanne s'empare du cliché, le pose sur la table devant elle. Puis elle attrape ses lunettes de lecture près de sa tasse de thé, les chausse et observe longuement l'image de la jeune femme en chemisier à fleurs qui plisse les yeux à cause du soleil.

— Non, je ne l'ai jamais vue. Mais je vois qu'elle porte le collier.

— Hanne, pouvons-nous te l'emprunter ?

— Il n'est même pas à moi. Bien sûr que vous pouvez le prendre.

Je lui saisis la main. Elle est fine et froide en dépit la chaleur de la pièce.

— Si quelque chose te revient en mémoire, quoi que ce soit, note-le. D'accord ? Et tu sais que tu peux nous appeler quand tu veux.

Hanne se contente de hocher la tête.

Andreas et moi sommes assis dans la voiture devant chez Berit. L'obscurité nous entoure.

— Tu avais raison, déclare mon collègue en scrutant le médaillon dans sa paume.

— J'aurais préféré avoir tort. Maintenant, nous pouvons exclure la thèse de l'accident pour Peter.

— Hanne et Peter devaient être sur une piste. Ils ont dû se rendre quelque part le vendredi et puis…

Il laisse sa phrase en suspens.

— Mais pourquoi nous l'avoir caché ?

Aucun d'entre nous n'a la réponse. Nous venons de faire une découverte décisive, et pourtant je ne ressens aucune joie. Tant de détails dans cette situation me désespèrent : l'idée qu'il soit très probablement arrivé quelque chose de grave à Peter; la confusion notable de Hanne dans la cuisine, et le souvenir du crâne de Nermina Malkoc, logé entre les lourds rochers feutrés de mousse.

Et la femme sans visage qui ressemble à…

À peine cette pensée a-t-elle affleuré que je sens mon pouls s'accélérer et la sueur perler sur mes tempes.

Pourquoi avoir accepté cette fichue mission? J'aurais mieux fait de rester à Katrineholm, à m'occuper de mes vols de vélos, mes bagarres et mes rapports incessants.

Andreas triture le médaillon, y donne de petits coups de pouce, comme pour accompagner sa réflexion. Soudain, le bijou s'ouvre avec un cliquetis, comme un coquillage. Au même moment, je me remémore les mots d'Esma : le pendentif renfermait une photographie de Nermina.

— Allume! s'exclame Andreas.

J'obtempère, cherchant à tâtons le bouton au plafond et, quelques secondes plus tard, l'intense lumière qui envahit l'habitacle me contraint à plisser les yeux.

Andreas affiche une mine dégoûtée.

— Qu'est-ce que c'est que ce truc?

Je baisse le regard sur le médaillon. L'image s'y trouve bel et bien, mais une sorte de mouton de poussière est posé dessus. Je l'effleure du doigt : c'est duveteux, soyeux.

J'étouffe un cri de surprise.

— Des cheveux. Ce sont des cheveux!

Nous arrivons au bureau vers vingt-deux heures. Nous avons décidé d'y déposer le médaillon qui sera expédié demain matin chez les techniciens. Je dois également récupérer ma voiture qui est garée – ou plus exactement ensevelie sous la neige – devant l'ancienne boutique.

Le vent glacial chuinte aux coins de l'immeuble, se frayant un chemin sous mon manteau alors que nous progressons dans la neige fraîche jusqu'à l'entrée.

Un peu plus loin, un homme descend d'une Audi rouge et fond sur nous. Un instant plus tard, une autre portière s'ouvre.

— Le quatrième pouvoir est arrivé, déclare Andreas en pressant le pas.

Je l'imite pour esquiver les journalistes.

En jetant un coup d'œil à la vitrine, je constate avec surprise qu'un rai de lumière jaillit du bureau, éclaboussant le sol de l'ancien magasin d'une lueur fantomatique.

— Pourquoi est-ce allumé ?

Nous sommes vendredi soir et, bien qu'Andreas et moi ayons prévu de travailler tout le week-end, Manfred a décidé d'aller retrouver sa famille à Stockholm. Il aurait dû quitter les lieux depuis déjà plusieurs heures.

— Il a peut-être oublié d'éteindre, suggère Andreas en faisant glisser la porte.

Ignorant les glapissements des reporters, nous pénétrons dans l'immeuble et tapons des pieds pour nous débarrasser de la neige.

Le radiateur est également en marche, emplissant la pièce de son bourdonnement, comme si des insectes tournoyaient dans la pénombre.

Manfred est assis à la table lorsque nous entrons dans le bureau. Son ordinateur portable est fermé et, à côté de sa mallette, ses papiers forment une pile soignée, surmontée de son téléphone mobile. On dirait qu'il s'apprête à partir.

— Tu es resté ?

Il ne me répond pas, ne nous gratifie même pas d'un regard. Nous sommes là, plantés devant lui, la neige fondue dégoulinant de nos manteaux.

— Nous avons rendu visite à Esma, embraye Andreas. Hanne a en sa possession un bijou qui semble avoir appartenu à Azra Malkoc.

Manfred, les yeux rivés sur un point du mur à côté de moi, esquisse un vague signe de tête, comme perdu dans ses pensées.

— Il y a du nouveau, annonce-t-il.

Nous attendons qu'il continue, mais il se contente de secouer la tête. Enfin, il s'éclaircit la voix et reprend :

— *Primo*, nous avons reçu un témoignage d'un groupe d'adolescents de dix-sept ans de Vingåker. Ils disent avoir vu une vieille Volvo break de couleur sombre garée sur la route entre le monticule de pierres et l'ancienne usine sidérurgique le soir où Peter a disparu et où la femme a été assassinée.

— L'information est fiable ? interroge Andreas. Si oui, pourquoi ne nous ont-ils pas contactés plus tôt ?

Manfred baisse les yeux sur ses gigantesques mains gercées, triture la cuticule de son pouce.

— Ils disent qu'ils sont venus depuis Vingåker en scooter…

Andreas secoue la tête, perplexe.

— Et alors ?

Je lui décoche un discret coup de coude.

— En réalité, ils sont venus en voiture, mais ils n'ont pas le permis. C'est pour ça qu'ils ne nous ont pas appelés plus tôt.

Manfred fait un signe d'assentiment et poursuit :

— Oui, c'est ce que je me suis dit. Ils ont vu une Volvo sombre dans laquelle se trouvait un homme chauve.

J'inspire profondément.

— Stefan Olsson ! Le signalement lui correspond. Et il a une Volvo bleu marine.

— Nous lui rendrons une petite visite demain matin, affirme Manfred. Je vais téléphoner au procureur tout à l'heure, mais je suis quasi sûr que nous avons suffisamment d'éléments pour l'arrêter.

Manfred se lève péniblement, avance vers le mur et s'immobilise devant la photographie de la femme sans visage qui gît dans la neige. Pressant son index boudiné sur le papier glacé, il reprend :

— *Secundo*, le service de médecine légale a appelé : l'analyse ADN de la femme décédée est prête.

— Déjà ? s'étonne Andreas. D'habitude, ça prend…

— C'est une affaire prioritaire.

— Et ? demandé-je.

— Son profil génétique est très proche de celui de Nermina Malkoc, explique Manfred.

— Ce qui veut dire ? s'enquiert Andreas.

Il me faut quelques instants pour faire le lien. La pièce se met à tourner et le grondement assourdi du radiateur semble doubler de volume, comme si les insectes se dirigeaient vers moi : un immense essaim de mouches à viande au corps vert luisant et aux yeux à facettes, prêtes à envahir notre petit bureau.

Je m'assieds sur une chaise et m'agrippe à la table, craignant soudain de basculer. J'ai l'impression que le sol fonce vers moi à vitesse grand V.

— Mon Dieu ! C'est sa mère, n'est-ce pas ? La femme près du monticule est Azra Malkoc.

— Très proche parenté, répond Manfred, c'est la seule chose qu'ils puissent dire avec certitude à ce stade. Mais oui. D'après mon interlocuteur, il s'agit probablement d'Azra Malkoc.

Jake

Le samedi matin est gris et silencieux.

Un courant d'air froid pénètre par la fenêtre et je m'enfonce plus profondément sous ma couverture à la recherche de chaleur.

Je suis en colère contre Hanne. Peut-être déçu, aussi. Je ne sais pas vraiment.

Peut-on éprouver du ressentiment envers quelqu'un que l'on n'a jamais rencontré ?

Hanne n'aime pas Ormberg. Ni ma famille. Ni ma maison. Elle juge Melinda boulotte et vulgaire… Ce n'est pas comme si cette vieille bique pouvait gagner un concours de beauté !

Hanne est injuste – je ne trouve pas que mon père empeste ni que les extensions de notre pavillon ressemblent à des tumeurs cancéreuses.

Cette histoire de cancer me fait penser à ma mère, à ses mains douces, à son nez long et fin, à ses cheveux clairs au bout et sombres aux racines, à sa voix qui était presque toujours gentille et à ces livres sentimentaux en anglais qu'elle lisait dans son lit d'hôpital à Örebro.

Son parfum a changé lorsque la maladie est survenue.

Avant, elle sentait toujours bon, comme si elle sortait de la douche. Or, lorsqu'elle s'est mise à prendre tous ces médicaments, son odeur est devenue chimique, comme si on lui injectait du poison dans les veines. Ce qui n'était pas faux. La chimiothérapie est une sorte de poison pour les cellules malades, m'a expliqué Hadiya, l'oncologue iranienne à la jolie poitrine et au maquillage réussi.

C'est ce traitement qui fatiguait ma mère.

Elle a perdu ses cheveux, ses ongles et elle vomissait dans une bassine en plastique.

Elle gardait néanmoins sa joie de vivre. Elle était toujours gaie et intéressée par ce que j'avais appris à l'école.

Elle m'a promis qu'elle allait guérir, mais elle mentait, comme le font toujours les adultes.

Je sais que c'est pour protéger les enfants, mais je regrette qu'elle n'ait pas été plus honnête. J'aurais été mieux préparé le jour où son corps a décidé qu'il n'avait plus l'énergie de lutter. J'avoue que je me suis mis en colère contre elle, même si elle n'est pas responsable de sa maladie et de sa mort.

Personne n'est responsable, a affirmé mon père, mais je me suis dit que c'était la faute de Dieu – parce qu'il semble faire le mal aussi souvent que le bien.

Tout a changé quand ma mère est partie.

Mon père s'est affaissé comme une baudruche crevée, tout à coup plus petit, vidé de ses forces. En revanche, Melinda a paru grandir, gagner en vigueur. Au lieu de rester dans sa chambre à écouter de la musique ou à fricoter avec son petit ami, elle s'est mise à faire les courses, la cuisine et tout ce que ma mère faisait jadis.

J'imagine que moi aussi j'ai évolué, même si j'ignore comment. Quelque chose en moi a dû être remanié, bien que mon apparence physique soit la même. Un peu comme lorsque j'ai embrassé Saga.

Mon père doit également avoir changé, non ? Même s'il n'en parle jamais. Il aborde d'autres sujets, comme les Arabes et les jupes trop courtes de Melinda.

Avec son ami Olle, il songe à monter une milice citoyenne. Il dit que l'assassinat de la femme dans la forêt est la goutte d'eau qui a fait déborder le vase et qu'il est de leur devoir de protéger les filles d'Ormberg, même si cela implique de « casser la gueule à un ou deux Arabes ».

Je lui ai demandé comment il pouvait être sûr que les Arabes étaient dangereux, mais, au lieu de me répondre, il a décoché un direct si violent dans le réfrigérateur que des glaçons en ont jailli et se sont répandus par terre.

J'ai du mal à m'imaginer Olle et mon père en train de faire des rondes dans Ormberg. Où iraient-ils ? Il n'y a que des bois. Ont-ils prévu d'errer sans but dans la neige, à chasser les « Arabes » ?

Et où conserveraient-ils leurs bières pendant leur tour de garde ?

Je ramasse le journal de Hanne sur le sol. Hier, j'ai songé à m'en débarrasser, mais plus j'y réfléchis, plus je me dis que je dois en terminer la lecture. Surtout qu'il parle de mon père.

Nous étions assez abattus en quittant la famille Olsson.

La misère ne se limite pourtant pas à eux. Ormberg fleure la décadence et la résignation : des usines abandonnées, des boutiques qui ont mis la clef sous la porte, des maisons cadenassées.

Dans ce contexte, la suspicion à l'égard des réfugiés n'est peut-être pas si étonnante.

C'est ainsi que cela fonctionne, n'est-ce pas ?

Le cerveau cherche des liens de cause à effet. Il est facile de croire que le déclin est dû aux nouveaux arrivants ; que le chômage, le dépeuplement et l'absence d'investissements publics sont le symptôme d'une seule et même chose.

Et quand on se retrouve dans cette situation, privé de ses moyens de subsistance et de sa dignité, c'est sans doute fort tentant de rejeter la responsabilité sur autrui. Par exemple, sur les immigrés.

Je pense à Nermina, à ses ossements si blancs en train de se désagréger.

À présent, elle repose sous une pierre tombale sans nom.

Je dois l'aider !

L'après-midi.

P. et moi avons rencontré Margareta Brundin (la tante de Malin). Elle habite avec son fils adulte Magnus au sud du mont Ormberg.

Magnus et Margareta semblent vivre une relation symbiotique, à la limite du malsain, ce qui a d'emblée suscité ma curiosité. (Je poserai des questions à Malin à l'occasion.)

Margareta a affirmé n'avoir eu de contact avec personne au centre pour réfugiés – ni dans les années quatre-vingt-dix ni aujourd'hui. Elle et Magnus gardent leurs distances.

Quand je lui ai demandé pourquoi, elle m'a répondu qu'elle n'avait rien à y faire, et son fils non plus.

Puis elle a dit que le meurtrier ne pouvait pas venir d'Ormberg.

Je lui ai demandé comment elle le savait. Elle m'a donné la réponse attendue : tous les habitants se connaissent dans cette bourgade. C'est forcément quelqu'un de l'extérieur.

C'est déconcertant – tout le monde dit la même chose : il n'y a pas d'assassin à Ormberg. Le coupable doit venir d'ailleurs : du centre d'accueil/de Katrineholm/ de Stockholm/d'Allemagne.

On a presque l'impression que tout le village s'est réuni pour préparer une déclaration commune.

Quand nous retournons au bureau, nous ne sommes pas plus avancés qu'avant de le quitter.

C'est à nouveau le soir.

P. est parti faire un footing (dans le noir, avec une lampe frontale – quelle idée !). Je me demande s'il ne traverse pas la crise de la cinquantaine. Il est devenu silencieux, renfermé sur lui-même. Il s'est mis à courir plus souvent qu'avant et il scrute son corps dans le miroir d'un œil critique.

Pauvre P. ! Comme si mon déclin ne lui suffisait pas, il doit également se confronter à son propre vieillissement !

Non ! En réalité, il n'est pas à plaindre !

Il n'a pas eu besoin de s'en préoccuper jusqu'à maintenant. Je lui ai donné un amour inconditionnel. Je ne lui ai jamais demandé d'engagement pour l'avenir.

J'ai été tellement docile. Comme un vieux soutien-gorge à l'élastique détendu.

J'ai quelque chose à avouer : je suis furieuse. Pleine d'amertume. Fâchée contre la vie qui m'a légué cette foutue maladie. Je reconnais que je suis parfois en colère contre P. parce que je sais qu'il m'abandonnera lorsque mon état se sera dégradé. Je crois que je me mets en colère en avance, car je SAIS ce qui va se passer.

P. ressemble aux arbres qui poussent sur les montagnes : il ploie au gré du vent, il s'adapte, accepte la moindre opposition.

On pourrait dire qu'il n'a aucune volonté.

Lorsque nous nous sommes mis en couple, il m'a juré que ma maladie ne le dérangeait pas ; qu'il m'aimerait quoi qu'il arrive.

J'ignore s'il s'agissait d'un mensonge ou s'il prenait ses désirs pour la réalité, mais je savais déjà que c'était faux.

Peut-être suis-je la coupable dans l'histoire ? Froide, égocentrique, guidée par mes pulsions.

Je connaissais mon état, pourtant je voulais être avec lui. Comme on veut engloutir un gâteau à la crème tout en sachant qu'on devrait s'abstenir. Je voulais passer ce temps avec lui – ce laps de temps merveilleux, exempt de toute exigence : le voyage au Groenland, la passion. La sensation d'être en apesanteur, libérée de toutes les responsabilités, et la proximité avec lui. Malgré la maladie.

Une drogue.

P. est comme une drogue pour moi. Une drogue extraordinaire dont je ne veux me passer sous aucun prétexte.

Il était la drogue ; j'étais la toxicomane ; qui suis-je pour l'accuser à présent ?

Je regarde par la fenêtre, aperçois un point lumineux
qui tressaute, s'approchant lentement.
P. est de retour.

La sonnette retentit. Je l'entends clairement, quoique la porte de ma chambre soit close.

Je crois d'abord que c'est Saga – nous n'avons pas prévu de nous voir aujourd'hui, mais elle a l'habitude de passer quand ça lui chante –, puis je prends conscience qu'il est bien trop tôt : Saga fait la grasse matinée le week-end.

Je me glisse hors du lit, entrebâille ma porte. Des voix inconnues résonnent dans l'entrée. Un homme et une femme. Ils parlent avec mon père. Impossible de discerner tous les mots, mais l'homme se présente comme Manfred. Au bout de quelques instants, ils entrent et accompagnent mon père dans la cuisine.

Je descends l'escalier, d'abord d'un pas hésitant, puis la curiosité prend le dessus et je me dépêche de gagner la porte de la cuisine.

Il fait froid. Mon corps uniquement revêtu d'un tee-shirt et d'un caleçon se couvre de chair de poule. Je frissonne en me penchant pour regarder par l'embrasure.

Mon père est assis dos à moi, enveloppé dans sa couverture à carreaux, la nuque luisante de sueur.

En face de lui se trouvent Malin Brundin et le policier bedonnant au look de courtier – celui que Saga et moi avons vu sortir de la vieille boutique Vivo. Manfred.

J'imagine que c'est de lui dont parle Hanne dans son journal. Celui qui raffole des petits gâteaux.

Malin se penche en avant et contemple mon père. Quelque chose dans sa posture me met mal à l'aise. On dirait presque qu'elle voudrait se jeter sur lui pour le dévorer.

— C'est pourquoi nous aimerions savoir ce que vous faisiez vendredi dernier.

Mon père approche la main de sa tête, comme s'il voulait remettre en place ses cheveux absents.

— Vendredi dernier ? Hum. C'est loin. Je ne me souviens plus.

— Ça ne fait qu'une semaine, rétorque le policier obèse en croisant les bras sur sa poitrine.

— Oui. Certes…

Mon père se tait quelques instants, s'étire et continue :

— J'étais chez mon pote Olle. À Högsjö.

— Vous en êtes sûr ? intervient Malin.

Je n'apprécie pas sa voix tranchante. J'ai peur de l'effet qu'elle peut produire sur mon père. Lui n'adopte pas ce ton acerbe et ne semble pas avoir conscience du danger. Je voudrais lui hurler de ne pas faire confiance à ces flics, mais c'est impossible. Alors je reste là, derrière la porte, raide comme un manche, muet comme une carpe, avec cette boule qui enfle dans ma gorge.

— Un peu que je suis sûr !

— Parce qu'il dit que vous n'étiez *pas* chez lui vendredi, réplique Malin. Il dit que vous vous êtes vus le samedi, ce que vous nous aviez déjà raconté. Apparemment…

Elle jette un coup d'œil dans son carnet avant de poursuivre :

— Apparemment vous avez joué à Counter-Strike.

Malin se fend d'un léger sourire, mais il n'a rien de sympathique.

— Oui, peut-être. C'était peut-être samedi. Et oui, on joue à Counter-Strike.

— Alors qu'est-ce que vous avez fait vendredi ? demande Manfred.

— Je n'en ai pas la moindre idée, soupire mon père en écartant les bras.

— Alors, pourquoi avoir raconté que vous étiez allé chez Olle ? demande Malin.

Un grand froid s'empare de mon corps. Ils essaient à l'évidence de coincer mon père. Exactement comme dans les films policiers à la télévision. Ils sont deux contre un et ne cherchent qu'une chose : le prendre au piège. Même s'il est tout simplement troublé et qu'il confond les jours.

— J'ai dû me mélanger les pinceaux, ce n'est pas illégal, si ?

La voix de mon père monte dans les aigus. Ni Malin ni Manfred ne répondent directement. Puis la femme se lève.

— Est-ce que je peux utiliser les toilettes ?

— Bien sûr, répond mon père en indiquant la porte de l'autre côté de la cuisine.

Je la vois disparaître vers les WC et le salon.

Manfred et mon père restent silencieux pendant quelques instants, comme s'ils attendaient tous les deux que l'autre prenne la parole. Tout à coup, Manfred marmonne quelque chose d'inaudible et mon père répond de même.

Des pas s'approchent depuis l'entrée et Malin réapparaît, tenant d'une main gantée un fusil de chasse.

— Je ne savais pas que vous aviez un permis de chasser, lance-t-elle avec un signe de tête vers mon père.

Il secoue la tête, avachi sur sa chaise.

— Ce n'est pas à moi. Je ne chasse pas.

— Je croyais que tout le monde chassait, ici.

— Ah bon.

— Détention de fusil sans autorisation, commente Manfred à voix basse. C'est un délit au titre de la loi sur les armes, chapitre neuf, paragraphe premier.

Puis il ajoute quelque chose que je ne parviens pas à discerner. Mon père agite vigoureusement la tête.

— Si, insiste Malin en toisant mon père. Vous nous suivez au poste. Nous parlerons plus avant. De l'arme à feu et d'autres sujets.

Malin lève les yeux et se fige en croisant les miens.

— Ce n'est pas mon fusil, répète mon père, d'une voix éteinte.

La policière ne répond pas, continue de me fixer.

— Bonjour Jake. Tu peux entrer.

Je pousse la porte, mais reste planté comme un échalas dans l'embrasure, tout à coup très conscient de ne porter qu'un tee-shirt et un caleçon.

Mon père se retourne et me dévisage de ses yeux hagards, embués et injectés de sang. Le coin de sa bouche tressaille légèrement.

— Ton papa va nous accompagner à Örebro, annonce Malin.

Malin

Svante est campé devant le tableau blanc. Lorsque Manfred et moi entrons, il nous gratifie d'un petit signe de tête. Il arbore une sorte de gilet de laine qui a connu des jours meilleurs, et son pantalon est enfoncé dans ses chaussettes. Dans sa barbe pendouille une petite particule jaune, sans doute un relief d'œufs brouillés.

Je m'assieds à côté d'Andreas. Il approche sa chaise de la mienne et je me décale de l'autre côté, presque par réflexe. Comme d'habitude, il s'aventure trop près de moi et je sens monter l'agacement.

— Quoi de neuf? s'enquiert Svante.

Nous sommes installés dans une salle de conférence au commissariat d'Örebro. C'est une sensation étrange que de se trouver à nouveau dans un vrai bureau après avoir passé plus de deux semaines à grelotter dans un taudis aux relents de moisissure.

Bien que nous soyons samedi, tout le monde est sur le pied de guerre.

Que la femme assassinée s'avère être Azra Malkoc a ouvert la voie à de nouvelles théories, de nouveaux questionnements; la découverte du fusil chez Stefan Olsson nous donne l'espoir de pouvoir identifier le coupable.

Je jette un regard circulaire à notre petite assemblée.

En face de moi, Malik. Je n'ai pas encore eu le temps de lui parler, mais je sais qu'il travaille avec Svante depuis quelques années et qu'il vient de terminer la formation initiale de un an au Centre national de la police scientifique, pour devenir technicien.

Malik a la trentaine, les yeux verts, un visage d'ange et des doigts effilés de pianiste aux ongles brillants et soignés. Ses cheveux noirs noués en chignon renforcent son apparence androgyne. Ses poignets sont entourés de bracelets en cuir tressé de différentes teintes et épaisseurs. Un anneau en or serti d'une pierre couleur ambre scintille à sa main gauche.

La porte glisse sur ses gonds, laissant entrer Suzette, l'une des enquêtrices, une femme tout en muscles d'une quarantaine d'années aux cheveux platine coupés en brosse, maquillage criard et longs ongles bleu électrique. Un bloc-notes et un stylo à la main, elle marche légèrement voûtée, comme si elle souffrait de maux d'estomac.

— Vous en faites une tête ! Quelqu'un est mort ?

C'est la plus vieille plaisanterie de notre corps de métier, ce qui ne m'empêche pas de sourire.

Il paraît que Suzette fait des extras au salon de beauté de sa sœur à Örebro avec comme spécialité le maillot brésilien. D'après Andreas, qui la surnomme « *Queen of Brasilian* », sa poigne est légendaire – que ce soit pour arracher des poils ou écrouer les voyous.

Elle s'assied à côté de Malik, me sourit et pose une main sur son carnet. Si seulement Andreas avait pu s'abstenir de me parler d'épilation des parties intimes. Je ne parviens pas à chasser cette vision lorsque ses longs ongles bleus pianotent sur son bloc-notes.

J'intercepte le regard de Svante qui s'éclaircit la voix.

— Manfred, tu veux commencer ?

Les deux chefs de groupe ont décidé de fusionner les investigations sur la disparition de Peter, la mort de Nermina et celle d'Azra Malkoc – plus personne ne croit qu'il s'agit d'événements isolés.

Le nouveau groupe d'enquêteurs travaillera d'ici, mais nous conservons notre bureau de terrain à Ormberg. Nous allons en outre recevoir des renforts de la section opérationnelle nationale en début de semaine prochaine.

L'objectif de cette réunion est de briefer Malik et Suzette sur notre affaire – ce que nous allons faire dès que nous aurons informé le groupe des résultats de l'interrogatoire de Stefan Olsson.

C'est ce qui nous intéresse au premier chef.

La nouvelle de son arrestation s'est répandue comme une traînée de poudre ici.

Avec un signe discret du menton, Manfred se lève péniblement et s'avance vers Svante.

— Nous venons de mener l'interrogatoire préliminaire. Stefan Olsson maintient sa version des faits. Il affirme qu'il a confondu les jours, qu'il a rendu visite à son ami Olle à Högsjö le samedi. Il ne se rappelle pas ce qu'il a fait le soir du meurtre, mais il dit qu'il a peut-être « fait un petit tour » en voiture, conclut Manfred en mimant des guillemets avec l'index et le majeur.

— Ce soir-là il faisait un temps de cochon, c'était la tempête, indique Svante en croisant les bras qu'il laisse reposer sur son imposante bedaine. Quelle idée de « faire un petit tour » en voiture !

— Il était incapable de nous expliquer, rétorque Manfred. Il reconnaît qu'il a pu rester garé quelque temps entre le monticule de pierres et l'usine, mais qu'il n'est pas entré dans la forêt.

— Et le fait qu'il ait travaillé au centre d'accueil pour réfugiés dans les années quatre-vingt-dix, qu'en a-t-il dit ? se renseigne Svante.

— Il dit qu'il ne s'en souvient pas non plus. Et pour ce qui est du fusil…

— Aucun souvenir, commente Svante en ricanant.

Manfred lui adresse un signe affirmatif sans étirer les lèvres.

— C'était une blague. Il n'a tout de même pas dit ça ? Sans rire ?

— Si. Sans rire.

Svante affiche un air perplexe, comme s'il hésitait à voir en Stefan Olsson le dernier des imbéciles ou un génie d'une sophistication trop diabolique pour être compris.

Manfred porte une main à son genou, tire une chaise et s'assied avec un bruit sourd devant le tableau blanc.

— Je vais appeler le procureur. Nous prévoyons une perquisition demain. Nous sommes aujourd'hui samedi, ce qui signifie que le parquet doit déposer la demande de détention provisoire auprès du tribunal au plus tard mardi. D'ici là, essayons de répondre à toutes nos questions en suspens, d'accord ?

Tout le monde hoche la tête sans un mot. On n'entend que le cliquetis des ongles de Suzette contre la table en bois. Ce qui me fait penser à quelque chose.

— Les planches !

Manfred affiche un air étonné.

— Les planches ?

— Hanne a déclaré se souvenir de planches. Le jardin de Stefan Olsson en est plein. Sous des bâches.

— C'est vrai, Malin. En effet, il faudra vérifier ça au moment de la perquisition. Dans le meilleur des cas, on trouvera même les empreintes génétiques de Hanne près de la maison de Stefan Olsson.

Suzette humecte ses lèvres rouge sombre du bout de la langue.

— Bon. *Quid* de ses enfants si on le garde ? s'enquiert-elle.

— J'ai parlé avec les services sociaux, dis-je. Ils vont envoyer quelqu'un ce soir.

Manfred hoche la tête.

— Et le fusil ?

— En route vers le Centre national de la police scientifique. Mais nous n'avons ni cartouche ni douille avec lesquelles faire des comparaisons. J'ignore ce que ça va donner.

Silence.

— On croit vraiment que c'est lui ?

C'est Malik qui pose la question. En dépit de sa retenue, son ton est teinté de scepticisme. Il y a quelque chose qui le dérange, comme un gravier gênant dans la chaussure.

— Moi, je ne crois rien, lâche Manfred. Mais notre travail c'est de le découvrir.

Il se masse le genou avec une grimace, ferme les yeux, puis poursuit :

— Ce type a l'air vraiment mal en point. C'est possible qu'il se soit mélangé les pinceaux sur le jour de sa virée à Högsjö. Possible aussi qu'il ait stationné au bord de la route ce soir-là sans pour autant être impliqué dans le meurtre. Pour être honnête, il n'y a pas grand-chose d'autre à faire à Ormberg que regarder la télé et se balader en voiture. En revanche, j'ai plus de mal à croire cette histoire de centre d'accueil. On ne peut pas oublier s'être rendu dans un endroit où on a travaillé à cinq reprises ! Et il sait pertinemment où il a récupéré cette arme. Il nous cache quelque chose. Reste à savoir quoi.

— Peut-être qu'il ne veut tout simplement pas nous en parler, dis-je.

— Il ne *veut* pas ?

Manfred hausse ses sourcils roux et broussailleux, son front se plisse comme un accordéon.

Je réfléchis à une meilleure formulation.

— À Ormberg, il y a une méfiance généralisée vis-à-vis de la police. De toutes les formes d'autorité, à vrai dire.

— Il ne fait qu'aggraver son cas.

Je contemple mon collègue de Stockholm avec son costume onéreux, sa grosse montre suisse et sa barbe taillée à la perfection.

Comment lui expliquer ce que je veux dire ? Est-ce que ça vaut la peine d'essayer ?

— Je sais. Je tente simplement d'expliquer la façon de penser des gens dans ce village. Ils ne nous font pas confiance.

L'espace d'un instant, j'ai l'impression qu'il va recommencer à me tancer, comme lorsque j'ai voulu exposer les raisons de l'aversion des Ormbergiens envers le centre d'accueil des réfugiés.

Or, cette fois, il se contente d'acquiescer, sans rien dire.

— Nous devrions peut-être lâcher Stefan Olsson pour le moment, suggère Svante. Il faudrait faire un point sur l'enquête pour mettre Suzette et Malik au parfum.

Manfred esquisse un signe de tête en direction de nos nouveaux collègues d'Örebro. Il se lève, époussette sa veste et s'avance jusqu'au tableau blanc. Un feutre à la main, il trace une frise chronologique et note des dates.

— Azra et sa fille de cinq ans Nermina sont arrivées ici de Bosnie à l'été 1993. Le 5 décembre de la même année, elles ont quitté le centre d'accueil pour demandeurs d'asile d'Ormberg. Tout le monde supposait qu'elles étaient parties de leur plein gré et personne n'a déclaré leur disparition à la police. La sœur d'Azra, Esma, pensait qu'elles étaient retournées en Bosnie, mais à mesure que le temps passait et qu'elle restait sans nouvelles, elle en est venue à les croire décédées.

Manfred tend le bras pour attraper la bouteille d'eau minérale posée sur la table, en avale une gorgée et continue :

— Nermina Malkoc a sans doute été assassinée au début de l'année 1994. Nous avons pu déterminer la date parce qu'elle a été opérée à la mi-novembre 1993 et que la fracture n'avait pas eu le temps de cicatriser pleinement lorsqu'elle est morte. Elle a vraisemblablement été tuée par des coups violents. Son corps a été dissimulé sous les pierres du monticule et n'a été exhumé qu'en 2009 par un groupe de jeunes.

Manfred m'adresse un signe du menton.

Tous les regards sont braqués sur moi et je sens mes joues devenir cramoisies. Je suis profondément mal à l'aise chaque fois qu'on parle de cette histoire.

Manfred se tourne à nouveau, observe la frise et trace une croix en son milieu.

— Nous sommes arrivés à Ormberg le 22 novembre pour enquêter sur la mort de la fillette inconnue.

Le 27 novembre, nous avons réussi à l'identifier comme Nermina Malkoc – ce qui restait à confirmer. Quatre jours plus tard, le vendredi 1er décembre, Peter et Hanne ont disparu. Hanne est réapparu le samedi 2 décembre au soir en état d'hypothermie et désorientée. Nous sommes toujours sans nouvelles de Peter. Azra a été tuée, sans doute le vendredi 1er décembre. Personne n'a rien vu ni n'a entendu le coup de feu. Le corps a été découvert le 5 décembre – mardi dernier donc. Le médecin légiste a confirmé que la femme a reçu une balle en pleine poitrine, de face, tirée avec une arme de petit calibre à une distance d'une vingtaine de mètres. Elle était pieds nus. Selon les techniciens de la Scientifique, il s'agit très probablement d'Azra Malkoc, la mère de Nermina. Non loin de la dépouille, on a retrouvé une des chaussures de Hanne, tachée du sang d'Azra Malkoc. Aussi pouvons-nous relier notre collègue à la scène de crime. Elle portait également un collier appartenant vraisemblablement à la victime.

J'interviens :

— Les techniciens ont confirmé qu'il s'agit bien du sang d'Azra sur la basket de Hanne ? La dernière fois, ils avaient uniquement vérifié le groupe sanguin.

Manfred s'affale sur une chaise avec un long soupir.

— Oui.

— Et le médaillon…, ajoute Malik. Les techniciens ont-ils eu le temps de l'examiner ?

— Oui, rapidement, répond Manfred. Selon eux, il n'a sans doute pas été fabriqué en Suède, ce qui semble logique. Ils ont également confirmé qu'il renfermait des cheveux humains. Ils vont réaliser un test ADN. Apparemment, ils ont trouvé quelques racines de cheveux et vont donc pouvoir, nous l'espérons, mener une analyse ADN classique. S'ils n'y parviennent pas, ils devront chercher l'ADN mitochondrial. Ne me demandez pas d'explications… Ce que je sais, c'est que c'est plus long et moins précis.

Andreas secoue lentement la tête.

— Comment diable Hanne a-t-elle récupéré ce bijou ?

— Elle n'en a aucune idée, dis-je. Elle ne se souvenait de rien lorsque nous lui avons posé la question.

Manfred se masse les tempes du bout des doigts, puis il se retourne et observe la frise chronologique qui s'étire de 1993 à 2017. Les deux extrémités sont entourées de mots, mais le milieu est vide, à l'exception de la croix en 2009, l'année où Nermina a été déterrée.

— Nermina est morte en 1994. Azra a été assassinée vingt-trois ans plus tard. Elles ont été découvertes au même endroit. C'est forcément le même coupable. Stefan Olsson avait vingt-cinq ans quand Nermina a été tuée. Il résidait à Ormberg. Il peut être l'auteur des deux crimes.

— Oui, mais…, commence Andreas avant de tomber dans le mutisme.

— Peter et Hanne étaient peut-être sur sa trace, poursuit Svante.

— Oui, mais, répète Andreas. Où Azra Malkoc a-t-elle vécu pendant plus de vingt ans ? Ni les autorités suédoises ni celles de Bosnie n'ont d'informations sur elle.

— Elle est peut-être restée cachée, suggéré-je. Mais pas dans les parages, nous l'aurions su.

— C'est vrai, Ormberg est trop petit, répond Manfred. Impossible de s'y dissimuler. Mais à Stockholm…

266

peut-être. Ou dans les Balkans… Sans doute. Surtout si personne ne vous cherche.

Il hausse les épaules.

— Attendez, reprend Andreas. Sa fille a été assassinée. Pourquoi elle n'a pas contacté la police ?

— Elle avait peut-être peur d'être expulsée ? propose Suzette.

Elle a lâché son bloc et se penche en avant de sorte que ses seins reposent sur la table.

— Sûrement, dis-je. Mais quand son enfant vient d'être tué, on se tourne quand même vers la police, non ? N'est-ce pas plus important de faire arrêter le criminel que d'obtenir l'asile ?

C'était déjà trop tard, avance Malik, d'une voix hésitante. Elle avait perdu sa fille, rien ne pouvait changer cela. Elle a peut-être fui. Puis elle est revenue à Ormberg pour lui faire ses adieux. Comme quand on va se recueillir sur une tombe.

— C'est possible, reconnaît Manfred. C'est même crédible.

— Il y a une autre éventualité : partons de l'idée que Stefan Olsson n'est pas en cause. Quand un enfant est tué, le coupable est le plus souvent un parent. *Si* Azra, pour une quelconque raison, avait tué sa fille, cela pourrait expliquer pourquoi elle s'est évanouie dans la nature.

— Ça peut se concevoir, admet Manfred. Mais dans ce cas, qui a assassiné Azra ?

— Peut-être quelqu'un qui cherchait à se venger ? suggère Suzette. Quelqu'un qui savait qu'elle avait tué sa fille et qui voulait rendre justice, en quelque sorte.

— Stefan Olsson, dit Andreas. Il a peut-être…

Manfred lève les yeux au ciel – j'ai l'impression qu'il trouve notre raisonnement tiré par les cheveux.

Je m'éclaircis la gorge.

— Sa sœur nous a informés qu'Azra était enceinte. J'ai calculé. Elle devait en être au cinquième mois quand elle a disparu. Si elle a mené sa grossesse à terme, elle a dû accoucher au printemps 1994. Nous devrions contacter les cliniques.

— Bien, Malin ! s'exclame Manfred. Très bien.

Son enthousiasme démesuré me donne la sensation d'être une écolière qui a eu vingt sur vingt à son interrogation.

Svante, qui semblait plongé dans de profondes réflexions, prend tout à coup la parole :

— Pourquoi se promenait-elle pieds nus dans les bois ?

— Elle venait peut-être de descendre d'une voiture ? propose Suzette. Il y a une route à proximité.

— Elle a pu perdre ses chaussures quand on l'a poursuivie ? intervient Malik.

— Hum, oui, dit Manfred. C'est un peu étrange, mais j'imagine que c'est possible.

Un silence de plomb s'abat sur la pièce. Svante se tortille sur sa chaise.

— Avons-nous d'autres suspects ? s'enquiert Suzette.

— Pas vraiment, concède Manfred. Il y a un pédophile, Henrik Hahn, qui purge sa peine à Karsudden. Il a été condamné à des soins psychiatriques en 2014. Il avait une permission samedi, mais pas vendredi. Si nous sommes sûrs de la chronologie des faits, nous pouvons le rayer de la liste. En outre, ironie du sort, il servait en

Bosnie comme soldat de l'ONU début 1994. Il ne peut pas être impliqué dans la mort de Nermina. Svante, ton équipe a parlé avec sa femme, pas vrai ?

— Tout à fait. Il a un alibi pour le samedi et le dimanche. D'ailleurs, j'avais déjà rendu visite à Henrik Hahn.

Cela suscite ma curiosité.

— Comment était-il ?

— Sympathique, ouvert. Comme le sont souvent les pédophiles. Il faut de bonnes compétences sociales pour approcher les victimes.

Andreas grimace.

— Quelle horreur !

— D'autres suspects ? fait Malik.

— Un certain Björn Falk, répond Manfred. Condamné pour violence, agressions et harcèlement à l'encontre de femmes. A été plusieurs fois sous le coup de procédures d'éloignement. Amenez-le au poste pour l'interroger. N'oublions pas que ces homicides peuvent avoir des motifs racistes ou xénophobes. Je vais appeler la Säpo[1], voir ce qu'ils en pensent.

— Et maintenant, on fait quoi ? demande Suzette, les yeux rivés sur ses ongles.

— J'aimerais qu'on approfondisse quelques questions, explique Manfred. *Primo*, je veux tout savoir sur Stefan Olsson. Sa vie. Ce qu'il a foutu ce fameux vendredi. Exactement quelles planches il a clouées au centre pour réfugiés, avec qui il couche et même ce qu'il bouffe au petit déjeuner. Tout.

---

1. Service de renseignement suédois. *(N.d.T.)*

Il écrit *Stefan Olsson* sur le tableau blanc.

— À part boire de la bière, je crois qu'il ne fiche pas grand-chose, ironise Andreas.

Suzette réprime un gloussement.

Manfred continue comme s'il n'avait pas entendu.

— *Deuzio*, si Hanne a perdu ne serait-ce qu'un cheveu dans son jardin, je veux qu'on le trouve au cours de la perquisition, compris? Et nous devons recenser toutes les personnes qui ont vécu ou travaillé au centre d'hébergement au début des années quatre-vingt-dix. Azra et Nermina n'avaient pas beaucoup de contacts avec le reste de la société. Il est fort probable que le coupable ait résidé dans le centre ou qu'il s'y soit rendu à un moment donné. En outre, Esma a dit que sa sœur et sa nièce allaient obtenir de l'aide pour rejoindre Stockholm. Qui allait leur donner ce coup de main? Stefan Olsson? Et essayez de retrouver ce Tony, l'ancien gardien dont nous a parlé la directrice.

Manfred écrit *Centre d'accueil pour les réfugiés*.

— *Tertio*, nous devons comprendre où est passée Azra Malkoc après la mort de sa fille. Personne ne disparaît pendant vingt ans sans laisser de traces. Vérifions à nouveau auprès des autorités suédoises et bosniennes pour être sûr de n'avoir rien raté. Et nous devons retrouver la famille d'Azra. Il doit bien rester quelqu'un, même si tout le monde s'est entretué pendant la guerre. Prenez contact avec les maternités pour voir si Azra ou une femme qui aurait pu être Azra a accouché en 1994.

Manfred note *Azra*.

— Et après? demande Andreas.

— Après…

Dans un grincement de feutre, les mots *Peter et Hanne* apparaissent sur le tableau.

— Nous devons localiser Peter et découvrir ce qu'il s'est passé ce soir-là. Ils savaient quelque chose. On a plusieurs filons à exploiter. Continuer à rendre visite aux habitants. Essayer de dégoter la voiture de Peter. Il faudrait aussi mettre la main sur le journal de Hanne. Je suis sûr qu'elle y consignait leurs moindres mouvements.

Je me penche en avant, plonge les yeux dans ceux de Manfred.

— Nous avons remué ciel et terre. Aucune trace de ce carnet. Ni à leur hôtel ni dans notre bureau. Elle devait l'avoir avec elle quand elle a disparu… Il pourrait être dans le véhicule de Peter ou…

— Démerdez-vous pour me retrouver ce cahier !

J'opine, interdite.

— J'ai pensé à un truc, intervient Andreas. Le monticule. Pourquoi y a-t-on trouvé Azra *et* Nermina ?

— C'est peut-être une coïncidence ?

Manfred se lève. Lisse sa veste. Marche jusqu'à la carte d'Ormberg. Les courbes de niveau qui enceignent le mont Ormberg évoquent un gigantesque œil écarquillé qui nous observe depuis le mur.

Notre collègue nous tourne le dos, muet, effectuant un léger mouvement de balancier de son corps imposant. Puis, sortant un feutre de sa poche de costume, il murmure :

— *Nermina. Azra. La chaussure ensanglantée de Hanne.*

Il trace un épais cercle rouge autour du monticule de pierres. Un autre. Encore un autre. La mine crisse sur le papier, accompagnant l'apparition des ellipses écarlates.

On frappe à la porte, mais personne ne bouge ni ne parle. Nous sommes tous hypnotisés, les yeux rivés à la carte.

Manfred se retourne. Me regarde droit dans les yeux. Range posément le stylo dans sa poche.

— Ça ressemble à une coïncidence, pour toi ?

Des coups se font à nouveau entendre, la porte s'ouvre en douceur et une jeune femme brune que je reconnais vaguement passe la tête dans l'embrasure.

— Une certaine Gunnel Engsäll, du centre pour réfugiés d'Ormberg, a téléphoné. Elle voudrait parler avec l'un d'entre vous.

Manfred croise les bras.

— Dis-lui qu'on la rappellera lundi.

La femme hésite. Se balance d'un pied à l'autre.

— Apparemment, c'était important.

— Tu es bouchée ou quoi ? On en parle avec elle lundi.

La femme, au visage à présent rubicond, ne se laisse pas convaincre.

— Mais… Visiblement ils ont repéré une immense flaque de sang derrière le bâtiment.

Gunnel Engsäll nous attend à l'entrée du centre d'accueil. Derrière les fenêtres, j'entrevois des visages inquiets ; des enfants curieux, le front appuyé contre les carreaux ; une femme qui en écarte son fils et l'étreint contre elle, protectrice.

Manfred, Andreas, Malik et moi nous sommes rendus sur place. Nos collègues sont rentrés. Après tout, c'est samedi soir, et la probabilité que la tache de sang ait quelque chose à voir avec les meurtres est encore considérée comme minime.

Gunnel endosse avec peine son épais anorak à bandes réfléchissantes. Autour de son cou, je devine le gros scarabée en émail. Lampe torche à la main, elle s'achemine devant nous le long de la façade.

— C'est Nabila, une des fillettes, qui a trouvé le sang. Je ne sais pas depuis combien de temps il est là. Étant donné…

Elle paraît hésiter. Enjambe une branche à terre. Se racle la gorge.

— Enfin… Avec tout ce qui s'est passé, j'ai songé qu'il valait peut-être mieux vous appeler.

— Vous avez bien fait, lui dis-je.

Des silhouettes d'arbres se découpent sur le ciel noir. Gunnel s'arrête et braque sa lampe sur le sol, à environ un mètre cinquante du tronc le plus proche. Là, dans la neige, j'aperçois une mare grenat visiblement gelée d'une cinquantaine de centimètres de diamètre.

Malik sort de son gros sac une lampe de poche qu'il dirige vers la flaque. Il effectue quelques pas. S'accroupit.

— Effectivement, on dirait du sang. Et il y a comme des gouttes tout autour.

Il montre du doigt les petits points sombres.

— Et une longue traînée de gouttelettes entre le tronc et la flaque, ajoute-t-il avec un geste circulaire.

— Comme si une personne blessée avait marché du tronc jusqu'ici.

— Hum, commente Malik.

— Quoi ? fais-je.

— On a deux problèmes, répond-il en inclinant la tête sur le côté. En premier lieu, le sang est posé sur la surface de la neige… comme un vernis. Le sang frais est chaud. Il aurait fait fondre la neige et creusé un trou.

Gunnel tourne la tête, mais je devine son expression dégoûtée.

— Et en second lieu…

— Il n'y a pas de traces de pas, interrompt Manfred. Si une personne blessée avait marché ici, on aurait des empreintes dans la neige.

— Exactement, réplique Malik. Pas d'empreintes entre l'arbre et la flaque. Mais beaucoup autour de l'arbre.

— Le sang a peut-être giclé, suggère Andreas.

— Les éclaboussures, ça ne ressemble pas à ça. Ici, on voit clairement des gouttes, affectées tout simplement par la gravitation, comme si elles étaient tombées dans la neige depuis…

Malik se lève, renverse la tête en arrière et braque la lampe de poche vers la cime de l'arbre.

À environ quatre mètres au-dessus de nos têtes, une masse informe et sanguinolente pend à une corde qui court sur une grosse branche et descend le long du tronc.

Malik suit le câble de son halo lumineux : il est accroché à une branche plus fine à un mètre cinquante du sol. Malik éclaire à nouveau la forme suspendue.

Sous la couche de sang, je distingue quelque chose qui ressemble à de la peau blanche.

— Nom de Dieu de nom de Dieu, marmonne Manfred.

Jake

J'ai passé quasiment toute la journée au lit, à me creuser les méninges. Comment est-ce possible ? La police a emmené mon père ce matin.

Je tente de me persuader que tout va rentrer dans l'ordre.

Non pas que je craigne que les policiers lui fassent du mal – nous sommes en Suède, tout de même. Mais… qu'arriverait-il si, ne le croyant pas, ils décidaient de le garder en cellule à Örebro ?

Au même moment, une autre inquiétude s'empare de moi. Latente, plus sombre et quasiment impossible à identifier. Plus effrayante que tous les monstres, les créatures infernales et les catastrophes naturelles réunis. Tellement taboue qu'y penser – et la formuler – relève de la pire des transgressions.

Et si mon père était réellement impliqué dans une entreprise criminelle ? S'il allait en prison ? S'il disparaissait comme ma mère ?

Mon estomac se rétracte. Mes yeux brûlent. Comment imaginer que mon père ait tué quelqu'un ? C'est inconcevable. Il est trop gentil. Trop déconnecté, si je puis dire. Il n'arrive déjà pas à faire des crêpes et à participer aux rencontres parents-professeurs. Comment pourrait-il *assassiner* quelqu'un ? Or, les images du fusil, de la chemise déchiquetée et maculée de sang derrière le panier à linge dans la buanderie reviennent me hanter.

Sans compter qu'il a été bizarre ces derniers temps. Plus fatigué qu'à l'ordinaire. Et maussade.

Ces considérations mettent le feu aux poudres de mon cerveau. J'ai l'impression qu'il va exploser en mille morceaux, à l'instar de la tour Eiffel.

Je me redresse dans mon lit, mon corps secoué par un mouvement de balancier. Dehors, la nuit est déjà tombée. Une journée entière s'est écoulée, et je n'ai rien fait.

Je décide d'aller dans la chambre de Melinda. Par texto, ma sœur m'a informé qu'elle rentrerait à dix-huit heures et qu'elle apporterait quelque chose à grignoter. La pièce, plongée dans la pénombre, est imprégnée d'une odeur de cigarette. Je m'approche de la penderie, en saisis la poignée – un coquillage en plastique pailleté.

La porte du placard ouverte, un grand calme m'envahit, comme si les vêtements me susurraient que tout allait s'arranger. Que mon père reviendrait sous peu et que tout serait comme avant.

Ôtant mon tee-shirt, j'enfile une robe noire ajustée. Dans la lumière vermeille de la lampe de chevet, ma peau semble rosâtre, comme un jambon de Noël. Les habits de Melinda sont plus seyants que ceux de ma mère : plus petits, plus cintrés – même s'ils pendent encore un peu.

Je saisis le rouge à lèvres posé sur le bureau. Parvenir au résultat escompté n'est pas chose facile – les filles doivent probablement s'exercer un bon bout de temps avant de réussir à se farder convenablement. Il leur faut sans doute des années de pratique pour frôler la perfection.

Oh, je compte bien m'améliorer ! Je vais m'entraîner jour et nuit jusqu'à ce que les traits d'eye-liner soient droits et le rouge à lèvres symétrique ; jusqu'à ce que le fard à joues marque le *point le plus élevé de la pommette* et que le mascara ne dégouline pas sous les paupières.

Je me ferai la main jusqu'à atteindre la beauté de Melinda.

Le tube de rouge remis à sa place, j'examine mon visage dans le miroir grossissant de son bureau.

Deux poils épais et répugnants jaillissent de ma peau au-dessus de la lèvre supérieure. Au fond de la trousse à maquillage, je déniche la pince à épiler que ma sœur utilise pour ses sourcils. J'arrache les poils avec leur racine. La douleur est telle que les larmes me montent aux yeux.

Après, je me sens mieux. Campé devant le miroir en pied, je me redresse un peu, coince une mèche de cheveux derrière l'oreille.

Je hasarde un sourire. La fille dans la glace y répond, comme si nous partagions un secret.

Un jour, me dis-je, un jour je deviendrai toi pour de vrai.

C'est une pensée merveilleuse, légère comme un papillon, aussi libératrice qu'un rayon de soleil sur la peau nue après un long hiver, aussi excitante que les lèvres suaves de Saga contre les miennes.

Je sais néanmoins que c'est abject.

Je suis un garçon et je ne pourrai jamais, ô grand jamais, me montrer ainsi. C'est ignoble, infâme, honteux. C'est contre Dieu, contre nature et contre toutes les lois non écrites d'Ormberg.

Comme pisser sur la Bible.

« Dépravé ». Voilà un mot que j'ai appris hier et qui me définit à merveille. J'ai cherché son sens sur Internet. Il signifie *vicieux, corrompu, débauché, pervers, licencieux, déréglé, morbide*.

Je suis *dépravé*… Alors comment se fait-il que je me sente si bien ?

Je deviendrai un jour un homme. Quoi que je fasse, je ne pourrai y échapper.

C'est inscrit dans mes gènes – le chromosome Y. Un jour, quand mon corps l'aura décidé, ce salaud de chromosome Y enverra l'ordre à mon organisme de produire des hormones masculines qui me transformeront en monstre. En brute pileuse et repoussante aux muscles saillants qui ne pensera qu'à « arriver à ses fins ».

Comme les musulmans au centre pour demandeurs d'asile. Comme Vincent, Albin et Muhammed. Comme tous les hommes de la Terre.

Même mon père.

Nous avons étudié ça en cours de biologie – cette mue n'a plus de secrets pour moi. Je sais qu'elle est inévitable. J'ai envie de pleurer.

De retour dans ma chambre, toujours paré de la robe de Melinda, je m'installe sur mon lit et sors le journal de Hanne. Je l'ouvre à la page cornée. Les pattes de mouche inclinées ne sont plus difficiles à lire – presque comme si je les avais moi-même tracées.

Je ne décolère pas contre Hanne. Je crois toutefois qu'elle me comprendrait. Elle ne me traiterait pas de dépravé.

De retour dans le bureau. Réunion de coordination.
Pour l'instant, notre seul suspect est Stefan Olsson
– et nous n'avons rien contre lui hormis ses propres
mensonges.
Nous recensons ses faits et gestes en détail.
Son casier judiciaire est vierge, mais à quatorze ans
il a été soupçonné d'avoir mis le feu à l'ancienne
scierie jouxtant la rivière. Sa culpabilité n'a toutefois
jamais été démontrée. Il semble avoir vécu une vie
ordinaire : une femme, deux enfants, un emploi chez
Brogren – jusqu'à ce qu'il soit licencié pour état
d'ébriété à répétition. Puis tout est allé de mal en
pis : la mort de son épouse, ses problèmes d'alcool
de plus en plus graves.

Je me mords la lèvre avec une telle force que le goût
du sang se mêle à celui du rouge à lèvres.

L'ancienne scierie… Ce sont des skinheads qui l'ont
incendiée, pas vrai ? Mon père me l'a répété à maintes
reprises. Pourquoi y aurait-il mis le feu ?

Quant à son travail chez Brogren… il l'a perdu parce
que l'usine a mis la clef sous la porte.

N'est-ce pas ?

J'ai des élancements dans le ventre comme si,
debout devant un précipice, je plongeais mon regard
vers l'abîme. En même temps, je suis en colère. Surtout
contre Hanne qui accuse mon père de tous les maux sans
avoir aucune preuve. Je venais à peine de la pardonner
pour les ordures qu'elle a écrites à propos de ma famille.

À nouveau ce tiraillement dans l'estomac. Je
comprends tout à coup ce que c'est.

La sensation de ne pouvoir faire confiance à personne. D'être seul au monde.

Je serre le journal entre mes doigts et reprends ma lecture.

C'est le soir. Le NOIR *m'entoure – au sens propre comme au figuré.*

P. est encore parti courir. J'en profite pour écrire quelques lignes.

Tout à l'heure, j'ai forcé P. à s'asseoir sur le lit pour parler. (Il n'y a qu'une chaise dans la chambre, nous discutons sur le lit.)

Il a semblé étonné, peut-être un peu hésitant, mais s'est malgré tout laissé tomber sur le matelas, les bras théâtralement croisés sur la poitrine.

Je lui ai dit que je le trouvais maussade, renfrogné, qu'il ne me regardait plus et qu'au travail il faisait comme si je n'existais pas.

P. m'a répondu que j'étais hypersensible, qu'il m'aimait. Il s'est penché en avant d'une façon un peu gauche pour m'étreindre.

Et là, VLAN *! je lui ai flanqué une gifle ! J'ignore ce qui m'a pris – je ne suis pas d'un naturel violent. Je crois que je n'ai jamais frappé qui que ce soit, pas même étant enfant – j'étais une binoclarde timide et boulotte, un rat de bibliothèque passionné par les « Esquimaux ». Pas le genre qui tape ses camarades.*

Je me suis confondue en excuses, désespérée par ma propre réaction.

P. m'a expliqué que c'était la « maladie », pas moi. Puis il est sorti courir.

Je suis seule à présent. Le vent du nord s'est levé et siffle devant la fenêtre. Ce n'est pas un temps pour faire un footing. Si nous ne nous étions pas disputés, j'aurais été inquiète pour lui – craignant qu'il tombe dans l'obscurité ou se fasse renverser par une voiture. Or, je n'ai plus de place pour les sentiments. J'ai en moi un grand vide, un abysse noir et infini.

Peut-être qu'Ormberg a fini par s'insinuer en moi.

Je suis interrompu par l'arrivée de Melinda. Elle se fige en m'apercevant et son sourire s'évanouit. Je suis tellement happé par le récit de Hanne que je ne comprends d'abord pas pourquoi. L'espace d'un instant, je crois que c'est parce que la police a embarqué notre père.

Puis j'ai un éclair de lucidité. La réalité me frappe en pleine figure, aussi violente et froide que les boules de neige que me lance Vincent.

Je porte la robe de Melinda.

Je suis assis sur mon lit, moulé dans un fourreau noir, les lèvres peintes en rouge.

La mort doit avoir ce goût, ai-je le temps de penser, avant que Melinda ne se précipite hors de ma chambre en claquant la porte.

Malin

— Tu n'as pas bientôt fini ?

Manfred suit Malik des yeux avec une impatience non dissimulée. Ce dernier vient de passer une demi-heure à prendre des photos, des mesures et à effectuer des prélèvements.

— C'est bon, tu peux détacher la corde.

Manfred s'exécute. Avec des craquements de mauvais augure, il fait descendre l'objet suspendu, cet amas écarlate que Malik éclaire de sa lampe de poche. C'est quelque chose d'organique, sans être humain. Un peu comme un membre amputé difficile à identifier.

— Merde !

Manfred trébuche, pousse un cri et lâche la corde qui, sifflante, défile entre ses mains nues. La chose atterrit avec un bruit sourd, soulevant un nuage de poudreuse.

Manfred accourt. Se frotte les mains avec une grimace de douleur. Andreas esquisse un pas en avant, mais se fige aussitôt.

— Bon sang de bon sang !

Je me penche pour mieux voir.

C'est une tête de cochon sanglante harponnée à un croc de boucher rouillé.

Un léger tremblement secoue la main de ma mère lorsqu'elle verse du café dans les petites tasses ornées de dorures. Elle a sorti le beau service, celui que mes grands-parents réservaient aux occasions spéciales – les diplômes, les anniversaires, la Saint-Jean.

En revenant du centre d'accueil, j'ai pris une longue douche. Comme si l'eau brûlante pouvait laver le souvenir de la tête de porc sanglante et de cette autre chose, nettement plus grave – la haine, si viscérale qu'elle exhorte à hisser un morceau de cochon à deux pas d'un logement pour des réfugiés musulmans.

Malik nous a expliqué par le menu les raisons pour lesquelles cet animal et sa chair sont considérés comme impurs et *haram* – interdits – par l'islam.

L'affront – ou la menace – vise directement les réfugiés. Reste à savoir s'il y a un lien avec notre enquête.

Je contemple Margareta. Elle lève un bras ridé, constellé de taches de soleil. Sa tasse repose au creux de sa paume, comme un bijou.

— Juste une gorgée, déclare-t-elle, soudain prise d'une quinte de toux. Je dois continuer ma route. J'en ai promis quelques kilos à Rut et Gunnar.

Margareta est passée chez ma mère pour lui donner un rôti d'élan surgelé. Des chasseurs ont abattu plusieurs bêtes sur ses terres. Elle a tellement de viande qu'elle ne sait plus quoi en faire.

Ma mère s'assied, secoue la tête et se tourne vers moi, les yeux emplis de méfiance et de peur.

— Mais c'est *abominable*, Malin. On a vraiment défiguré cette pauvre femme à coups de pierre ?

Je regrette immédiatement d'avoir parlé des blessures d'Azra. Or, ça ne doit pas être une nouveauté pour Margareta. Elle est au courant de tout ce qui se passe à Ormberg, parfois même avant que les événements se produisent.

— Oui, c'est terrible.

Ma mère pose la cafetière sur la table.

— Qui fait ce genre de chose ? Ça ne peut pas être quelqu'un d'ici.

— Évidemment ce n'est pas quelqu'un du village, crache Margareta. Il y a tellement de vermine qui traîne de nos jours qu'on ne sait plus où donner de la tête.

Avalant une gorgée de jus de chaussette brûlant, je me demande quelle serait leur réaction en apprenant que Stefan Olsson a été écroué. Un homme qui n'est ni arabe ni de la capitale. Qui est aussi enraciné que nous dans le terreau ormbergien.

— Et le policier de Stockholm. Pas de nouvelles ? poursuit ma tante.

— Non, mais nous allons le trouver.

— Ça, on ne peut pas en être sûr. Un jour, j'ai accouché une femme dont le mari s'est perdu près de Marsjö. Ils ne l'ont jamais…

— Margareta, je t'en prie, l'interrompt ma mère. Tu es vraiment obligée de ?…

Ma tante affecte un air froissé.

— Ce que je veux dire, c'est que nos forêts sont étendues. Et nos lacs profonds. Il est possible de disparaître. Pour toujours…

— Nous allons le localiser. Il y a bien quelqu'un qui a vu quelque chose. Et Hanne, qui était avec lui dans les bois, a quelques réminiscences.

— Quoi, par exemple ? demande ma mère.

Je hausse les épaules.

— Je ne peux pas en parler.

Ma mère pose une main sur sa poitrine, comme terrassée par une crise cardiaque.

— Imaginez qu'il soit mort…

— Bien sûr qu'il est mort, tranche Margareta. Je n'ai pas souvenir d'un hiver aussi froid. Moins dix degrés. Trente centimètres de neige. Personne ne survit à ça. Vous le trouverez au dégel. J'en mets ma main à couper.

Ma mère laisse échapper un sanglot.

— Qu'est-ce qui se passe ici ? Ormberg a toujours été calme et sûr. Je ne comprends pas.

La lumière chaude éclaire sa joue rose et tombante

Je repense à ce que Hanne nous a raconté. À ses fragments de souvenirs qui ne sont peut-être pas réels, mais seulement un mélange de rêves et d'imagination.

Une idée me vient. Ormberg est minuscule et s'il y a bien deux personnes qui connaissent ses habitants, ce sont Margareta et ma mère.

— Vous connaissez quelqu'un qui lit des livres en anglais à Ormberg ?

— Des livres en anglais ?

Ma mère secoue la tête, les lèvres pincées. Margareta semble hésiter.

— Peut-être Ragnhild ? Je ne suis pas sûre, mais elle se targuait toujours d'avoir été professeur de langues. Ça ne m'étonnerait pas qu'elle lise en anglais… Ou peut-être Berit. Elle avait un compagnon irlandais dans les années quatre-vingt. Un jardinier. Apparemment, il était féru de littérature, surtout de gros bouquins. Travailler l'intéressait beaucoup moins, hélas. Berit n'a jamais su choisir les hommes.

Margareta soupire en esquissant un geste négatif.

Autant poser la deuxième question, me dis-je après quelques secondes de réflexion.

— Vous qui avez vécu ici longtemps… savez-vous à quand remonte l'histoire de l'enfant-fantôme ?

Les deux belles-sœurs échangent un regard.

— Ma chérie, s'anime ma mère en agitant la tête. Ce ne sont que des bêtises !

— Je le sais bien ! Mais *quand* la rumeur a-t-elle commencé ?

Ma mère cherche la réponse au plafond.

— Je ne suis pas sûre… Peut-être quand tu étais petite.

— Ivar-la-fange a vu le gosse, intervient Margareta avec empressement. Il a aperçu un nourrisson tout nu dans l'herbe près du monticule. Pâle comme la mort. Les lèvres bleues. Mais quand il a voulu le prendre dans ses bras, *pouf !* il s'est volatilisé.

Ivar-la-fange, le frère de Gunnar Sten, vivait de l'autre côté de l'église, près du marais. Il est décédé il y a huit ou neuf ans. Atteint d'une pathologie mentale, il était persuadé que les Ormbergiens lui avaient greffé des émetteurs radio dans les dents pour l'espionner. Un hiver, il a enveloppé toute sa maison dans du papier bulle pour empêcher les ondes d'y pénétrer.

Je me suis bien payé sa tête, avec mes amis. Nous avons grimpé sur le faîte de son toit pour y enfoncer un gros couteau peint en rouge. Aujourd'hui, j'en ai honte.

— Ivar-la-fange était malade, dis-je.

— Oui, mais il a *vu* l'enfant, insiste Margareta, sérieuse.

— Il voyait beaucoup de choses, réplique ma mère. Je serais toi, je ne lui ferais pas confiance.

— C'était quand ?

Les lèvres fines et ridées de Margareta forment une petite moue.

— Après que Berit a mis le feu à sa vieille guimbarde, je crois. Oui, j'en suis sûre. Mais avant que Rut et Gunnar construisent leur véranda tape-à-l'œil.

— Et ça, c'était quand ?

Margareta hausse les épaules.

— Aucune idée. Mais je peux demander à Ragnhild. Peut-être qu'elle s'en souvient.

Elle se redresse, dégage une mèche de cheveux fins de sa main ridée et prend sa respiration, comme prête à raconter une autre histoire.

Je ne lui en laisse pas le loisir.

— Bon, je crois que je vais me coucher. Je dois me lever tôt demain matin.

— Demain ? Tu travailles un dimanche ?

— On enquête sur un homicide, maman.

— Alors, je ne vais pas vous déranger plus longtemps…

Margareta semble déçue que je ne souhaite plus l'écouter. Elle vide sa tasse et la pose sur la soucoupe avec un petit claquement. Elle se lève. Me regarde dans les yeux, l'air grave.

— Promets-moi de faire attention, Malin.

Avec une légère pression sur l'épaule de ma mère, elle la remercie pour le café et s'éloigne vers le vestibule. Ma mère disparaît derrière elle.

Je balaye la pièce du regard.

Enfoncée dans le canapé défraîchi de mes grands-parents, la vieille tasse à café à la main, impossible de réprimer l'angoisse qui m'envahit. Tout dans cette pièce – le papier peint décoloré, le sofa élimé, les paysages montagneux dessinés d'une main maladroite – me renvoie impitoyablement à mon enfance, à mon adolescence. Les bains de minuit dans la rivière, les fêtes arrosées et le pelotage dans les sous-sols aménagés, les dîners interminables et rasoirs avec Margareta et Magnus-le-couillon.

C'est ici que j'ai grandi... Je saisis l'anse élégante de la tasse pour la porter à ma bouche. La vapeur du café me brûle les lèvres.

Tout cela, c'est moi. Mais pas pour longtemps. Bientôt, je vivrai loin d'ici. À Stockholm.

Mon petit appartement lugubre à Katrineholm avec cuisine et salle d'eau adaptées aux personnes handicapées n'est que la première étape de ma fuite.

J'ai beau éprouver de la mélancolie, je sais que c'est la bonne décision : je dois mettre les voiles – je l'ai toujours su, je crois. Non que mon enfance fût malheureuse – j'avais une foultitude d'amis et des parents qui n'étaient ni meilleurs ni moins bons que d'autres. Or, il y a quelque chose dans ce village que je ne supporte pas. Comme si l'air était poisseux, irrespirable ; comme si les forêts m'observaient ; comme si tous les misérables individus incapables de s'extirper d'ici s'évertuaient à me retenir.

Peut-être ai-je peur d'Ormberg – ou plus exactement, de ce qu'Ormberg ferait de moi si je restais. Je suis persuadée que je me transformerais, serais engloutie dans le désespoir qui plane sur ces contrées et deviendrais comme tous les autres.

Gris, étroits d'esprit, sans rêves.

Et puis, il y a mon père. Et Kenny. Et le squelette sous les pierres qui n'était pas un champignon, mais une fillette assassinée.

Ils sont tous ici, à Ormberg : les morts qui refusent de me laisser en paix.

La femme sans visage est venue s'ajouter à cette litanie.

En pénétrant dans la pièce, ma mère me trouve sur le canapé, la photographie encadrée de mon père étudiant entre les mains.

Elle me contemple longuement, muette.

Quoique la mort de mon père ne m'ait pas plongé dans le même état de choc que celle de Kenny, il me manque énormément.

Nous étions très proches. Plus proches que ma mère et moi à bien des égards. Peut-être parce que nous nous ressemblions tant : impulsifs, fougueux, tout en étant pragmatiques et réticents face aux excès de sentimentalisme.

Plus jeune, mon père était assez sportif. Nous faisions du ski l'hiver, du camping sur le bord du lac Långsjön l'été. Ma mère ne nous accompagnait pas : elle ne voyait pas l'intérêt, je crois, de dormir sous une tente alors qu'on avait une maison tout confort.

Lorsque le cœur de mon père s'est mis à faire des siennes, nous avons cessé les escapades et trouvé un succédané. Assis devant le poêle, nous imaginions des voyages, sachant qu'ils ne se concrétiseraient jamais : Rome, Paris, Cracovie et Prague. Mon père aimait les grandes villes.

Ma mère me retire délicatement le cadre des mains et le repose à sa place sur l'étagère. Elle se laisse tomber à côté de moi. Le canapé craque sous son poids – j'ai l'impression qu'il va se briser. La tête penchée sur le côté, elle me dévisage. Me caresse doucement la joue.

— J'ai discuté avec le pasteur aujourd'hui. C'est d'accord pour le jour de la Saint-Jean.

— Merci. C'est adorable de ta part.

— J'ai aussi indiqué à Margareta que nous allons peut-être utiliser sa grange.

— Maman, je t'ai dit que je ne voulais pas organiser la réception là-bas.

— Mais *Malin*...

Elle emploie toujours ce ton légèrement réprobateur quand je n'ai pas le bon goût d'apprécier ses efforts.

— Je refuse d'organiser ça chez eux.

— C'est trop petit chez nous. Nous n'aurons pas la place.

— Si. On peut mettre une tente dans le jardin.

Ma mère secoue la tête. Son double menton d'une blancheur diaphane tremblote. Elle claque sa tasse contre la soucoupe, manquant de la casser.

— Une tente ? N'importe quoi ! Quand on peut avoir un toit au-dessus de la tête !

— Arrête, maman. Il est hors de question d'aller chez Margareta. Elle fourre constamment son nez dans les affaires des autres.

— Nous devons lui être reconnaissantes.

— Je sais. Mais là, c'est différent. C'est de *mon* mariage qu'il s'agit! D'accord?

Ma mère émet un grognement, mais je vois qu'elle s'est résignée.

Margareta a toujours eu la haute main sur les affaires d'Ormberg. En tant que grande propriétaire foncière, elle est plus prospère que d'autres, ce qui est difficile à croire au vu des misérables bicoques au fond des bois où elle vit avec Magnus.

Il n'y a pas une famille d'Ormberg qui ne lui ait pas déjà emprunté de l'argent. Cela lui a donné du pouvoir. Les gens l'écoutent et suivent le plus souvent ses conseils.

Son autorité est justifiée. Entreprenante, elle s'est pliée en quatre pour le village, s'est battue pour que la route soit rénovée et que le bus de Vingåker passe juste devant l'église. L'hiver dernier, elle a astreint la municipalité à améliorer le déneigement.

Ma mère pousse un profond soupir, mais renonce à me convaincre.

— Est-ce que tu as trouvé une robe?

Sa voix plus douce cherche la réconciliation.

— Non.

— Tu pourrais utiliser la mienne. Il faudra sérieusement la retoucher, bien sûr.

Elle s'esclaffe. Elle est en surpoids. Depuis toujours.

Ici, on ne parle pas de ce genre de choses. D'ailleurs, tout le monde s'en moque. Je me souviens vaguement qu'elle a suivi divers régimes, plus jeune. Un temps, elle n'ingérait que des œufs et de la salade iceberg. Pendant une autre période, à la fin des années quatre-vingt-dix, je crois, elle se nourrissait exclusivement de bouillons et de raisin. Après la mort de mon père, elle a renoncé à ses diètes, a succombé à son péché mignon : les aliments gras et les pâtisseries.

— Tu vas voir, ma chérie.

Elle se lève, se dirige vers la bibliothèque et revient avec un des vieux albums photo sous le bras.

— Maman. On ne peut pas regarder ça demain ?

— Je veux juste te montrer quelque chose.

Résolue, elle tourne les pages, faisant défiler les images de mon enfance : une fille gracile affublée de deux longues nattes couleur jais ; mon petit corps d'une pâleur inconcevable assis dans une piscine gonflable sur l'herbe ; la même fillette au volant de la caisse à savon de Magnus-le-couillon, Margareta qui me pousse dans l'allée gravillonneuse, et mon cousin qui m'observe de son air niais, ses lèvres charnues figées en forme de O.

Je bâille, mais cela échappe à ma mère qui feuillette l'album en sens inverse jusqu'au début.

— Là !

Le cliché de Polaroid fané représente mes parents devant l'église. Leur pose gauche et compassée m'arrache un sourire. Je ressens une tendresse inattendue, constituée pour moitié d'amour et pour moitié de douleur à cause de ce qui fut et ne sera jamais plus.

Mon père porte un costume sombre et une fleur rouge à la boutonnière, peut-être un œillet. Ma mère est moulée dans une robe en dentelle qui comprime ses bras potelés et sa poitrine plantureuse. L'étoffe est belle. On pourrait sans doute la réutiliser.

— Oui. Elle est magnifique.

— Il y a une excellente couturière à Vingåker…

— Je t'en prie, maman. Je préférerais choisir ma robe.

Ma mère se tait, glisse ses doigts boudinés sur le film plastique fin qui protège le cliché.

— Je pensais que…

Sa voix se brise. La mauvaise conscience m'envahit.

— Je vais y réfléchir…

Je saisis le grand livre. Tourne quelques pages.

— Ton premier été, dit ma mère avec un petit rictus.

Je fixe le portrait du poupon que je fus, à la recherche de traits familiers. C'est moi et en même temps pas vraiment. Ce visage rond ; ces yeux sombres ; cette lèvre supérieure légèrement trop épaisse et ces sourcils en accents circonflexes sur la peau blanche de l'hiver.

Une pensée me vient – peut-être parce que nous feuilletons un album plein de photographies de bébé. Je songe à notre rencontre avec Esma Hadzic à Gnesta, aux clichés d'Azra et de Nermina, à Esma qui caressait les images de ses doigts endoloris, comme ma mère vient de le faire.

Je me demande si Azra a eu un autre enfant et si c'est le cas, où il se trouve. J'ai appelé le médecin légiste pour lui demander quelle était la probabilité qu'Azra ait accouché de son deuxième enfant. Elle ne pouvait pas me répondre avec certitude, mais m'a expliqué que si Azra avait dépassé le premier trimestre de sa grossesse sans complication, il était vraisemblable qu'elle l'ait menée à terme et qu'elle ait mis au monde un enfant en bonne santé.

Je suis sûre que nous allons retrouver ce bébé, mort et enterré – ce n'est qu'une question de temps. Et je compte bien m'assurer qu'on le trouvera, quand bien même je devrais arracher tous les arbres de cette forêt. L'enfant a droit à une sépulture et Esma mérite de savoir ce qui s'est passé. Même si quelque chose chez elle me gêne.

Je comprends que l'on puisse fuir la guerre et la misère. Mais pourquoi moi et le reste des contribuables devrions-nous financer sa pension d'invalidité alors qu'elle aurait pu rentrer en Bosnie depuis longtemps ? Ma mère n'a jamais touché d'allocation et Dieu sait qu'elle en aurait eu besoin. Au lieu de quoi, elle a dû emprunter de l'argent à Margareta, comme tous les habitants du village.

Mon portable sonne au moment opportun : ma mère, visiblement plongée dans ses souvenirs, attire mon attention sur une photographie de moi en train de pêcher un brochet luisant et visqueux dans l'étang à côté de l'ancienne scierie.

Je décroche avec un geste d'excuse. C'est Max. Je lui demande de patienter et m'échappe du salon vers l'escalier.

Ma mère semble un peu déçue. Une nouvelle vague de mauvaise conscience déferle sur moi.

Retourner chez ma mère était vraiment une piètre idée – quand on est adulte, on ne doit pas vivre chez ses parents. Je ne comprends pas comment Margareta et Magnus se supportent. Mon cousin aurait dû quitter le nid il y a vingt-cinq ans.

Mais Margareta n'a personne d'autre. Magnus non plus.

La solitude est manifestement un ciment plus fort que l'amour.

Postée devant la fenêtre de mon ancienne chambre, je converse au téléphone avec Max. Aujourd'hui, il est d'humeur massacrante. Un cycliste qui a été percuté par un bus a gagné un procès contre sa compagnie d'assurance qui devra lui verser une pension d'invalidité conséquente.

— Il a été grièvement blessé ?

En lui posant la question, je glisse un doigt sur le carreau embué. Dehors tournoient les flocons.

Max me parle de cet homme de vingt-cinq ans, coincé dans un fauteuil roulant, contraint de vider sa vessie par cathéter, et de son « connard » d'avocat. Je sens le froid se diffuser en moi, accompagné d'un malaise, d'un agacement que je ne parviens pas à comprendre.

Peut-être est-ce l'insensibilité de Max. Ou parce que évoquer un accident de la route me fait à nouveau penser à Kenny.

— Tu trouves qu'il aurait dû ne rien toucher ?

Ce n'est pas ce qu'il a voulu dire, explique-t-il, mais il travaille tout de même pour une compagnie d'assurance, pas pour une émission de télévision larmoyante. D'ailleurs, je n'ai pas idée du nombre de types qui se font passer pour des « invalides », qui perçoivent leur indemnité pour ensuite retirer leur minerve et sauter sur le trampoline avec leurs enfants.

Je dessine un cœur dans la buée. Puis un autre.

— Quel boulot à la con !

— Plaît-il ?

Oui, il utilise l'expression « plaît-il ? ». Max a reçu une éducation bourgeoise. Jamais il ne lui viendrait à l'esprit d'employer les mots « quoi ? » ou « comment ? »

pour faire répéter son interlocuteur. C'est l'un de ces détails qui nous différencient. Qui m'attiraient peut-être au début.

— Je dis que tu as un boulot à la con. Tu es là, assis à ton grand bureau, avec les bras et les jambes en état de marche, et tu escroques des gens qui ne sont même pas capables d'aller pisser tout seuls.

Une pause.

— Merde, Malin. Quand est-ce que tu es devenue socialo ?

— Peut-être quand je t'ai rencontré.

Je raccroche. Fixe mon portable sans comprendre ce qui s'est passé. Quand je prends conscience de mon comportement, je le regrette d'emblée. J'ai insulté et blessé mon fiancé sans raison valable. Après tout, il ne fait que son travail.

Je sais que je devrais l'appeler pour m'excuser. Lui expliquer mon épuisement, la pression à laquelle nous sommes soumis. Lui parler d'Azra, Nermina, Peter. De la peur de retrouver notre collègue mort et, tout aussi effrayant, de ne pas le retrouver du tout.

Et aussi de cet autre sujet, celui que je n'ai jamais essayé d'aborder sérieusement : à quel point sa connaissance de ma famille et des gens qui vivent ici est limitée. Peu importe si ma mère et lui s'entendent à merveille, Max retourne toujours à Stockholm, dans son appartement de la fin du XIXᵉ siècle, impeccablement propre et rangé, garni de meubles de designers italiens dans le salon et de robinetterie en laiton chromé dans la salle de bains. Avec son lit au matelas en crin de cheval qui a coûté un mois de salaire – de *son* salaire, le mien ne suffirait pas, loin de là.

Pourra-t-il un jour saisir ce que c'est que d'avoir les jambes écrasées sous un camion ou de perdre son emploi au Roi du Tricot et de ne pas en trouver un autre parce que toutes les entreprises ont mis la clef sous la porte et que la commune n'a pas les moyens d'investir dans celles qui restent alors que les demandeurs d'asile reçoivent à manger, un toit et une formation sans lever le petit doigt ?

Que sait-il de la part d'ombre d'Ormberg ?

Et, plus important encore : Pourra-t-il jamais me comprendre ?

Pourtant, je n'ai pas la force de le rappeler. Pas maintenant.

Je fixe les cœurs dessinés sur la vitre. Les efface de la paume.

L'amour, ce n'est pas pour moi.

Jake

Au guidon de mon scooter, je progresse difficilement sur l'asphalte tapissé de neige. L'obscurité et les flocons me fouettent le visage et me brouillent la vue, m'obligeant à une conduite si lente que je manque de basculer à chaque virage. Je m'efforce de chasser de mon esprit cette hypothèse. Si je tombe ici, personne ne pourra me secourir.

Mais aujourd'hui, il me semble que cela n'a pas d'importance.

Plus rien n'a d'importance.

Je pense à mon père au commissariat d'Örebro. Puis à Melinda, à son expression lorsqu'elle m'a aperçu sur le lit en robe, les lèvres peintes. La surprise et la peur dans ses yeux m'ont douloureusement rappelé qui je suis. Ou plutôt, ce que je suis.

Un dépravé.

Sitôt Melinda partie, je me suis changé et suis sorti.

J'ai rangé mon sac à dos contenant le journal de Hanne, un pain surgelé et deux cannettes de Coca-Cola dans la selle du scooter.

Arrivé à la grande route, je bifurque vers l'endroit que les habitants s'évertuent à nommer le « centre-ville » bien qu'il ne s'agisse que de quelques bâtiments délabrés.

En tout cas, c'est ce que dit Hanne.

Je m'engage sur le chemin qui mène chez Saga. Je me gare, monte le perron, sonne à la porte. J'entends des voix agitées venant de l'intérieur.

La mère de Saga ouvre, affublée d'un jogging rose. Ses longs cheveux bruns sont attachés en queue-de-cheval haute nouée à la va-vite. Elle tient à la main une éponge humide.

— Jake ? Que fais-tu dehors par ce temps ? Entre !

Je me faufile dans la chaleur, délace mes grosses bottes, accroche mon anorak à une patère de l'entrée.

La mère de Saga estime qu'il est fondamental que sa maison soit en ordre. Je crois que c'est sa grande passion. Chaque membre de la famille a un portemanteau attitré, marqué par une étiquette à son nom, et un casier pour ranger ses chaussures. Je place les miennes dans l'espace réservé aux invités.

La télévision est allumée dans le salon.

Bea, douze ans, la sœur cadette de Saga, fait irruption dans le vestibule, un iPad à la main. Je vois d'emblée qu'elle est fâchée et je devine que je les ai interrompues au milieu d'une dispute.

— Mais c'est *lui* qui a commencé !

La mère se tourne vers Bea, bras croisés.

— Peu importe. On ne doit pas rendre les coups. Je ne veux plus que ton école m'appelle à ce propos ! Compris ? C'est humiliant. Tu es une fille, Bea, tu devrais être au-dessus de ça !

— Mais il m'a frappée ! Super fort !

— L'amour débute par des disputes ! Il t'a sans doute tapée parce que tu lui plais. Les hommes font ça. Ils ne

300

savent pas exprimer leurs sentiments. Tu comprendras plus tard.

Saga surgit dans la cuisine. Ses cheveux sont plus foncés, d'un rose presque cerise. De longs fils pendent de son jean noir déchiré et sa peau blanche et douce apparaît par les trous aux cuisses et aux genoux.

Quand elle me voit, un sourire illumine son visage et elle se dirige à grands pas vers moi.

— Salut !

— Salut !

Je prends tout à coup conscience d'être venu sans raison. Ce qui ne semble pas gêner Saga qui me prend par la main, radieuse, m'attire dans le salon et me fait asseoir sur le canapé à côté de Musse, le chat. Elle se laisse tomber tout près de moi, en tailleur.

— Ça roule ?

Je suis obligé de lui mentir.

— Oui. Pourquoi se disputent-elles ?

— Bah ! Bea a encore collé une raclée à quelqu'un.

Je songe à ce qu'a dit la mère à Bea, que les garçons frappent les filles qui leur plaisent parce qu'ils ne savent par l'exprimer autrement. Comme si tous les hommes étaient d'épouvantables monstres qui parlent avec les poings. *Paf* – une gifle : Tu es mignonne. *Bing* – un poing dans le ventre : Je te kiffe. *Vlan* – un coup de pied dans le dos : Tu veux sortir avec moi ?

Les doigts dans les cheveux, Saga affiche un sourire timoré.

— J'ai fait une couleur plus foncée. Qu'est-ce que tu en penses ?

— C'est canon !

— Merci. Ma mère trouve que j'ai l'air d'une pute.

Un raclement dans l'entrée annonce l'arrivée de l'intéressée.

— *Mademoiselle !* Ce n'est pas du tout ce que j'ai dit. Ce mot est interdit chez nous. Au fait, où est passé mon jean noir ?

— Sais pas. Pourquoi ?

Saga lève les yeux au ciel.

— D'abord, il m'appartient. Et ensuite, je vais chez Björn ce soir et je voudrais bien le porter. Donc tu as intérêt à mettre la main dessus *illico*.

La mère de Saga quitte la pièce d'un pas décidé. Mon amie exhale un soupir. J'ai les joues brûlantes.

Björn Falk. Le nouveau compagnon de la mère de Saga. Qui a été condamné pour maltraitance. Qui a enfermé dans un sauna ardent son ex, laquelle a dû subir une greffe de la peau. Dont je ne peux parler même si je le devrais.

— Tes cheveux sont super.

Je suis sincère. La couleur me rappelle les fleurs qui poussent près des fossés en été et que ma mère adorait. Je poursuis :

— C'est plus classe, quoi.

— Je trouve aussi, répond Saga, l'air satisfait.

Je frissonne. Pensive, Saga effleure ma manche de pull.

— Mais… il est trempé ! Attends, je vais t'en chercher un autre.

— T'inquiète…

Saga a déjà disparu dans l'entrée.

Quelques minutes plus tard, elle revient avec un tee-shirt et un épais pull en laine fuchsia dont la couleur ressemble à celle de ses cheveux. Une longue maille pend de la manche jusqu'au sol.

Saga passe un doigt dans la boucle, lève un sourcil et sourit.

— Il s'accroche partout.

Le chandail à la main, j'hésite quelques instants avant de l'enfiler – mais je ne veux pas décevoir mon amie. Il m'arrive à mi-cuisses tellement il est grand.

— Trop stylé ! Ça te va bien, le rose.

Je laisse sa remarque sans réponse.

J'ai toujours aimé le rose, mais je ne peux pas le dire. Un curieux silence règne. La dispute semble s'être terminée. On n'entend plus que la voix lancinante du présentateur du journal télévisé. Devant la fenêtre, de gros flocons tourbillonnent dans un ballet sans fin.

Le chat s'étire. Saga caresse son pelage, faisant tinter les bracelets à ses poignets.

— On mate un film d'horreur ?

— Ouais.

Saga choisit un vieux film. Il parle d'adolescents qui partent à la recherche d'une sorcière du nom de *Blair Witch* et qui s'égarent dans la forêt. On dirait une pellicule amateur, mais Saga argue que c'est juste une stratégie de marketing.

— Ils veulent nous faire croire qu'ils l'ont tourné eux-mêmes. C'est tout l'intérêt. Les spectateurs sont tombés dans le panneau à l'époque. Ma mère m'a dit qu'elle avait *grave flippé* quand elle l'a vu à sa sortie.

— Sans blague ?

— Je te jure. Quels petits joueurs !

Nous éclatons d'un rire de connivence.

Sa main se glisse dans la mienne, chaude et moite. J'aimerais décaler mon bras, mais je n'ose pas de peur de détruire ce moment parfait. Je veux me laisser porter par cette chaleur qui se diffuse en moi, retenir le plus longtemps possible ce picotement dans le ventre – j'en suis déjà accro.

— Tu te rends compte, Ormberg est en train de devenir un vrai coupe-gorge. Ma mère m'a raconté qu'un journaliste a voulu l'interviewer hier. Elle ne s'était pas maquillée, alors elle a dit non. Et il y a aussi le *tourisme noir*.

— Le tourisme noir ?

— Oui, tu sais, ces gens curieux qui veulent voir le lieu du crime. Ma mère en a croisé toute une bande dans le centre. Ils lui ont demandé le chemin du monticule.

Je frissonne. Songe au journal de Hanne enfoui dans mon sac à dos qui attend d'être lu.

— C'est immonde. Cette femme qui a été tuée, elle vivait, elle respirait, elle se baladait comme toi et moi. Peut-être qu'elle regardait les mêmes films que nous, qu'elle avait une famille… Et maintenant elle est devenue une attraction touristique. Comme les boutiques de fringues à Vingåker…

— Hum… C'est vrai, c'est immonde. Mais ça, personne n'y pense. Sauf nous, *les garants de la morale*.

Nous gloussons à nouveau. Saga reprend :

— Tu te rappelles la fille dont je t'ai parlé, qui travaille au commissariat d'Örebro ?

— Ta cousine ?

— Mais non ! Celle qui sort avec le fils de l'ex-mari de la sœur de ma mère et qui vient de Kumla. Eh

bien, d'après elle, l'affaire des meurtres va bientôt être
élucidée : la police a un suspect.

Ce doit être mon père, une pensée qui me donne froid
dans le dos.

Saga examine ses ongles et poursuit :

— Elle dit qu'elle espère qu'ils vont l'emprisonner
pour toujours dans un endroit où le soleil ne brille
jamais.

Lorsqu'elle prononce ces mots, quelque chose en
moi se brise, mon ventre se noue, ma bouche devient
pâteuse.

*Papa. En train de croupir dans une cellule sombre
pour le restant de ses jours.*

Saga ne paraît pas remarquer ma réaction.

— Je me demande si la vioque qu'ils ont trouvée
dans les bois pourrait le reconnaître, continue-t-elle.
Celle qui a des trous de mémoire. D'ailleurs, c'est
n'importe quoi qu'elle vive chez Berit ! Une croulante
qui s'occupe d'une autre croulante. Ma mère dit que ça
va partir en cacahuète. Il paraît que Berit a bossé dans ce
domaine. Elle s'est déjà occupée d'éclopés et de zinzins.

— Je n'ai pas utilisé ces mots, Saga !

Sa mère se tient à nouveau dans l'embrasure de la
porte, mais elle ne semble pas en colère. Plutôt amusée.
Elle balance son éponge d'une main l'autre.

— Jake. C'est peut-être l'heure de rentrer ?

Les yeux rivés sur le tapis, je sens la panique monter
en moi.

La mère de Saga me dévisage en silence, fronce les
sourcils et reprend :

— Mais si tu veux, tu peux dormir sur le canapé.
Aucun problème de mon côté.

Saga se contente de sourire. Elle tire sur un long fil qui pend de son jean. Il se casse et elle le garde à la main, immobile. On dirait un asticot.

Je suis allongé sur le sofa, sous la vieille couverture humide que la mère de Saga a dégottée dans la réserve. Elle est sympa, la mère de Saga. Rien ne l'obligeait à me proposer de rester.

Mon père dit souvent que les gens à Ormberg s'entraident, que c'est l'un des avantages de vivre dans un petit village. Il n'a peut-être pas tort.

Je tire le journal de mon sac. Après une seconde d'hésitation, j'allume la lampe et me plonge dans la lecture.

Hanne et moi sommes en froid. Il n'empêche que je veux découvrir ce qui s'est passé. Car si je trouve le tueur, mon père sera libéré.

Je suis peut-être le seul à pouvoir le sauver.

Ormberg, le 30 novembre
Il fait un temps de chien. Un vent à décorner les bœufs. Il pleut des cordes.
À l'intérieur, le froid est glacial, en dépit du chauffage poussé au maximum. Des gouttelettes tombent du plafond.
Nous venons de nous réunir pour faire le point sur l'enquête : chronologie, hypothèses, preuves techniques, témoignages. La police bosnienne nous a envoyé d'autres photos de Nermina que nous avons agrandies et épinglées au mur.
La mort m'a dévisagée depuis le tableau d'affichage. Je l'ai dévisagée en retour.

*Manfred m'a fait part de sa frustration, m'a demandé
à quel type de coupable nous avions affaire.*

*J'ai expliqué qu'il y avait trois possibilités : (1)
quelqu'un a tué Nermina par accident (ex. : accident
de la route) et a caché son corps sous les pierres ;
(2) Azra a tué sa fille, ce qui permet de justifier sa
disparition ; (3) un ou une inconnu(e) a assassiné
Nermina. Le motif pourrait être sexuel.*

*Ensuite, nous avons passé en revue les personnes
qui travaillaient au centre pour réfugiés au début
des années quatre-vingt-dix. La plupart n'avaient
pas de casier judiciaire. Un ancien employé avait
été condamné pour coups et blessures. Seuls deux
des collaborateurs vivaient à Ormberg : Rut Sten,
l'ex-directrice et Berit Sund, une dame âgée qui
habite entre l'église et l'usine désaffectée.*

*Selon Malin, Berit ne représente aucun danger. Elle
ne ferait pas de mal à une mouche.*

Le froid me réveille. La couverture a glissé. Une
lumière blafarde provenant de la cuisine s'insinue dans
le salon. Quelque chose croustille sous mon dos – peut-
être une vieille chips – lorsque je tends le bras vers le
sol.

La mère de Saga a horreur de ce genre de chose –
les miettes dans le canapé. Si elle était au courant, elle
descendrait sans doute en coup de vent avec l'aspirateur.
Et peu importe si c'est le milieu de la nuit.

Je ramasse le plaid, mais me fige dans mon
mouvement. Je regarde à nouveau par terre.

Le journal a disparu.

Je m'agenouille à côté du sofa pour scruter dessous.
Rien. Le livre n'a pas non plus glissé entre les coussins.

Saga est assise dans son lit, le journal sur les genoux, les joues mouillées de larmes. Ses cheveux roses lui dissimulent un œil.

— Coucou…

Elle secoue la tête comme si elle voulait que je m'en aille.

— Écoute, Saga…

— C'est le journal de la vieille, non ? Celle qui s'est perdue dans les bois ?

J'acquiesce, muet.

— Pourquoi tu me l'as caché ?

Je reste pétrifié, debout sur le sol glacial. Un courant d'air se faufile autour de mes chevilles. Le vent se presse contre les carreaux avec des claquements.

Oui. J'aurais dû lui en parler. Mais j'ai gardé le silence. Je ne peux même pas lui expliquer pourquoi.

— Tu aurais dû me raconter que tu avais mis la main sur le carnet ! Et que Björn Falk est un gros salaud. T'imagines s'il essaie de tuer ma mère aussi ? T'imagines s'il l'enferme dans un sauna ? T'y as pensé, à ça ?

— Je…

— Pourquoi tu n'as rien dit ? Je croyais qu'on se faisait confiance.

Sa voix est réduite à un murmure.

— Parce que. Parce que…

— Parce que ton paternel a peut-être buté quelqu'un ?

— Non ! *Non !*

— Parce que tu n'aurais ni père ni mère s'il se faisait pincer ?

— Mon père ne ferait jamais…

Saga éclate d'un rire sec.

— Tu n'en sais rien ! On ne peut pas savoir ce genre de choses. De toute façon, qu'est-ce que tu comptes faire ? Tu ne veux tout de même pas y aller ?

— Aller où ?

— Ah ! Tu ne l'as même pas lu en entier, hein ?

Silence. Elle se balance d'avant en arrière, les yeux rivés au mur.

— Eh, tu n'en parles à personne, pas vrai ? S'il te plaît !

Saga pivote vers moi, les pupilles comme de gros calots noirs. Elle serre le journal de toutes ses forces entre ses doigts.

— C'est tout ce qui t'intéresse ? Que je la boucle ?

— Non, je…

— Va-t'en ! hurle-t-elle.

Elle me jette le cahier dans un bruissement de papier. Il atterrit sur mon pied gauche avec un bruit sourd, mais je ne sens pas de douleur, seulement un grand vide lorsque je prends conscience que je l'ai peut-être perdue.

— Dégage ! Je ne veux plus jamais te revoir !

Elle tourne la tête et l'enfouit dans son oreiller.

Malin

J'ignore ce qui me réveille, peut-être un bruit dehors. Le vent siffle au coin de la maison et une branche tambourine contre la vitre – on dirait que Suzette, cachée dans le noir, fait lentement claquer un de ses ongles bleus contre le carreau.

La lune jette sa lumière blafarde sur le tapis. Quelques flocons solitaires tombent.

Je songe à Max, à Kenny, et à ce que ma mère m'a dit il y a quelques jours : on ne peut pas se fuir soi-même.

Peut-être a-t-elle raison.

Peut-être que Max est une manière d'échapper à Ormberg, ou à Kenny et, au final, à moi-même.

Je crois vraiment que quelque chose en moi s'est brisé quand Kenny est décédé. Pas tant à cause de l'horreur de l'accident, de notre ivresse, que parce que j'ai pris conscience de la douleur de perdre un être aimé.

Cette affliction, je ne veux plus jamais la revivre.

J'entends un raclement au rez-de-chaussée. On dirait que quelqu'un tire une chaise. Coup d'œil en direction de l'horloge : cinq heures cinq du matin. C'est peut-être ma mère qui va aux toilettes.

Après la mort de Kenny, je ne voulais pas me lever. Ni manger. Chaque bouchée me semblait impossible à avaler, me donnait la nausée. Je ne pensais à rien d'autre qu'au visage de Kenny – qui n'était plus un visage, mais une masse de chair informe.

Ma mère et Margareta se relayaient à mon chevet. Mon père était là aussi, bien sûr, mais il avait son travail. Et puis, s'occuper d'une adolescente déprimée, c'était le rôle des femmes.

Quand mes parents ont attrapé une grippe carabinée quelques semaines plus tard, Margareta s'est installée chez nous. Elle a préparé tous nos repas, mis de l'ordre dans le grenier, confectionné de la compote avec nos pommes d'hiver, lavé et repassé le linge de maison et ciré le plancher.

C'est à ce moment-là, je crois, que j'ai compris l'importance que revêtait Margareta aux yeux de toute ma famille. La douceur et l'empathie ne figurent pas au rang de ses qualités, mais elle est toujours prête à nous donner un coup de main. Elle est le noyau autour duquel s'articule notre petite famille dispersée. Elle nous rend service, sans se départir de son caractère taiseux et revêche, mais elle ne nous laisserait jamais tomber.

Au final, c'est ce qui compte, non ?

Un bruit sourd. Puis un claquement, comme si la porte d'entrée se fermait.

Je me redresse sur mon matelas, le cœur battant, le front baigné de sueur.

Ma mère est déjà debout – à cinq heures du matin ?

Je me lève, m'enroule dans la couverture posée au fond du lit et me dirige à pas feutrés vers l'escalier.

Pas un son. La lumière spectrale de la lune envahit la chambre. Le sol est froid. Je rabats le plaid autour de mes épaules.

Mon père était somnambule. Le plus souvent, au cours de ces épisodes, il mangeait. Il arrivait que ma mère le retrouve devant le réfrigérateur, la main dans le pot de confiture et le pyjama maculé de myrtille.

Je descends doucement les marches, coule un regard dans la cuisine.

Elle est vide.

Les buissons devant la fenêtre ploient sous le vent. Un courant d'air me glace les jambes.

Je gagne la chambre de ma mère, entrouvre la porte. Sa respiration est lourde et régulière, son parfum flotte dans la pièce. Sa porte refermée, je retourne dans l'entrée. Par la vitre, je scrute la colline enneigée et les sapins un peu plus loin. Là, entre deux des plus grands arbres, j'entrevois un mouvement.

Quelque chose bouge entre les troncs. Ça pourrait être un homme, mais aussi un animal.

Un tintement provenant du salon me fait tourner la tête.

La table basse est baignée d'un éclat cru et artificiel. Mon ordinateur portable est allumé.

Ne l'avais-je pas éteint hier soir ?

Je m'approche. Sur l'écran, un ballet de cercles de différentes couleurs. À côté, mon calepin ouvert, comme je l'ai laissé hier. Deux pages entières sur Hanne et ses souvenirs lacunaires de la nuit où Peter a disparu.

J'appuie sur le clavier. L'écran de veille est remplacé par une page d'accueil. On me demande mon mot de passe. La machine est verrouillée.

Je pousse un soupir de soulagement. Au même moment, baissant les yeux, je découvre une trace d'humidité sur le faux parquet. Elle scintille, éclairée par l'ordinateur.

Mon pouls accélère, mon cœur bat dans mes tempes.

Je retourne dans l'entrée. Fais glisser la porte. Scrute l'obscurité. Le vent froid s'engouffre dans mes cheveux et je frissonne.

D'abord, je ne remarque rien d'anormal. Puis, dans la congère qui jouxte le perron, j'aperçois quelque chose. Une empreinte de pas.

Accroupie, je l'examine. Au milieu de la semelle, je distingue les contours d'une étoile à cinq branches.

Hanne est installée à la table de la cuisine de Berit, une tasse de thé à la main. Sur la table, un chandelier à quatre bougies. Deux sont enflammées : nous sommes le deuxième dimanche de l'Avent.

La fatigue pèse comme une chape de plomb sur mon crâne. Après avoir entendu ces bruits au rez-de-chaussée et découvert mon ordinateur allumé au petit matin, je n'ai pu retrouver le sommeil. Je suis restée éveillée, à tourner dans mon lit, jusqu'à la sonnerie du réveil.

Tout à l'heure, dans la voiture, en conduisant vers le bureau, j'ai songé à relater à Manfred les événements de cette nuit. Or, une fois le soleil levé, tout m'avait semblé si ridicule : un claquement, une empreinte de pas qui pouvait aussi bien être fraîche qu'ancienne, un mouvement entre les conifères suscité plutôt par mon imagination que par un éventuel imposteur.

À côté du chandelier, la table est jonchée de documents : photographies des corps d'Azra et Nermina

Malkoc, carte d'Ormberg, compte-rendu d'interrogatoire et notes de Manfred.

Cela fait plus d'une heure que nous sommes ici. Manfred a présenté avec pédagogie tous les détails de l'investigation – les informations concernant les deux cadavres, la disparition de Peter et le médaillon que Hanne portait autour du cou. Mon collègue n'a pas mentionné Stefan Olsson. C'est un choix délibéré : il ne veut pas influencer Hanne dans ses réflexions relatives à l'hypothétique coupable.

Cette dernière a lu, griffonné dans son bloc-notes, posé des questions. Berit a refait du thé, promené le chien et s'est installée pour tricoter dans la pièce mitoyenne.

À l'évidence, Hanne n'a aucun souvenir de l'enquête. Andreas et moi avons de la peine à comprendre l'intérêt de cette visite. Si Manfred croyait qu'elle allait se remémorer quelque chose, il se fourrait le doigt dans l'œil. Surtout que nous avons d'autres chats à fouetter. Notamment assister le procureur qui doit se prononcer sur la détention de notre suspect.

De l'autre côté de la fenêtre, un timide soleil matinal brille sur Ormberg. Une strie rose flotte au-dessus des cimes et le brouillard commence à se dissiper autour des sapins à l'orée du bois.

Le temps semble se lever, mais le bulletin météo annonce de fortes chutes de neige assorties de difficultés de circulation à partir de demain.

Hanne pose ses lunettes de lecture sur la table en se frottant les yeux. Le poêle en fonte crépite. Elle se tourne vers Manfred.

— Je te répète que je ne me souviens de rien.

Avec un hochement de tête, il pose sa grande main sur la sienne. Elle sourit. Lui aussi. Hanne et Manfred semblent se comprendre sans avoir besoin de parler.

— Que veux-tu savoir ?

— Je veux savoir si c'est la même personne qui a tué Nermina et Azra Malkoc. Et que tu nous dises qui c'est.

Hanne serre la main de Manfred en riant.

— Je ne suis pas une voyante.

— Si, tu l'es.

Les lèvres de Manfred s'étirent. Hanne lâche sa main et la passe dans ses longs cheveux, pour les démêler.

— Je le fais pour toi, Manfred. Mais je te préviens, il ne s'agit que d'hypothèses qui s'appuient sur un examen superficiel de la documentation.

— Bien sûr.

Hanne soupire, secoue lentement la tête. Elle semble presque amusée.

— Je n'aime pas tirer des conclusions hâtives.

— Mais si tu y étais obligée ?

— Je dirais qu'il y a évidemment un lien. C'est trop improbable qu'une mère et sa fille soient retrouvées mortes au même endroit par pure coïncidence, bien que les modes opératoires divergent et que de nombreuses années se soient écoulées entre les deux crimes. Donc oui, je pense qu'on peut avoir affaire au même coupable. Par ailleurs, il y a plusieurs détails dans les agissements de l'assassin qui portent à croire qu'il ou elle entretenait une relation personnelle avec les victimes.

— Tu peux développer ?

— Oui. Le coupable a montré une certaine… sollicitude. Il ou elle, mais disons « il » pour simplifier les choses, a allongé l'enfant sur le dos, les mains jointes sur la poitrine avant de la recouvrir de pierres. On a l'impression qu'il la respectait. Presque comme un enterrement. Même chose pour Azra. Il l'a étendue sous le sapin et a placé ses mains comme celle de Nermina. Il me semble qu'il la connaissait. Peut-être même qu'il l'appréciait.

Ayant chaussé ses lunettes, Hanne déchiffre ses notes et poursuit :

— Mais nous avons aussi la question du visage broyé d'Azra.

Elle se tait, les sourcils froncés. Le silence se prolonge.

Nous l'observons un long moment sans parler. Berit tousse dans la pièce d'à côté. Hanne finit par reprendre :

— À première vue, ça ne colle pas avec mon hypothèse. Si on tient sa victime en estime, on ne s'attaque pas à son visage. On fait ça si on la déteste ou si on agit sous le coup de la rage. Or, d'autres raisons ont pu pousser le coupable à procéder de la sorte. Des raisons purement techniques.

Manfred lève la tête de son carnet. Hanne continue, l'air sûre d'elle :

— Oui. C'est probable. Il n'a peut-être pas eu le temps de dissimuler le corps et a défiguré cette femme pour rendre l'identification plus difficile.

— Mais il est quand même possible d'identifier quelqu'un, dis-je. Avec l'ADN.

Hanne hausse les épaules.

— Certes, mais c'est plus compliqué. Il faut pouvoir comparer avec une deuxième trace ADN. Même chose pour les empreintes digitales.

Une question me démange.

— Et le fait que les deux victimes aient été pieds nus ?

Hanne tapote la table de son stylo.

— Hum… On ne peut pas être certains que la fillette était pieds nus : elle a pu porter des souliers qui se sont décomposés. Elle est restée quinze ans sous les pierres avant d'être découverte. Mais la mère…

Elle observe les champs enneigés au-dehors.

— Les techniciens peuvent-ils dire si les chaussures ont été retirées avant ou après le meurtre ? demande-t-elle.

— Ils ne sont pas sûrs à cent pour cent, répond Manfred. Mais elle avait des écorchures sur les pieds. Ils pensent qu'elle a pu marcher pieds nus dans les bois.

— Peut-être qu'elle avait un trouble mental. Ou…, suggère Hanne.

— *Ou ?*

— Ou bien elle est sortie soudainement d'une voiture ou d'une maison à proximité.

— Il n'y a pas de maisons à proximité, articulé-je.

Elle pointe le doigt sur la carte.

— Mais il y a un chemin.

— Alors, fait Manfred. Qui est-il ?

Un sourire peiné se dessine sur le visage de Hanne.

— J'aimerais pouvoir vous le dire… En tout cas, ça doit faire belle lurette qu'il vit ici puisque les deux homicides y ont été perpétrés et que de nombreuses années sont passées. Je suis quasiment sûre qu'il s'agit d'un homme pour la simple raison que la plupart des coupables qui tuent par balle ou qui frappent leur victime à mort sont des hommes. Il est physiquement fort et connaît bien les environs. Il devrait avoir entre quarante et soixante-cinq ans.

— Comment sais-tu tout ça ? intervient Andreas.

Hanne hoche la tête, presque enthousiaste.

— Un homicide est un crime grave. La plupart des meurtriers ont une carrière criminelle derrière eux – ou du moins ce que nous appelons une *trajectoire psychopathologique*. Si nous partons du principe que le coupable avait au moins dix-huit ans quand il a tué Nermina, il a au moins quarante et un ans aujourd'hui. Ensuite nous avons l'homicide de… la mère. Quel était son nom ?

— Azra Malkoc.

— Merci. Le terrain est irrégulier et le corps a été déplacé et posé sous un arbre. Cela requiert une certaine force physique. Ce qui exclut les personnes âgées et handicapées.

Le silence s'installe.

Hanne semble satisfaite, à en croire le pétillement de ses yeux.

— Quoi d'autre ? l'encourage Manfred.

— Eh bien… On pourrait hasarder des conjectures sur la personnalité de l'assassin. Si on veut. Je ne préfère pas.

— S'il te plaît !

— D'accord. Je dirais qu'il est impulsif et désorganisé. C'est en tout cas ce que suggère le meurtre de la femme. C'était… *négligé*. Irréfléchi. Pas très malin.

— Le coupable pourrait-il être toxicomane ou alcoolique ?

Hanne hausse les épaules.

— C'est possible. Ou bien c'est simplement parce que le crime n'était pas prémédité. Et comme je le disais tout à l'heure, je crois qu'il avait une sorte de relation avec les victimes. Cherchez dans leur entourage, vous le trouverez peut-être.

Penché en avant, Manfred regarde sa collègue dans les yeux. Il place la carte sur la table entre elle et lui et pose le doigt sur le monticule de pierres.

— Pourquoi ici, Hanne ? Pourquoi ce tas de rochers ?

— Au début, j'ai songé que ce site avait peut-être une signification particulière pour le coupable. Mais je n'en suis plus si sûre. C'est peut-être…

— Quoi ? fais-je.

Nous nous considérons, puis Hanne ferme les paupières, visiblement concentrée.

Le chien qui reposait immobile à nos pieds dresse le museau et nous observe, comme s'il flairait qu'un épisode important était en train de se jouer ici, dans la cuisine de Berit.

— Imaginez un grand carrefour par lequel on est contraint de passer pour se rendre d'une ville à l'autre. Un lieu par lequel tout le monde transite, non par envie, mais par obligation. Peut-être que la fillette et sa mère se sont trouvées près du monticule de pierres en allant d'un endroit à l'autre. Une voiture. Une demeure. L'amas de pierres se trouve dans une clairière : une personne qui y passe peut s'arrêter et regarder autour d'elle, pour chercher son chemin. Un éventuel poursuivant peut également la repérer plus facilement dans la trouée. La vue y est dégagée.

Hanne fait mine de viser une cible avec une arme à feu.

Manfred prend des notes en opinant du chef.

— Donc on devrait à nouveau s'intéresser aux propriétés situées à proximité ?

Hanne repousse les papiers.

— Tout à fait. Les maisons, et les véhiculent qui passent près du…

Frustrée, elle frappe du poing sur la table et ferme les yeux de toutes ses forces.

— Près de ce… tas de cailloux.

— Oui, près du monticule, prononce doucement Manfred.

Hanne fixe Manfred, cligne des paupières, joint les mains. Puis elle exhale un soupir sonore.

— J'ai un mauvais pressentiment. Je portais le pendentif de… comment s'appelle cette femme déjà ?

— Azra, répond Manfred.

— C'est ça. J'avais le pendentif d'Azra autour du cou. Et on a trouvé son sang sur ma chaussure. Je ne pense pas que Peter se soit réfugié dans une des résidences secondaires laissées à l'abandon tout l'hiver. Je pense qu'il lui est arrivé quelque chose de terrible.

De retour au bureau, Andreas ôte son épais anorak et s'assied en face de moi.

— Comment pouvait-elle savoir tout ça ?

D'un haussement d'épaules, j'indique que je suis aussi étonnée que lui. Hanne, si discrète et réservée pendant toute l'enquête, assistait en silence à nos réunions, prenait des notes, hochait la tête, mais posait rarement des questions.

Jamais je n'ai soupçonné ce génie, bien que Manfred m'ait dit qu'elle était douée – la meilleure même. J'ai presque l'impression qu'elle restait en retrait pour Peter.

— On l'appelle la « sorcière », il y a bien une raison.

Andreas hoche la tête.

Il est pas mal, aujourd'hui. Il a fait quelque chose à ses cheveux – peut-être les a-t-il coupés ou simplement coiffés à la cire. Ils sont plaqués sur son crâne. Pour une fois, il porte un beau pull en laine et un jean qui n'est pas trop court.

Se doutant sans doute que je le contemple, il lève le front de son écran. Nos regards se rencontrent. Je détourne les yeux, mais pas assez vite : il m'a déjà décoché l'un de ses sourires suffisants, à croire que je viens de confirmer son charme irrésistible.

Manfred pénètre dans la pièce, retire son pardessus, s'assied. Feuillette quelques documents sur la table.

— C'est à prendre avec des pincettes. Hanne est une flèche, mais n'oublions pas qu'elle est désorientée et qu'elle n'a aucun souvenir de l'enquête. Quoi qu'il en soit, je vous parie ma casquette en tweed qu'elle a raison.

— Stefan Olsson correspond assez bien au profil qu'elle décrit, fais-je remarquer. Il a quarante-huit ans, habite relativement près du monticule, connaît bien la forêt et semble assez... Quel est le mot qu'elle a employé, déjà? *Désorganisé*? *Négligé*?

Manfred acquiesce et sort son bloc-notes. Au même moment, son portable retentit. Jetant un coup d'œil à l'écran, il constate :

— Ah, la police scientifique! Ravi de voir qu'ils travaillent le week-end!

Il lève la main.

— Donnez-moi cinq minutes.

Il disparaît dans la pièce adjacente.

Le regard d'Andreas est impénétrable.

— Je trouve qu'on devrait chercher l'enfant, dis-je. Le bébé qu'Azra a mis au monde.

— Tu as appelé les maternités ?

— Oui. Aucune dénommée Azra Malkoc n'a accouché en 1994. Aucune femme inconnue non plus. Mais elle a pu utiliser une fausse identité. Quoi qu'il en soit, ce bébé doit être enterré quelque part.

— Peut-être. La question est où chercher. Les forêts sont étendues, tout est couvert de neige. Il faudra attendre le printemps.

— Mais si nous savons où sonder…

Andreas m'interrompt, sceptique :

— Où ?

— Le monticule. Trop d'éléments nous poussent vers cet endroit. Nous ne pouvons pas les ignorer.

Je marque une pause, avant de continuer sur un ton plus léger :

— Et puis, il y a l'histoire de l'enfant-fantôme…

Andreas arbore un visage dénué d'expression.

— Tu es sérieuse ? Tu ne crois quand même pas aux revenants ?

— Bien sûr que non. Je me demande simplement s'il n'y a pas eu un événement déclencheur de cette hystérie collective. Par exemple, imagine que quelqu'un ait vraiment entendu un nourrisson pleurer près du monticule. Ensuite, le récit a été monté en épingle pour devenir une légende urbaine. Il me semble que la rumeur a commencé il y a une vingtaine d'années. Du point de vue temporel, ça correspond.

Je me garde bien de mentionner Ivar-la-fange qui affirme avoir vu un bébé mort près du monticule.

Je rechigne à admettre que je prends pour argent comptant les propos d'un vieillard schizophrène.

Andreas pose les yeux sur moi, semble réfléchir.

— J'imagine que nous pourrions fouiller le monticule. Je veux dire… au vu de ce qui s'y est passé.

Il marque une courte pause, puis reprend :

— Au printemps. Quand la neige aura fondu.

— Il doit *forcément* y avoir une manière de le faire plus tôt. On peut essayer de déneiger ou peut-être employer des appareils qui soufflent de l'air chaud. Et utiliser des chiens renifleurs.

— Ils peuvent flairer des corps après tant d'années ?

— Oui. Certains chiens le peuvent. J'ai vérifié. Certains peuvent dénicher des squelettes vieux de trente ans.

— D'accord.

— D'accord, quoi ?

— Nous pouvons proposer ça à Manfred.

Son assentiment me surprend. Je pensais devoir déployer plus d'efforts pour le convaincre. Je croyais devoir expliquer, persuader et supporter ses paroles humiliantes.

Andreas esquisse un sourire qui semble presque moqueur.

— Ça te dit une bière après le boulot ?

En un instant, la satisfaction de l'avoir rallié à ma cause se mue en rage.

Il se contrefout de savoir ce qui est arrivé à cette enfant. Tout ce qui le préoccupe, c'est m'attirer entre ses draps. Il peut toujours courir. Quand bien même il serait le dernier homme sur Terre.

Adoptant la position qu'il affectionne, assis, jambes ouvertes et penché en arrière sur sa chaise, il affiche un air crâne, avec son rictus béat et ses yeux brillants de malice. Le tabac glissé sous sa lèvre inférieure dépasse comme une petite déjection de rat.

— Tu es complètement bouché ou quoi ? Faut que je te le dise en quelle langue ? Je ne suis *pas* intéressée !

— Bon, bon, fait-il, sans cesser de sourire.

Si j'avais eu dix ans de moins, je lui aurais administré une volée de bois vert. Je me serais avancée jusqu'à lui et aurais giflé son minois goguenard. Mais j'ai arrêté ce genre de chose. Je ne vis plus à Ormberg, je ne flanque plus des corrections aux gens parce qu'ils sont stupides.

Andreas se lève avec nonchalance.

— Je vais pisser, annonce-t-il avant de disparaître par la porte.

Les yeux rivés sur l'écran de mon ordinateur, les joues brûlantes, je remplis mes poumons et tente de contrôler mes sentiments. Mon rapport à Andreas est si étrange ! Sitôt que je me mets à l'apprécier, il agit de sorte à tout gâcher.

À côté de son PC, j'aperçois une liste. Elle recense les noms de tous les habitants d'Ormberg mentionnés dans l'un des registres de la police.

Et là, au milieu de l'énumération, un patronyme familier : celui de ma mère.

Elle ici ? Pourquoi ? Elle n'a jamais rien fait d'illégal. Pas même volé des fruits tombés d'un arbre.

Connectée au système, je saisis les informations et termine par la touche « entrée ». L'ordinateur ronronne, comme si on lui avait demandé une tâche épuisante. Puis il clignote et le rapport s'affiche. Je l'ouvre d'un clic. Une fois que je l'ai lu, je reste assise, paralysée par le choc.

Un soir de novembre il y a trois ans, juste après la disparition de mon père, ma mère a été retrouvée blessée et alcoolisée sur un versant du mont Ormberg.

Le premier agent de police à arriver sur les lieux écrit qu'elle « était en dépression suite au décès de son époux » et qu'elle a été conduite à Katrineholm pour « une prise en charge de ses blessures et une évaluation de l'hypothèse d'une tentative de suicide ». Il note également qu'elle refuse catégoriquement que l'on contacte son parent le plus proche, sa fille, Malin Brundin, qui vient d'entamer une formation à l'école de police de Stockholm. Il ne faut pas la « déconcentrer ».

Mon ventre se noue. Les larmes brûlent derrière mes paupières. Pauvre petite maman.

Allait-elle si mal ? Pourtant elle répugnait à me déranger. Ccla me fend le cœur.

Poursuivant ma lecture, j'apprends que ma mère a prié l'agent de téléphoner à Margareta. Il s'est avéré qu'elle souffrait d'une fracture de la cheville. Sa belle-sœur a promis de l'aider tant qu'elle était plâtrée.

Je réfléchis. C'est vrai que ma mère m'a dit que Margareta lui rendait souvent visite durant mon premier trimestre à l'école de police. À l'époque, cela ne m'avait pas frappé, mais j'en comprends désormais la raison.

À Ormberg, on prend soin de ses proches.

Il est fort probable que Margareta ait préparé tous les repas, nettoyé la maison de fond en comble, fait briller les vitres. C'est ce qu'elle fait. C'est exactement ce qu'elle a fait après la mort de Kenny.

Si seulement ma mère m'en avait informée ! J'aurais pu être là pour elle, moi aussi. Nous aurions pu parler de ce qui est arrivé. À présent, impossible d'aborder le sujet avec elle – ce serait violer le secret professionnel.

J'enfouis mon visage dans mes mains, gagnée par un chagrin et une frustration grandissants. Jamais je n'aurais dû revenir à Ormberg. J'aurais mieux fait de rester à Katrineholm, de ne pas fouiller dans les histoires surannées, d'être aimable avec Max.

Je me redresse en entendant des pas approcher. Andreas rejoint sa place, suivi de près par Manfred. Ses grosses bajoues ont repris des couleurs et sa démarche est empreinte d'une vigueur nouvelle.

Heureusement, il ne semble pas remarquer mon trouble. Ce n'est pas quelque chose que je souhaite partager avec lui.

— J'ai parlé avec la collègue qui coordonne les analyses techniques au Centre national de la police scientifique, annonce-t-il en se laissant tomber sur une chaise qui oscille sous son poids. Ils ont examiné les vêtements que portait Hanne lorsqu'elle a été trouvée. Il y avait de la terre et des particules végétales, bien sûr. C'était attendu, vu qu'elle a erré dans les bois pendant vingt-quatre heures. En réalisant l'analyse chimique, ils ont trouvé des traces de…

Chaussant ses lunettes de vue, Manfred feuillette son bloc-notes, puis essuie quelques miettes de gâteau avec le pouce et l'index.

— Dioxyde de silicium, magnétite et charbon.

— La chimie, ce n'est pas mon fort, intervient Andreas.

Manfred baisse le menton et m'interroge du regard par-dessus ses lunettes.

— Désolée, moi non plus.

— La magnétite, également appelée pierre d'aimant, est un oxyde de fer, explique Manfred. Il est utilisé dans la production du fer, si j'ai bien compris. Le dioxyde de silicium est une scorie de la sidérurgie. Et le charbon… eh bien, vous connaissez. Il est obtenu par pyrolyse de matières organiques.

— Bon sang de bon sang ! prononce Andreas, la voix traînante.

— Le complexe métallurgique ! Hanne a dû se rendre près de l'ancienne usine.

Jake

Enfoncé dans la neige jusqu'aux genoux, je traîne le scooter sous le petit toit en tôle de la façade latérale de la grande construction rouge. Je me glisse par l'ouverture. Dans le bâtiment sombre et froid, je devine les hauts piliers en béton et une traverse. Mon téléphone portable diffuse de la chaleur dans ma poche. Je découvre que Melinda m'a envoyé deux SMS : apparemment, une femme des services sociaux est venue. Elle va s'occuper de nous jusqu'au retour de notre père.

Ma sœur ne mentionne pas l'état dans lequel elle m'a surpris : en robe, le visage peinturluré.

Tôt ou tard, il faudra bien que je rentre, mais je n'ai pas la force de croiser son regard, de voir ma honte reflétée dans ses yeux. Je lui réponds brièvement : *Je dors chez une copine.*

Où vais-je passer la nuit ? Je n'en ai aucune idée. Je ne peux pas retourner chez Saga, qui désormais me déteste.

Les grands monstres d'acier jettent leurs ombres sinistres sur le sol en béton de la salle des machines. Mes pas résonnent dans le silence, accompagnés du cliquetis des chaînes qui pendent du plafond, comme effleurées par une main invisible.

La fabrique Brogren est le seul lieu qui m'est venu à l'esprit. Je n'ai pas d'autre endroit où aller.

Je me dirige vers le bureau du contremaître, me laisse tomber sur le matelas taché. J'allume une bougie, ouvre mon sac pour en sortir une cannette de Coca et le journal de Hanne.

Midi.

Andreas et Manfred sont à Stockholm. Ils ont rendez-vous à l'Office des migrations et avec des fonctionnaires de l'ambassade de Bosnie-Herzégovine. Ils seront de retour demain soir. Malin déjeune chez sa mère.

Avant son départ, je lui ai demandé pourquoi Magnus Brundin vivait encore chez Margareta, alors qu'il a plus de quarante ans. Elle m'a répondu que Magnus est tout ce qui reste à sa mère, que son mari, P'tit Leif, l'a quittée pour une coiffeuse de Flen lorsqu'elle était enceinte de Magnus. Apparemment, le sujet est si sensible qu'elle interdit à quiconque de prononcer le nom de son ex-époux, bien que la séparation date d'il y a plus de quarante ans.

Ce n'est pas facile d'être un humain.

Il s'est passé plusieurs choses.

Premièrement : je suis allée aux toilettes et je n'ai pas reconnu mon propre reflet. Prise de panique, il m'a fallu plusieurs minutes avant de me calmer.

Comment est-ce possible ? Comment peut-on ne pas se reconnaître dans la glace ? Le visage qu'on a regardé des années et des années. Les rides qu'on a vu venir, les cheveux qu'on a vu grisonner.

Je sais que ma maladie affecte ma mémoire des physionomies. J'ai du mal à reconnaître les gens. Mais MOI-MÊME *?*

Deuxièmement : P. a déniché une plainte déposée en novembre 1993. Le personnel du centre d'accueil pour demandeurs d'asile a vu une camionnette marron à plusieurs reprises garée devant le bâtiment. Il y avait eu des problèmes de dégradations (quelqu'un a mis le feu plusieurs fois aux buissons devant le centre) et les responsables ont soupçonné un rapport entre le véhicule et les incendies.

Le véhicule nous intéresse pour une autre raison : la plainte a été enregistrée en novembre, peu avant le départ de Nermina et de sa mère.

Il peut y avoir un lien entre le véhicule et leur disparition.

P. va tenter de savoir si un habitant d'Ormberg possédait une telle camionnette. (Il n'y avait aucune indication quant à la plaque d'immatriculation ou la marque du véhicule, mais le village n'est pas très peuplé, il suffit de consulter les registres.)

Soir.

Je suis dans mon lit, à l'hôtel. P. se trouve dans la salle de bains.

Il pleut, le vent souffle, je broie du noir.

Je hais Ormberg. Je veux m'enfuir d'ici, ne jamais revenir.

En outre, P. est à nouveau sec et silencieux.

Dans la voiture tout à l'heure, je me suis tellement emportée contre lui que j'ai failli serrer le frein à main alors que nous roulions.

Et si je blessais P. ? Si je le faisais sortir de la route ?
Si je le poussais dans la rivière ?
Je ne le veux pas, mais j'ai l'impression de ne pas
parvenir à contrôler mes émotions.
J'ai l'impression que la vie coule entre mes doigts.
Que tout est en train de finir.

Je suis réveillé par des bruits de pas dans la salle des machines. J'entends un claquement sourd, comme si quelqu'un avait donné un coup de pied à une de ces plaques de métal dispersées çà et là dans la pièce.

Il fait plus sombre à présent – j'ai dû dormir plusieurs heures. Le corps glacé, raide et endolori, je range le journal dans mon sac et scrute l'obscurité.

Mon estomac se noue lorsque je comprends qui est là.

Quel imbécile je suis ! Je suis venu, quand bien même je savais que c'était son repaire. Je tends le bâton pour me faire battre.

— Ça alors ! *Ya-ké !* Qu'est-ce que tu fiches ici ?

Vincent me dévisage, jambes écartées, un sac en plastique de la station-service à la main. Sa lèvre supérieure surmontée de duvet tremblote, comme s'il réprimait un fou rire.

Il s'approche de moi à pas comptés, s'arrête à quelques mètres.

Sans bouger du matelas, je le contemple. Peut-être est-ce à cause de la faible lumière vacillante de la bougie, mais il a l'air plus fou que d'habitude. Son jean est mouillé et son anorak élimé goutte. Il me rappelle la créature marine dans l'un des films d'horreur que Saga et moi avons regardé, il y a une ou deux semaines. La créature avait été mordue à mort par son animal de compagnie – un chien qui était en réalité un loup-garou – et avait chuté du haut d'une falaise.

À la fin du film, Saga a annoncé qu'elle ne posséderait jamais d'animal. Car il aurait beau être le plus doux au monde, on ne pouvait exclure qu'il se transforme un jour en monstre.

— *Ya-ké !* Qu'est-ce que tu as fait de ta pétasse ? Cette attardée t'a laissé tomber ?

Il penche la tête en arrière pour cracher son tabac qui dessine un arc de cercle au-dessus de ma tête avant d'atterrir derrière moi. Il s'accroupit. Son visage est à deux doigts du mien. Je sens son haleine nauséabonde, je vois ses poils de barbe qui percent sur son menton blafard et boutonneux, comme des sapins solitaires au milieu d'une zone de coupe rase.

— Tu sais que tu portes le prénom d'un pédé ?

Je déglutis avec difficulté.

— C'est le prénom d'un *acteur*.

Je baisse les yeux sur le bord déchiré du matelas, sur les taches qui s'étalent sur le tissu : bière, vin et autre fluides répugnants dont j'ignore l'origine.

Vincent me pousse avec une telle force que je bascule en arrière.

— Ouais. Cet acteur, Jake *Gyllen-quelque chose*, il joue un homo dans le pire film de tapette qui existe. C'est deux cow-boys qui se prennent et qui aiment ça. Tu ne savais pas ? Ta mère ne te l'a pas dit avant de crever ?

Je roule sur le côté, me lève et me place à quelques mètres de Vincent.

— Il s'appelle Jake Gyllenhaal.

Vincent avance d'un pas vers moi.

332

— Et c'est une tafiole. Comme toi, *Ya-ké*. Joli pull rose d'ailleurs. C'est ton mec qui te l'a offert ?

Quelque chose de froid goutte du plafond dans mes cheveux. Une chaîne cliquette. Si seulement j'étais rentré chez moi. *Tout* aurait été mieux que ça. Même le regard dégoûté de Melinda qui m'explique que je suis malade et dérangé.

Vincent esquisse un pas de plus.

— Suce-moi, sale pédé !

— Je ne suis pas…

Vlan !

Le coup m'atteint en plein ventre. Plié de souffrance, je m'accroupis, contraint de m'appuyer sur le béton suintant pour ne pas basculer. J'ai l'impression que ma tête n'est plus irriguée, que tout mon sang a afflué autour de la boule douloureuse qui grossit dans mon estomac. Je halète, m'efforce avec peine de garder l'équilibre.

Qu'aurait fait Hanne ? Elle qui est si cool, si forte. Elle n'aurait jamais autorisé quiconque à la traiter comme me traite Vincent.

— Avoue que tu es pédé !

Je ne peux expliquer quoi, mais j'ai la sensation que quelque chose se brise en moi.

Les images de toutes ses brimades apparaissent sur ma rétine. Mon visage qu'il enfonce dans la neige, juste à l'endroit où pissent tous les chiens ; ma tête qu'il cogne contre le siège dans le bus scolaire ; ma tour Eiffel gisant sur le sol juste avant que Vincent ne donne l'ordre à Albin : *Écrase-moi cette merde !*

Je revois tout cela, et quelque chose en moi se rompt, laissant la place à un autre sentiment si violent que je crains de ne pas parvenir à le contrôler. Comme si le coup de poing de Vincent avait libéré en moi un animal sauvage.

Je me lève lentement, plie les genoux pour prendre de l'élan et me rue sur lui.

Vincent dégringole en arrière sur le béton, avec moi au-dessus. Nous atterrissons avec un bruit sourd.

— Espèce d'ordure !

Ma voix semble étrange, rauque, haineuse. Je ne la reconnais pas.

J'empoigne ses cheveux blonds et frappe sa tête contre le sol avec une force dont je me croyais incapable.

— Ordure ! Enflure ! Espèce de gros connard de merde !

— Mais quoi, bordel ! gémit-il. C'était… pour rigoler.

Je lâche sa tête et lève les mains, comme si je venais de me brûler sur sa peau pâle.

— Si tu me touches encore une seule fois, si tu m'approches, je raconterai à tout Ormberg ce que ton père a fait. Qu'il est une saleté de pédophile qui a tripoté des petits garçons à Örebro et qu'il croupit en prison. Pigé ?

Vincent me fixe, les yeux écarquillés, le regard glacé de terreur, un filet de salive coulant du coin de ses lèvres sur son menton.

Et au milieu de tout cela, j'ai la sensation d'être un témoin extérieur qui observe les événements pour chercher à comprendre cette réalité pourtant simple : Vincent a peur de moi.

Comment est-ce possible ?

Vincent est effrayé par *Ya-ké*, son souffre-douleur préféré. Le garçon à qui il distribue volontiers coups de poing et coups de pied. Le garçon sur lequel il aime cracher.

Nous restons sans bouger un court instant – combien de temps, je l'ignore. Je finis par prendre conscience de nos respirations. Du froid dans la salle des machines. Du vent qui siffle au-dehors. Et du léger cliquetis des chaînes.

Je me redresse, me campe devant lui sans ciller, les yeux rivés sur lui.

Vincent se traîne sur le sol, à reculons. Il a le regard d'un animal traqué qui me rappelle celui de Hanne quand je l'ai rencontrée dans les bois.

— Tu es com… com… complètement cinglé, bredouille-t-il. Fou furieux…

Sa voix s'éteint.

À cet instant, je sais que je n'aurai plus jamais à fuir Vincent. Je le sais.

Il recule encore de quelques mètres. J'esquisse un pas de plus vers lui.

Et là, Vincent se lève et s'en va presque en courant, plié en deux, dans le noir.

Assis sur le matelas après son départ, j'essaie de comprendre ce qui s'est passé. Comment est-ce possible ? Comment moi, Jake, ai-je pu faire déguerpir Vincent, le roi des connards à Ormberg ?

Le soulagement se mêle à un autre sentiment, quelque chose de plus sombre, de plus tranchant, qui me pince la poitrine.

Si je suis capable d'agir ainsi, cela signifie-t-il que je suis devenu comme lui ? Qu'une partie de moi est devenue aussi cruelle et tordue que Vincent ?

Je lance mon sac à dos sur mon épaule, empoigne la bougie d'une main et le bord du matelas de l'autre et je le tire vers le fond du local.

Derrière la machine qui porte le nom *Innocenti* il existe un petit espace presque invisible, d'environ deux mètres de large sur un mètre de profondeur.

Là, je me sens en sécurité.

Non que je redoute le retour de Vincent, mais j'ai l'impression qu'à partir de maintenant, n'importe quoi peut se passer.

Je cale le matelas dans l'alcôve, pose la chandelle à même le sol et m'installe. Appuyé contre le mur froid, j'ouvre à nouveau le journal.

La nuit. Impossible de trouver le sommeil. Je n'arrête pas de penser à P.

Je me suis encore emportée violemment contre lui. J'ai totalement perdu le contrôle, je lui ai lancé son ordinateur à la figure en hurlant.

Il m'a maîtrisée. M'a dit qu'il allait appeler une ambulance si je ne me calmais pas immédiatement. M'a donné une gifle.

Que m'arrive-t-il ?

Que nous arrive-t-il ?

Je lâche le carnet. Hanne est-elle vraiment en train de sombrer dans la folie ? Ou était-elle au bout du rouleau quand elle a écrit ça ?

Et si elle avait quelque chose à voir avec la disparition de Peter ? Est-il possible qu'elle l'ait poussé dans la rivière comme elle le redoutait ?

Et si j'étais en train de lire le journal d'une tueuse ?

Je me frotte les yeux. Il ne me reste plus beaucoup de pages à présent, mais mon ventre crie famine et je grelotte de froid.

Plongeant la main dans mon sac à dos, j'en sors un pain. Je le déballe et mords dedans : il est encore surgelé au centre, mais je mange la partie molle, un peu pâteuse tout autour du noyau dur comme un caillou. Puis j'ouvre la deuxième cannette de Coca-Cola que je vide d'une traite avant de la jeter sur le côté avec un rot. Elle s'éloigne en roulant dans un bruit de ferraille.

Je songe à Hanne. Malgré ma colère, malgré sa folie, je crois qu'elle me fait surtout de la peine.

Je suis aussi enragé contre P.

À vrai dire, je ne comprends pas pourquoi elle sort avec lui. Elle aurait pu demeurer au Groenland, avec les Inuits, échapper à Ormberg.

Avant de lire le journal de Hanne, je n'avais jamais réfléchi aux inconvénients potentiels de vivre à Ormberg. Peut-être a-t-elle raison : mon village est un trou paumé et sans intérêt.

Je ne sais pas.

Je ne sais qu'une chose : je dois finir l'histoire de Hanne.

Le livre repose sur mes genoux. Il ne reste que quelques centimètres de bougie. Je n'ai pas de temps à perdre.

Ormberg, le 1ᵉʳ décembre
J'ai ouvert les yeux aux aurores. À côté de moi, j'entendais la respiration régulière, paisible de P., inconscient de mon angoisse.
J'ai essayé de l'enlacer, mais il s'est réveillé et m'a repoussée. A marmonné qu'il faisait trop chaud.

Trop CHAUD *!*

J'avais BESOIN *de sa proximité ! Sans elle, j'allais me briser. Mais ce dont P. avait besoin ce n'était visiblement pas d'être soumis à mon désir.*

Je me suis levée, j'ai relu les notes d'hier et tout m'est revenu : la dispute, la gifle.

J'ai ensuite parcouru le journal du début à la fin. Mon état s'est terriblement dégradé ! Quelle angoisse que d'en prendre conscience. Nous étions si heureux au Groenland. Maintenant, tout est noir.

C'est ainsi que ça finit ? Pas sur un boum *mais sur un murmure, comme l'écrivait T.S. Eliot.*

Nous avons pris notre petit déjeuner en silence.

P. a compulsé le quotidien du matin. Il a accordé son attention au moindre article, à la moindre publicité.

Je me suis assise en face de lui. J'ai avalé ma tartine de craque-pain, bu cette eau de vaisselle qui tient lieu de café.

P. a levé les yeux de temps en temps, esquissant un sourire, la mine un peu gênée. Peut-être trouvait-il que je le fixais.

Nous nous trouvons à Ormberg depuis une semaine et demie.

Pour moi, une éternité.

Nous avons déambulé dans le village, marché à travers la forêt, interrogé les habitants. Quelque chose m'échappe dans cet endroit. C'est comme si une épaisse membrane couvrait tout. Comme si quelque chose se terrait là, juste sous la surface.

Le mal, sous un verni de banalité et de mélancolie.

338

J'ai tenté de l'expliquer à P., mais il n'a pas compris. Il m'a dit que je dramatisais. « On est en train d'enquêter sur un meurtre dans un patelin paumé, pas de tourner dans un film d'horreur. »

J'ai répondu que c'était EXACTEMENT l'impression que j'avais ! Comme si nous étions ces flics naïfs qui se promènent tranquillement dans les bois où une famille vient d'être sauvagement assassinée, attirés dans un piège par un fou armé d'une tronçonneuse.

Nous sommes arrivés au bureau vers neuf heures. La tempête s'était levée.

Malin se trouvait déjà sur place. Manfred et Andreas sont restés à Stockholm. Ils rentrent tard ce soir.

Malin vient de partir. Elle déjeune avec sa mère. P. fait les courses.

Le tonnerre gronde, l'eau goutte dans le seau. Il est midi, mais il fait sombre dehors.

Il ne fait jamais vraiment jour ici. Ormberg est synonyme d'obscurité. Même métaphoriquement : j'ai toujours eu la conviction que quelque chose de mauvais planait ici.

P. a trouvé le propriétaire d'une camionnette marron au début des années quatre-vingt-dix, semblable à celle que le personnel du centre pour demandeurs d'asile a vue devant le bâtiment.

L'un des habitants d'Ormberg détenait une Nissan King.

MAIS : il refuse de me donner le nom. Il a simplement dit que c'était « très sensible ».

Cela m'a attristée au plus haut point. J'ai beau être un peu écervelée, je ne divulguerais jamais ce genre de choses.

Que pense-t-il de moi ? Certes, je suis étourdie, mais je n'ai pas perdu mon bon sens.

Oh, j'ai l'impression que le vent a fait tomber quelque chose devant la boutique. Je dois m'arrêter.

Malin

Nous nous trouvons près de l'ancien complexe métallurgique. La neige, douce et légère, m'arrive aux genoux. Elle danse autour de mes jambes lorsque je m'approche d'Andreas, me recroquevillant pour me protéger du vent froid qui s'est levé.

Je range mon portable dans ma poche, enfile mes grosses moufles, allume ma lampe torche en essayant d'assimiler ce que Max vient de m'annoncer.

Faire une *pause*.

Qu'est-ce qu'il veut dire par là, merde ? Nous sommes censés nous marier cet été. J'ai besoin de lui pour planifier le mariage ! On ne peut pas faire une pause.

Pas maintenant !

Cela signifie-t-il qu'il souhaite rompre ? Sans néanmoins se résoudre à me l'avouer ?

Je sais que j'aurais dû l'appeler pour m'excuser de mon comportement la dernière fois. J'ai vraiment été désagréable. Désagréable et injuste. Ce n'est pas sa faute s'il occupe ce poste ! Tous les jours, il doit se débrouiller pour que les accidentés obtiennent une indemnité aussi basse que possible.

Ou peut-être que *c'est* sa faute.

Je m'ingénie à ravaler cette idée, mais elle s'impose à moi comme un invité trop pressant qui refuse de partir, bien qu'on lui ait offert le vin, le café et le digestif.

Il pourrait changer de boulot. Avec sa formation de juriste, je suis sûre qu'il en trouverait un sans peine à Stockholm. Personne ne l'a forcé à accepter cet emploi-là.

Son choix de carrière révèle-t-il quelque chose de sa personnalité ? De son caractère ?

Les bâtiments se dressent autour de moi dans l'obscurité : haut-fourneau, four à griller, entrepôt à charbon de bois. Et la vieille forge à clous. Certains se sont écroulés, mais d'autres – ceux en brique – sont encore là, comme un vestige de ce qui fut.

La rivière s'écoule en sourdine à côté. De grandes bandes de glace ont poussé le long de la rive.

Andreas lève les yeux quand j'approche.

— Je croyais que tu connaissais l'endroit comme ta poche !

Je devine une pointe d'agacement dans sa voix. Il bat la semelle dans la neige, enfonce son bonnet sur ses oreilles.

Certes, il gèle à pierre fendre et nous claquons des dents, mais je n'en suis tout de même pas responsable.

— Ce n'est pas si facile de trouver quoi que ce soit dans cette obscurité !

Cela fait une heure que Manfred, Andreas et moi cherchons des traces de Peter et Hanne – n'importe quoi qui permette de prouver qu'ils sont passés par là en cette soirée fatale où grondait la tempête un peu plus d'une semaine auparavant. Nous avons fouillé les bâtiments et sondé la neige au hasard.

En vain.

Nous savons que Hanne est venue ici puisqu'il y avait des traces de l'usine métallurgique sur ses vêtements, plus exactement à l'arrière de son jean, comme si elle s'était assise par terre.

Une silhouette massive s'approche dans la neige. Avec sa démarche silencieuse et pesante, on dirait un gros ours.

Manfred.

J'abaisse ma torche pour ne pas l'éblouir.

— Bon, on laisse tomber, annonce-t-il. Les techniciens et les chiens reviendront demain.

Après un instant de réflexion, je réponds :

— Deux secondes. Je vais juste vérifier un dernier détail.

Je m'achemine vers l'ancien four à griller

— Bon sang, Malin, peste Manfred qui en a sans doute assez de claquer des dents. Je retourne à la voiture.

J'entends les halètements d'Andreas qui m'emboîte le pas.

— Que vas-tu regarder ?

— Juste un truc.

L'élégante construction de brique s'élève devant nous dans l'obscurité. La haute cheminée s'étire vers le ciel. Les fenêtres condamnées sont couvertes de graffitis, mais la vieille porte de guingois est entrouverte.

— Quel *truc* ?

Avec un soupir, je m'arrête pour l'attendre.

— Il y avait une tempête ce soir-là. On peut imaginer qu'elle a cherché refuge dans l'un des bâtiments. Celui-ci est le seul qui ait des fenêtres et une porte.

Le battant de bois décati grince en tournant sur ses gonds.

— J'ai déjà jeté un coup d'œil là-dedans, rétorque Andreas.

— Juste une petite minute.

J'allume ma lampe de poche en pénétrant dans la pénombre. L'imposant four à griller me toise au milieu de la pièce. Des trappes en fonte sont emmurées juste au-dessus du sol jonché de cannettes de bière et de bouteilles de vin vides. Des mégots s'amassent le long des murs.

— Où t'installerais-tu si tu cherchais à te protéger d'une tempête ?

Andreas balaye l'espace du regard. Dans le halo de la torche, son haleine se transforme en nuages blancs.

— Là, indique-t-il en montrant des planches empilées au fond de la pièce.

— Tout à fait.

Contournant l'énorme four à griller, je m'approche du tas de bois hérissé de clous rouillés.

Je m'assieds doucement sur la planche supérieure et, retirant ma moufle, j'en palpe la surface rêche, couverte de givre. Une pensée me vient :

— Hanne a mentionné des planches. Elle se souvenait de ça.

— Oui, des planches et une pièce sombre.

— Tu crois qu'elle parlait de cet endroit ?

Nous observons la pièce octogonale à la lueur de la torche d'Andreas.

— Elle a décrit un espace confiné, déclare-t-il. Ce n'est pas vraiment le cas ici. Mais elle a pu confondre…

J'enfile à nouveau mon gant. Je scrute la salle une dernière fois, puis me lève.

— On devrait peut-être y aller.

Au même moment, j'aperçois un reflet à mes pieds, sous l'une des planches.

— Éclaire ça !

Andreas s'exécute. Je me penche et ramasse l'objet qui reflétait la pâle lumière.

— Bon sang de bon sang ! marmonne mon collègue en découvrant de quoi il s'agit.

Le bourdonnement du chauffage et le vrombissement du moteur emplissent l'habitacle. Manfred observe le téléphone portable placé au creux de sa main.

— C'est effectivement celui de Peter.

Il tente de l'allumer de son pouce ganté. En vain. L'écran demeure noir. Il branche l'appareil à un câble qui pend sous le tableau de bord.

— Ne devrions-nous pas appeler les techniciens ? s'enquiert Andreas.

— Si, bien sûr, rétorque Manfred. Mais je ne compte pas attendre qu'ils daignent amener leurs fesses. C'est le deuxième dimanche de l'Avent. Il est tard. Et nous n'avons même pas un cadavre frais pour les appâter. S'il y a quelque chose d'intéressant dans ce portable, je veux le savoir tout de suite.

Avec le chauffage à fond, la voiture s'est changée en fournaise et la buée sur les vitres a commencé à s'estomper. L'air est saturé des effluves de laine humide et d'étoffes mouillées. J'ôte mon bonnet, déboutonne mon épais anorak. Andreas m'imite.

Le mobile vibre en clignotant.

Manfred le pose sur ses genoux, retire ses moufles, fouille dans le vide-poches et en extrait un gant de latex bleu qu'il enfile à la main gauche. Saisissant l'appareil de la même main, il glisse l'index droit sur l'écran. Il se tourne vers nous.

— Vous avez une idée du code ? Vous avez autant de chances que moi de tomber juste.

Une demi-heure plus tard, nous nous trouvons toujours au point mort. Nous avons essayé les codes les plus fréquents, ces combinaisons qui, bien que témoignant d'un manque criant d'imagination, sont utilisées par la plupart d'entre nous, telles que 0000 ou 1234. Nous avons bien sûr aussi testé les chiffres du numéro national d'identification de Peter et de celui de son fils.

— Il y a des dizaines de milliers de combinaisons possibles, se lamente Andreas en grattant sa barbe de trois jours. Il vaut peut-être mieux laisser les spécialistes de l'informatique prendre le relais.

Manfred laisse tomber le portable sur ses genoux avec un soupir. J'ai une idée.

— Essaie 3631.

Avec un haussement d'épaules, il s'exécute. La machine émet un ronronnement.

— Raté.

— Essaie 3632 ou 3633.

Manfred saisit les chiffres.

— Raté. Et encore raté. De quoi s'agit-il, Malin ? D'ailleurs, il s'est à nouveau verrouillé. C'est écrit qu'on doit attendre cinq minutes.

Nous patientons en silence, bercés par le ronflement du moteur et la respiration saccadés de Manfred. Dehors, le vent siffle entre les arbres et la neige virevolte autour de notre véhicule.

— Continue, dis-je lorsque le portable se remet à clignoter. 3634 et 3635.

— Toujours pas ça.

Manfred se tourne vers Andreas et moi.

— C'est bon, on peut rentrer ?

— Non, attends.

— Laisse-moi deviner : 3636 ?

Il tape le code, prend sa respiration, sans doute pour lancer une remarque acerbe, mais se fige.

Le portable émet un bip.

— Mazette ! Comment as-tu deviné ?

— Il s'agit des chiffres qui étaient inscrits sur la paume de Hanne, explique Andreas. Elle avait écrit 363, puis un gribouillis illisible.

Manfred secoue la tête, comme s'il n'en croyait pas ses oreilles, tout en parcourant les SMS et les e-mails de Peter.

Le silence tombe.

— Rien que nous ne sachions déjà, déplore-t-il au bout d'un long moment.

Je me tourne vers lui.

— Et les photos ?

Il ouvre la galerie d'images. Hanne devant une baie, des icebergs bleu turquoise flottent sur la surface de l'eau irisée par le soleil.

Il parcourt l'album. Hanne, souriante, assise sur un lit dans une chambre d'hôtel inconnue, une tartine à la main.

— Continue. Ce doit être au Groenland.

Des clichés d'Ormberg se matérialisent enfin à l'écran : notre bureau, le monticule de pierres, le versant escarpé du mont Ormberg, les sapins en rangs serrés et les buissons de myrtilles à leurs pieds.

— Continue. Ça, c'était avant la neige.

Les images s'enchaînent, le paysage change. Les premières neiges apparaissent : une fine poudre blanche sur le champ devant l'église – discret signal annonciateur de l'hiver. Puis la couche neigeuse devient plus épaisse. Et les photos de Hanne plus rares.

L'un des derniers clichés représente néanmoins la femme en gros plan. Je devine qu'elle est assise dans un lit : elle tire jusqu'au menton quelque chose qui ressemble à une couverture. Les cheveux ébouriffés, elle affiche un large sourire. Ses yeux brillent et j'entends presque son rire sonore. L'amour entre elle et Peter paraît évident – pareil à un son, une vibration qui traverse l'espace et le temps – bien que je ne voie qu'une image.

Ma respiration se bloque dans ma gorge lorsque je pense qu'ils ne se reverront sans doute jamais, que c'était peut-être leur ultime moment de bonheur ensemble.

Les deux dernières photographies sont prises en intérieur. La première représente un escalier qui pourrait mener à un sous-sol. Les murs en béton sont maculés d'humidité et l'enduit se détache en plusieurs endroits. En bas, des vêtements sont suspendus à des crochets – ou peut-être à une sorte de portemanteau.

— Où est-ce ? Malin, tu reconnais ces marches ?

Manfred lève le portable devant mes yeux et j'examine attentivement l'écran.

— Non. Mais on dirait un escalier de cave. Montre l'image suivante.

Manfred l'affiche d'un mouvement du doigt. Elle est floue, comme si le photographe avait bougé. Dans le coin gauche, on distingue un visage – celui de Peter, indubitablement, avec son nez légèrement busqué et ses cheveux gris-blond hirsutes.

Dans le coin droit, on aperçoit une forme, au loin, semblable à une personne recroquevillée sur le sol.

— Bon sang de bon sang ! répète Andreas.

Jake

La bougie s'éteint avec un frémissement, plongeant l'alcôve dans l'obscurité. La pâle lumière du soir a disparu, substituée par des ténèbres si profondes que je ne distingue plus ma propre main. Mon dos me fait souffrir, mes doigts sont engourdis de froid. Dehors, les violentes bourrasques sifflent, me susurrant de continuer à lire. Les chaînes suspendues au plafond gémissent sans discontinuer, à croire que le bâtiment lui-même se tord de douleur.

Je me demande ce que fait Hanne en ce moment, dans la masure de Berit derrière l'église. Et mon père – a-t-il été libéré ?

Quant à Melinda et à Saga, je préfère ne pas y songer. Mon estomac se noue lorsque je repense au regard écœuré de ma sœur et à la rage de mon amie.

Ayant actionné la fonction lampe de poche de mon portable, je le dépose sur un immense écrou qui dépasse du ventre de la machine.

Il ne me reste que quelques pages.

J'ai vu P. saisir son code tout à l'heure : 3636.
En l'absence de papier, j'ai inscrit les chiffres sur ma main pour ne pas les oublier.

Je m'arme de courage. Je compte jeter un coup d'œil au contenu de son portable dès que l'occasion se présente. Sans doute ne devrais-je pas. Fouiller dans le téléphone ou le journal intime des gens est tout bonnement grossier. Mais je dois savoir.

Seize heures trente.
Nous avons indiqué à Malin que nous allions quitter le bureau plus tôt ce soir. Peut-être pour rejoindre Katrineholm, manger au resto – un plat qui n'ait pas goût de carton.
Elle va rester travailler encore un moment.
Une fois au volant, P. n'a pas pris la direction de Katrineholm. Nous nous sommes enfoncés profondément dans les bois. Il s'est garé derrière un arbre, m'a prié de l'attendre dans la voiture et de m'appeler si quelqu'un arrivait.
Puis il est parti.
Je m'apprêtais à faire le guet quand je me suis rendu compte que P. avait oublié son portable sur le siège passager. À présent, je suis là, ignorant la marche à suivre.
La tempête gronde et la pluie fouette les vitres.
En dépit du froid, je rechigne à démarrer la voiture. Même si les clefs sont sur le contact. Je n'ose pas déranger P.

Seize heures quarante-cinq.
Cela fait un quart d'heure que P. a pénétré dans la maison.
Je présume que le propriétaire de la camionnette marron y vit. Je distingue quelques pans de mur, un

bout de jardin derrière les arbres et, sur la pelouse, de drôles de sculptures en bois : deux nains de jardin, une gigantesque amanite tue-mouches à chapeau rouge et deux ours qui se donnent l'accolade.
Étrange : le pavillon est plongé dans la pénombre, mais je viens d'y apercevoir des faisceaux lumineux. Sans doute P. !
Pourquoi utilise-t-il sa lampe de poche ?
N'y avait-il personne ? P. s'est-il tout de même permis d'entrer pour fouiner ?
C'est bien son genre !

Seize heures cinquante. J'attends encore quelques minutes puis j'irai chercher P. s'il ne revient pas.

Je refuse de rester là à me tourner les pouces. Je suis frigorifiée. Mes orteils se sont transformés en glaçons.
Le portable de P. repose sur le siège à côté de moi.
Le code est écrit sur ma paume.
Vais-je oser ?

Je n'ai plus la force.
Je ne veux plus rien. La vie fait trop mal.
Dans le portable de P., j'ai découvert un SMS qu'il a envoyé à mon médecin.
Il y écrit que je fais mon possible pour cacher que mon état se dégrade ; que je pique des crises de colère terribles, qu'il a peur que je le blesse ou que je me blesse ; qu'il m'aime énormément, mais qu'il ne sait pas s'il aura la force de s'occuper de moi à l'avenir.

Il demande si je pourrai continuer à vivre avec lui ou s'il faudra trouver une « autre solution ».

Mon médecin répond qu'il est incapable de déterminer cela sans me voir.

J'ai éclaté en sanglots. C'en était fini de moi.

Dans le même temps, j'ai été envahie par la honte : j'accusais P. d'être froid et distant alors qu'il s'inquiétait pour moi.

En lisant leur conversation, j'ai également compris autre chose : il a peur de se retrouver seul. Il redoute de ne pas réussir à gérer cette peur.

Quelle honte je ressens ! Quelle impuissance !

De même que quand, à l'âge de neuf ans, j'ai été témoin de la chute de mon chiot, un labrador nommé Ajax, à travers la glace.

Incapable de bouger, je contemplais sa lutte – ses pattes noires cherchant vainement un appui sur la surface glissante. J'entendais ses gémissements. Il a fini par disparaître sous l'eau.

J'éprouve un désarroi identique.

Mais à présent, la noyée, c'est moi...

Quand tout sera terminé, je brûlerai ce journal, oblitérant ainsi ces deux semaines de mon existence.

Il me faut oublier Ormberg et tout ce qui s'y est passé – parce que avant notre arrivée, la vie était parfaite, malgré la maladie.

Oh, Dieu, je ne te demande qu'un seul service : aide-moi à oublier !

P. vient de revenir.

Il n'a pas remarqué mes larmes.

*Fébrile, il m'a expliqué que la personne qu'il
souhaitait voir était aux abonnés absents, mais
qu'il avait fait « un petit tour » du propriétaire
conduisant à une importante découverte.*

*Il a mesuré la cuisine et la chambre adjacente en les
arpentant. Les deux pièces devraient faire la même
longueur (elles donnent toutes les deux sur une façade
latérale de la maison d'un côté et sur le couloir de
l'autre). Or, la cuisine mesure un peu plus d'un mètre
de moins que la chambre.*

*Devant l'espace « manquant », P. a trouvé une porte,
camouflée par des étagères et fermée tout en bas par
un petit loquet.*

Pourquoi construire une porte dérobée ?

*P. prévoyait de l'ouvrir, mais avait besoin de son
portable pour prendre des photos. Je le lui ai tendu.
Il n'a pas remarqué que l'écran était débloqué.*

*Je lui ai dit d'appeler les renforts avant de s'aventurer
à nouveau dans le pavillon. Il a refusé.*

*Il m'a remis un collier – une chaîne en or garnie d'un
médaillon – qui était fiché entre la porte dérobée et
le sol. Il m'a demandé d'en prendre soin – c'était
peut-être important.*

*Ne sachant qu'en faire, craignant de l'oublier
quelque part, je l'ai attaché autour de mon cou.*

P. est retourné dans la maison.

J'attends dans la voiture.

Je grelotte de froid.

*Dehors, feuilles et branches s'envolent, emportées
par la tempête.*

Je me sens comme dans un séchoir.

Il a dû se passer quelque chose. Quelque chose ne tourne pas rond.
P. ne revient pas.
Attendre ou rester ?

Je s

Les mots prennent fin.

Je tourne la page. Rien. Plus de texte. Je continue de feuilleter le cahier. Mon corps entier se glace lorsque j'aperçois de grosses taches brunes qui ont durci les fibres du papier.

Ça ne peut être que du *sang*. À plusieurs endroits, des empreintes de pouce s'y dessinent.

Avec une grande délicatesse, j'effleure les traces de doigt. J'ai presque la sensation de toucher Hanne – comme si, par l'ouverture d'une brèche temporelle, je me trouvais là-bas, avec elle, partageant sa peine et son désarroi.

Quelque chose a dû se passer dans la maison aux nains de jardin. Cette maison devant laquelle je suis passé tant de fois.

Oui, ce doit être ça.

La solution de l'énigme doit s'y trouver – la réponse au mystère de la disparition de ce flic, du meurtre de la fillette et de la femme.

La réponse qui sauverait mon père.

Malin

Ormberg est plongé dans une obscurité sinistre. Un silence de mort plane sur le petit groupe de bâtisses fallacieusement appelé le « centre-ville », pour l'heure désert. Même les journalistes qui faisaient le pied de grue dans leur voiture jusque tard dans la nuit il y a quelques jours ont levé le camp.

Tout le monde est rentré chez lui pour fêter l'Avent, se délecter des traditionnelles brioches au safran et se prélasser devant la télévision.

Manfred, le regard fiévreux et la paupière frémissante, suspend son pardessus avant de s'installer. Il produit le sachet plastique contenant le téléphone mobile de Peter, le pose au milieu de la table avec un geste délicat et ouvre son ordinateur portable.

— Les techniciens passeront le chercher tout à l'heure, annonce-t-il avec un mouvement en direction de l'appareil.

Ses grandes mains se déplacent lestement sur le clavier avec des cliquetis.

— Tu as pu transférer la photo ? s'enquiert Andreas.

Manfred tourne lentement sa machine pour nous montrer l'écran, dévoilant le cliché trouvé dans le portable de Peter. Manfred l'a envoyé sur sa boîte e-mail pour que nous puissions l'agrandir et l'examiner sur l'ordinateur.

Nous fixons l'image floue en silence – les silhouettes sont déformées, difficiles à comprendre. La palette de couleurs s'étend du sépia au graphite foncé.

Je pointe du doigt le profil perceptible à gauche du cliché.

— C'est Peter, aucun doute là-dessus.

Manfred zoome sur la personne accroupie dans le coin droit, révélant les contours d'un bras osseux.

Le visage est détourné, les cheveux sont gris et très longs.

Je reprends la parole :

— C'est bien elle. C'est bien Azra Malkoc.

La femme tient à la main un objet qui semble luire.

— Qu'est-ce que c'est que ça ?

— Un couteau ? suggère Andreas.

— Il pourrait s'agir de n'importe quelle babiole qui reflètc la lumière, tempère Manfred. Un miroir, un objet métallique.

— Mais imaginez que ce soit vraiment un couteau. Si ça se trouve, Azra est dangereuse. Si ça se trouve, c'est elle qui a tué Nermina et elle a peut-être blessé Peter.

Seul le silence me répond. Je montre du doigt une forme à droite de Peter.

— Et ça… qu'est-ce que c'est ?

On dirait…

— Une pile de livres…

Au moment même où ma pensée s'exprime, je comprends que j'ai vu juste. Tout fait sens. Je discerne les volumes posés les uns sur les autres.

— C'est ça ! s'enthousiasme Manfred. Hanne se souvenait de bouquins en anglais sur un sol crasseux.

— Elle est allée là-bas, c'est certain, dis-je. Mais où est-ce ?

— Impossible de le savoir, ajoute Andreas. Attendons le point de vue des analystes d'images, mais je doute qu'ils en tirent quelque chose de plus.

Je me tourne vers Manfred.

— Montre-nous l'autre photo, celle de l'escalier.

Mon collègue s'exécute, affichant à l'écran un cliché bien plus net. On dirait des marches qui mènent à une cave. En bas, on distingue des vêtements suspendus à une patère et de la porcelaine sur un plateau situé par terre contre le mur.

Mais il n'y a personne.

— C'est forcément une cave, affirme Manfred. Il faut qu'on trouve les propriétés des environs qui disposent d'un sous-sol. L'Agence nationale du cadastre ou le bureau local d'urbanisme peuvent peut-être nous renseigner. J'appellerai Svante après notre réunion. Il faut qu'ils nous donnent un coup de main. Moi, j'ai besoin de dormir un peu cette nuit.

— Qui a pris la photo de Peter et Azra ? demande Andreas. Peter figure sur l'image. Quelqu'un d'autre doit tenir le portable.

— Hanne ? proposé-je. Elle avait peut-être en sa possession le téléphone de Peter. C'est sans doute pour ça qu'elle avait écrit le code sur sa paume. C'est peut-être elle qui l'a oublié dans le bâtiment de l'usine. On ne peut pas savoir si Peter s'y est rendu.

Manfred se masse les tempes de l'index et du majeur.

— Partons du principe qu'ils remontaient une piste et qu'ils sont tombés sur Azra Malkoc. Nous savons que leurs portables n'ont pas quitté Ormberg. Dès lors, ils ont trouvé la femme quelque part dans les environs. J'imagine que la situation a dégénéré. Azra a été tuée ; Hanne s'est enfuie ou perdue ; et Peter…

Il laisse sa phrase en suspens. À nouveau, l'image de Peter se peint sur ma rétine. Je jette un coup d'œil en biais vers l'étagère où nous avons mis de côté ses affaires et celles de Hanne. Il semblait trop définitif de les emballer.

Manfred poursuit :

— Peter est peut-être vivant. Peter est peut-être mort. Comme ce maudit chat de Schrödinger ! Je suis en train de péter un plomb !

Il s'autorise une courte pause, le regard tourné vers l'ancienne boutique où bourdonne le radiateur, avant de reprendre.

— Pourquoi diable Peter et Hanne nous ont-ils caché qu'ils étaient sur une nouvelle piste ?

— Ce n'était peut-être pas une nouvelle piste, dis-je. Ils devaient peut-être se rendre chez l'un des suspects et sont tombés sur Azra Malkoc par hasard.

— *Qui, par exemple ?*

Manfred se penche en avant, braque ses yeux sur moi et, contre mon gré, je sens mes joues devenir écarlates.

— Stefan Olsson ? Björn Falk ? Ou le pédophile, Henrik Hahn ? Ou peut-être qu'ils ont rencontré un témoin qui s'est avéré être bien plus qu'un spectateur innocent. Un employé du centre d'accueil pour les réfugiés, par exemple.

Manfred s'appuie sur le dossier de sa chaise, loin d'avoir l'air convaincu.

— Hum…

La porte qui donne sur l'extérieur claque. Des pas approchent.

Malik se matérialise dans l'embrasure, les épaules et le bonnet couverts de neige.

— *Toc toc toc !*

Andreas le salue de la main.

— Bonjour ! Tu es de passage à Ormberg ?

— Je vais accompagner les techniciens à l'usine métallurgique. J'en profite pour récupérer le portable.

Manfred esquisse un signe de tête vers le mobile de Peter posé sur la table dans son sachet plastique.

Malik tape des pieds pour se débarrasser des flocons, retire son couvre-chef, plonge les mains dans ses cheveux noirs et les attache en chignon à l'aide d'un fin élastique qu'il porte autour du poignet.

— Comment s'est passée la perquisition ? sonde Manfred.

— Bien. Sauf que la gamine a piqué une crise quand elle nous a vus débarquer. On est tombé sur une chemise ensanglantée et déchirée dans la buanderie. Sinon, rien d'intéressant. On verra ce qu'en diront les techniciens quand ils auront fini de leur côté. Ah si, autre chose : il y avait une robe à paillettes dans la garde-robe de la défunte mère. Une robe dorée à paillettes, taille 36. Je ne sais pas si ça revêt une importance. Stefan Olsson ne rentre pas dedans, mais on l'a embarquée quand même.

— Hum, répète Manfred. Autre chose ?

— Rien d'autre concernant la perquise. En revanche, on a réussi à contacter le fameux Tony.

— *Tony ?*

— Je croyais que Svante vous avait appelés, s'étonne Malik. Suzette a discuté avec un dénommé Tony qui travaillait comme gardien du centre pour demandeurs d'asile au début des années quatre-vingt-dix. Stefan Olsson s'est fait virer. Enfin, façon de parler, car il n'y était pas employé. En tout cas, ils l'ont congédié du jour au lendemain parce qu'ils l'ont vu rôder dans le jardin au milieu de la nuit. Apparemment, il espionnait certains résidents. Et devinez quoi ? C'était à l'automne 1993 !

— Azra et Nermina, susurré-je.

Malik attrape le portable de Peter.

— Exactement. Demain à huit heures, nous interrogeons Stefan Olsson. Vous êtes les bienvenus.

— Nous ne raterons ça pour rien au monde, déclare Manfred. Quant aux photos, je crois qu'on ne peut plus avancer ce soir. Rendez-vous demain matin à sept heures et demie ?

Dix minutes plus tard, Manfred et Malik partis, Andreas et moi nous retrouvons en tête à tête.

Je me glisse dans la pièce mitoyenne pour éteindre le chauffage et vérifier que le seau est bien situé sous la fuite au plafond.

Lorsque je reviens dans le bureau, Andreas me lance un regard inquisiteur. Or, loin d'arborer son habituel sourire dégoulinant de confiance mal placée, il étire les lèvres avec amabilité, presque avec retenue.

— Tu m'accompagnes chez moi, ce soir ?

À ces mots, je m'arrête net, prête à cracher une autre de mes petites phrases acerbes ourdies pour l'occasion.

Mais je le regarde, plonge dans ses yeux sérieux, en songeant à l'horreur de la situation – à la tête de cochon sanguinolente, aux ossements de Nermina, au corps sans visage d'Azra sur la table d'autopsie et à Peter qui s'est apparemment transformé en chat de Schrödinger. Je pense à Kenny, qui ne reviendra jamais, à Max qui reviendra peut-être, à ma mère tourmentée par des insomnies qui se creuse les méninges pour organiser un mariage aussi bon marché que possible – sans doute inutilement.

Je réfléchis à tout cela et à la fugacité frustrante de la vie. Une crotte de mouche au milieu de l'éternité, avant que l'obscurité ne nous engloutisse.

Une autre image se fait jour : le visage de Hanne dans le lit, la couverture remontée jusqu'au menton. Le rire dans ses pupilles. L'amour qui émanait de cette photo.

Pourquoi n'ai-je jamais vécu cela avec Max ? Ai-je sciemment fermé la porte au véritable amour ? Est-ce à cause de Kenny ?

— D'accord.

Le visage d'Andreas est dénué d'expression, mais ses yeux qui s'élargissent imperceptiblement révèlent sa surprise.

D'évidence, il ne s'attendait pas à cette réponse.

— Tu veux dire que… ?

— Allons-y avant que je change d'avis !

Nous roulons en silence à travers la forêt. Les grands sapins sont enrobés d'une épaisse couche blanche et quelques flocons esseulés dansent dans la lumière des phares.

C'est beau comme seul Ormberg peut l'être en hiver. Grandiose, mais en même temps si désert, si ténébreux.

J'ignore quelle distance nous parcourons, une trentaine de kilomètres, peut-être. Andreas ne prononce pas un mot. Puis, la forêt prend fin, remplacée par d'immenses champs immaculés. Andreas s'engage sur une route plus étroite, dépasse une station-service, seule lumière dans la nuit. Au bout de quelques minutes, nous entrons dans une petite ville et longeons des rangées de maisons.

Devant une bicoque d'une laideur grotesque, la voiture s'immobilise et nous en descendons. Andreas plonge la main dans sa poche à la recherche de ses clefs, ouvre la porte, allume, et m'inviter à entrer.

— Nous voilà chez moi.

Cette maison aurait pu se trouver à Ormberg. Elle ressemble à n'importe laquelle des maisons où j'ai traîné mes guêtres, adolescente. Les meubles, un mélange hétéroclite et mal assorti de neuf et d'ancien ; d'abominables canapés en cuir et un faux tapis oriental devant le grand écran ; des haut-parleurs surdimensionnés. Une bibliothèque dépourvue de livres ; des haltères posés sur le sol et une pile de magazines automobiles près du sofa.

Quelques cannettes de soda vides et un bol contenant des résidus de chips gisent au pied de la télévision. Un survêtement sèche sur le dossier d'un fauteuil.

Voilà ce que j'essaie de fuir depuis toujours…

Ormberg, la campagne, l'avenir si prévisible que c'en est désespérant, les champs à perte de vue, les forêts silencieuses. Les soirées devant la télévision avec des biscuits apéritifs et de la piquette. Les virées régulières au supermarché pour remplir le frigo.

L'obscurité sinistre des nuits d'hiver et la luminosité impitoyable des journées estivales.

La sensation que tout est fini alors que cela vient de commencer.

Je me remémore les lignes du rapport de police concernant ma mère. On l'a trouvée sur le mont Ormberg, ivre, triste, blessée. C'était il y a trois ans.

Pauvre petite maman.

Je pense à tout ce qu'elle aurait pu faire si elle avait quitté Ormberg ; aux postes qu'elle aurait pu occuper, aux personnes qu'elle aurait rencontrées, aux lieux qu'elle aurait vus…

Néanmoins, pour elle, Ormberg est le début et la fin de tout : une existence en tout point suffisante. Un univers qui satisfait tous ses besoins et ses désirs, et dont elle ne ressent pas les limites.

Pourquoi est-ce différent pour moi ?

Qu'a dit ma mère, déjà ?

Si tu fuis, assure-toi que tu n'essaies pas d'échapper à toi-même.

— Tu veux manger un truc ? Je ne sais pas si j'ai grand-chose chez moi, mais…

— Non merci.

— Un thé ?

Je secoue la tête en me tournant vers lui.

Ses cheveux noirs sont mouillés et de son pull émane une vague odeur de transpiration. Ses yeux sérieux, légèrement en amande, ressemblent à ceux de Kenny.

Je n'y ai jamais pensé, mais Andreas possède le même regard que Kenny.

Sur sa joue, je découvre une égratignure qui semble fraîche – peut-être une branche quand nous avons fureté près de l'usine. Une gouttelette de sang perle au bout de la plaie.

Andreas cache mal son embarras – à croire qu'il ignore comment m'aborder maintenant qu'il a réussi à m'amener chez lui.

— Bon, lâche-t-il.

Je prends tout à coup conscience de sa proximité.

— Bon…

J'esquisse un pas vers lui. Il ne bouge pas d'un iota.

Son haleine rebondit sur ma joue, petits souffles chauds et humides comme le vent d'été au bord de la rivière. Je sens la chaleur de son corps rayonner vers moi.

Lorsque je l'embrasse, il recule d'un pas.

— Tu es sûre que c'est une bonne idée?

Son hésitation ne dure qu'une seconde, puis il m'attire contre lui et pose ses lèvres contre les miennes.

Jake

J'ai beau mettre les gaz, mon scooter peine à avancer. La neige jaillit autour de mes jambes. Je ne m'efforce même plus de conduire lentement, mais je laisse traîner mes pieds par terre au cas où je perdrais l'équilibre.

Il est deux heures trente le lundi matin.

J'ai dormi quelques heures après avoir terminé la lecture du journal. Non seulement j'avais sommeil, mais en plus j'ai décidé de venir ici au beau milieu de la nuit. Personne n'est assez fou pour veiller aussi tard, n'est-ce pas ?

En ouvrant les yeux, j'ai découvert que Saga m'avait envoyé sept SMS – les quatre premiers témoignaient de sa colère, mais dans les trois autres sa rage semblait s'être muée en inquiétude. Je l'appellerai dans quelques heures. Je ne veux pas la réveiller.

Je pense à Hanne et P. Je me demande s'il la « méritait » ou si elle était « trop bien pour lui », comme disait ma mère à propos de ses copines.

Les femmes sont souvent *trop bien* pour les hommes. Peut-être que les hommes sont si monstrueux qu'ils méritent de rester seuls.

Et mon père ? Je trouve qu'il n'était pas si mauvais – du moins pas avant le décès de ma mère.

Une violente bourrasque m'attrape, manquant de me renverser, mais je parviens à redresser le deux-roues et je poursuis mon chemin dans la neige.

Autour de moi, l'obscurité s'épaissit. Les grands sapins qui bordent la route de chaque côté étendent leurs branches comme s'ils voulaient se prendre par la main.

Ce que je m'apprête à faire ne me ressemble guère, mais il s'est passé tellement de choses étranges ces derniers temps que je ne suis plus sûr de savoir ce qui est normal et ce qui ne l'est pas. Je ne sais même plus qui je suis. Je repense au regard de mon père lorsque les policiers l'ont embarqué, aux lèvres douces de Saga, à mes mains qui ont cogné la tête de Vincent contre le sol en béton, aux mots que je lui ai dits : la menace de révéler qui est réellement son père.

Qu'est-il en train de m'arriver ?

Je ne le sais pas, mais quoi qu'il advienne, cela me semble inéluctable. Je n'ai plus qu'à me laisser porter par le courant et croiser les doigts.

Un profond silence pèse sur les bâtiments plongés dans le noir. Le plus grand, le pavillon principal, se dresse à une cinquantaine de mètres de moi, à la lisière de la forêt, coiffé d'une imposante antenne parabolique. Trois de ses fenêtres donnent sur le mont Ormberg.

Je m'arrête devant la maison la plus modeste – une réplique de la première, mais dépourvue de parabole et percée de deux fenêtres.

Le vent s'est levé. De menus flocons me fouettent la joue alors que j'approche de la porte d'entrée.

Les personnages en bois debout sur la pelouse sont enveloppés dans un lourd manteau blanc.

Je suis venu ici tant de fois ! Je reconnais chaque buisson, chaque arbre, mais je ne suis entré dans aucune des maisons.

Une couronne en sapin suspendue à la porte oscille au gré du vent. La neige s'est accumulée en congères autour du porche.

J'abaisse doucement la poignée. C'est fermé.

Coulant un regard par la fenêtre de la cuisine, je vois que tout est tranquille, plongé dans le noir, à l'exception d'un petit point brillant, probablement sur le réfrigérateur – on dirait un œil jaune qui ne cligne jamais. Je remarque également une lumière tamisée provenant de la pièce d'à côté. Sans doute le vestibule.

À mes pieds, sur le perron, des pots de géraniums. Des fleurs en plastique, au vu de leur vigueur et leur couleur vive malgré les flocons. J'ôte mes gants, les range dans ma poche et, les mains dans la neige, je palpe le contour des pots avant de les soulever un par un. Et là, *bingo*, une vieille clef rouillée.

À Ormberg, personne n'est à cheval sur la sécurité – et c'est une erreur, dit mon père. La plupart des habitants cachent un double des clefs près de la porte – bien que les réfugiés fraîchement arrivés soient beaucoup moins fiables que les Ormbergiens. Ils pourraient entrer n'importe quand dans votre maison, vous violer, fixer au mur les drapeaux noirs du califat ou dérober tous vos objets de valeur.

Quels objets ? Je me le demande.

Je ne connais personne qui possède quoi que ce soit de valeur – hormis peut-être un ordinateur ou un écran plat.

La clef glisse dans la serrure. Je la tourne. Le battant s'ouvre sans un bruit.

Je reste figé sur le pas de la porte.

Naturellement, je devrais contacter la police au lieu de me risquer seul dans cette demeure obscure.

Mais la police pense que mon père est un alcoolique et qu'il a assassiné cette femme. Ils vont peut-être l'enfermer en prison à vie.

La boule dans ma gorge, qui avait disparu un long moment, se rappelle à mon souvenir.

Non. Il me faut découvrir qui a tué la femme près du monticule afin qu'ils libèrent mon père. J'enjambe le pas de la porte, referme derrière moi. Dans le vestibule, je suis assailli par une odeur de pizza et de liquide vaisselle. L'ampoule suspendue au plafond du séjour jette une lumière jaune pâle sur le sol. Des sacs-poubelle s'amoncellent derrière la porte d'entrée, à côté d'une paire de grosses chaussures. Des manteaux sont accrochés à des clous au mur.

Ayant frotté tant bien que mal mes chaussures sur le paillasson, je me faufile dans la cuisine. Le plancher craque. Je m'arrête plusieurs fois pour m'assurer que personne ne vient, mais je n'entends que le râle assourdi du réfrigérateur et des claquements provenant des radiateurs. Le mur du fond est garni d'étagères.

Je traverse la cuisine et, accroupi, je palpe la plinthe pendant plusieurs minutes. Là, à quelques centimètres au-dessus du sol, je sens une pièce métallique sous mes doigts : un loquet. Le faisant jouer, je parviens à l'ouvrir et la porte secrète s'entrebâille avec un léger cliquetis.

Loin d'être une porte classique, elle est lourde et blindée à l'intérieur.

Une exhalaison moite me saute au visage : on dirait l'odeur de la réserve, chez Saga – elle dit que la pièce est envahie de moisissure et qu'il faudra l'assainir quand sa famille en aura les moyens.

Je me relève, pénètre dans l'espace obscur, rabats la trappe derrière moi de manière à ne laisser qu'une petite ouverture.

Ici, il fait plus frais. Plus humide. Je frissonne.

Je sors mon mobile – il est bientôt déchargé – pour allumer la lampe de poche. Il va falloir que je songe à économiser ma batterie.

L'escalier abrupt suinte, les murs sont tachés et des voilettes de toiles d'araignées tapissent le plafond, se balançant légèrement au gré du courant d'air.

Sur une marche centrale gisent un sachet de *snus* et un gant qui a gardé la forme d'une main à demi fermée – on dirait qu'elle cherche à saisir le tabac.

Je descends les marches une par une, à pas feutrés. En bas, l'air paraît plus pesant, suffocant, saturé de cette pestilence de cave. Des vêtements jonchent le sol près d'une patère décrochée. Sur le mur, trois trous béants témoignent de l'emplacement du portemanteau. À côté des habits, un verre et une assiette brisés.

Devant moi, deux portes. Une à gauche. Une à droite. Celle de droite est déformée, comme si elle avait encaissé des coups de pied, et sa serrure est cassée. J'hésite à la pousser. Je pourrais me trouver nez à nez avec n'importe quoi : un fantôme, un zombie, un…

Cette pensée se dissipe plus vite que je ne l'aurais cru – étonnamment, je prends conscience que plus aucun fantôme ou zombie au monde ne peut m'effrayer. Tout ce qui me glaçait le sang a perdu son pouvoir sur moi : les cadavres gluants, les démons, les morts-vivants carnassiers. Les tueurs armés de hache ou de tronçonneuse, les extraterrestres prêts à conquérir le monde qui engloutissent des cervelles humaines comme du pop-corn.

La réalité est bien plus sordide.

Je me décide. La porte s'ouvre sans bruit. Plus lourde que je ne pensais, elle est aussi doublée de métal, comme la porte dérobée dans la cuisine.

La pièce est exiguë, froide, dépourvue de fenêtre. Et vide.

Ni personne vivante ni corps en décomposition. Juste un lit contre le mur. Quelques coussins, un plaid à motif floral. Au pied du lit, une lampe et une table de chevet sur laquelle sont posés un verre d'eau et un tube de crème. Par terre, des vêtements soigneusement pliés et des piles de livres appuyées contre le mur. Au moins une centaine d'ouvrages. J'éclaire les couvertures : toutes en anglais.

Au fond de la cellule, une autre porte. Derrière, des toilettes et un lavabo duquel pend une serviette rose effilochée. Sur le sol, un rouleau de papier hygiénique déformé par l'humidité. En face de la cuvette, une étagère murale supportant une brosse à dents, un déodorant, un petit savon craquelé et une brosse en plastique rose.

Saisissant l'objet, je remarque de longs cheveux gris. Les mots de Saga me reviennent à l'esprit.

Elle ressemblait à un fantôme, avec ses longs cheveux gris sinistres.

La femme assassinée près du monticule vivait-elle ici ? Dans cette cave ?

Le sifflement des tuyaux au plafond m'arrache à mes réflexions. Sorti des toilettes, je jette un regard circulaire pour m'assurer qu'aucun détail n'a échappé à mon attention.

Au-dessus du lit, je devine des dessins sur la façade, comme une sorte de trame légère. M'approchant, j'éclaire le mur et distingue de petits bâtons qui semblent gravés dans le béton. Je scrute le motif. On dirait une barrière : quatre lignes verticales et une cinquième transversale.

Je me recule. Repère d'autres barrières. Encore quelques pas en arrière. Balayant le mur des yeux, je constate, horrifié, qu'il est couvert de ces motifs.

Toute cette cloison tapissée de traits !

À cet instant, comprenant la signification de ces dessins, je suis saisi de panique. Non pas à cause de cette minuscule cellule crasseuse, des toilettes répugnantes au sol maculé de taches, des toiles d'araignées au plafond.

Non, c'est la prise de conscience que quelqu'un doit avoir passé des années là-dedans. Pas des jours, des semaines, des mois, mais des *années*. Que cette personne a gravé des marques dans le béton suintant pour compter les jours et les nuits.

Était-ce elle, la femme aux longs cheveux gris ?

Pris de vertige, j'esquisse quelques pas pour retrouver l'équilibre et ne pas chuter.

Peut-on vraiment vivre dans une cave ? Ne meurt-on pas de manque de lumière et d'air frais ? Ne pourrit-on pas comme un légume oublié dans un réfrigérateur humide et froid ?

J'étouffe. Une corde invisible s'enroule autour de ma poitrine. Les murs se rapprochent, penchent vers moi. Mon pouls s'accélère.

Tant de jours. Tant de nuits.

Je sors de la pièce à reculons, le cœur battant. L'idée que quelqu'un ait vécu ici, ait peut-être été retenu prisonnier derrière cette épaisse porte, me donne la nausée.

La tête me tourne et mes mains tremblent lorsque je me retrouve à nouveau au bas de l'escalier. Je trébuche.

Mon cœur s'arrête. Je retiens ma respiration.

Silence.

On n'entend que les chuintements des tuyauteries et un bourdonnement qui semble provenir de l'autre pièce.

Faisant volte-face, j'éclaire la deuxième porte. Elle paraît ordinaire et n'est pas fermée à clef. Je la fais glisser sur ses gonds.

Encore une cave glaciale et sans fenêtre, plus exiguë que la première, avec comme seul ameublement un immense congélateur, de ceux qui s'ouvrent par le dessus. Nous en avons installé un dans notre réserve. Mon père y stocke de la viande de chevreuil et d'élan.

On peut quasiment y entreposer un chevreuil entier.

Le sol est souillé de grandes coulées brunes – je n'ose pas penser à ce que ça peut être.

Une rangée de gouttelettes court de la plus grosse tache au congélateur.

Je m'en approche, hasarde une main sur la poignée. Au même moment, la machine grogne, presque comme si elle voulait me parler.

Doucement, je soulève le couvercle. Le coffre massif pousse un râle et laisse échapper une bouffée d'air frais. Penché en avant, je braque mon portable vers l'intérieur.

Là, jouxtant un bac de glace aux trois parfums, se trouve un homme, recroquevillé en position fœtale. La pellicule de givre qui couvre son corps ne m'empêche pas de voir ses cheveux gris-blond, son anorak bleu et sa chemise à carreaux.

Je m'efforce de ne pas le regarder, me concentre sur le clown qui lève son chapeau sur l'emballage de la crème glacée.

En vain.

Des vagues de nausée me submergent à intervalle régulier. Je lâche mon portable. Le couvercle du congélateur me glisse des mains sans que je puisse réagir et se referme avec un claquement sourd de mauvais augure.

Les membres engourdis, je sens la pièce tourner autour de moi et refoule tant bien que mal des haut-le-cœur. Pourtant, mon cerveau carbure, avance des hypothèses, teste des théories.

Je me remémore l'article du journal local sur P. : ... *portait une chemise de flanelle à carreaux rouges et blancs ainsi qu'une parka bleue de la marque Sail Racing.*

L'homme dans le congélateur est P.

Je ramasse mon téléphone, l'introduis dans ma poche et sors de la pièce à reculons, titubant, cherchant un appui sur le mur en béton. Puis je m'effondre à genoux et, à quatre pattes comme un chien, j'entreprends de gravir l'escalier.

Je ne pense qu'à une chose : déguerpir au plus vite. Ce qui s'est passé ici dépasse mon entendement. Quelque chose de bien pire que tout ce que j'ai pu imaginer s'est déroulé ici, sous le sol d'une maison on ne peut plus normale dans le patelin le plus barbant au monde, où les jours se ressemblent et où le danger n'existe pas.

Les marches deviennent des montagnes que j'escalade une par une. Je me cogne les genoux et mes ongles se brisent contre le béton, mais je ne sens plus la douleur. Mon cerveau est empli de cet effroi qui me paralyse.

Arrivé presque à mi-chemin, je me lève. Sous mes pieds, la surface est glissante. J'ai les jambes en coton à force de penser à l'homme dans le congélateur. Juste au moment où je m'interdis de tomber, je trébuche – probablement sur le sachet de *snus* et le gant abandonné dans l'escalier.

Ma tête heure le sol avec un bruit sourd.

La vive douleur disparaît aussi vite qu'elle est venue, remplacée par une sensation légère et duveteuse, l'impression de flotter librement.

L'obscurité autour de moi se dissout, devient blanche comme neige.

Lorsque je reviens à moi, tout mon corps est endolori. J'ignore combien de temps je suis resté étendu sur le béton, mais mes membres sont perclus de froid quand je me lève. Palpant l'arrière de mon crâne, je sens une bosse de la taille d'une balle de ping-pong. Mais pas de plaie.

Un coup d'œil à mon portable. Éclaté. Mort.

Je monte à nouveau les marches, évitant soigneusement le sachet de tabac et le gant. Le mince rai de lumière au-dessus de ma tête grandit. Au moment de pousser la porte, je constate que la cuisine est éclairée.

Je jette un coup d'œil par l'embrasure, retenant mon souffle. Appuyé contre le mur rocailleux, je me penche en avant pour mieux voir.

Le plafonnier est allumé et, à quelques mètres de moi, j'aperçois deux grosses jambes robustes.

Malin

À l'instant où je me réveille, je sais que ma vie a changé à jamais. Que j'ai franchi une limite et suis entrée dans un pays inconnu que je ne peux plus quitter. Que tout ce que je croyais savoir sur ma vie et mon avenir s'avère erroné : un mensonge que j'ai moi-même bâti, tissé d'imagination, de croyance dans un bonheur ailleurs, bien loin d'Ormberg.

Couchée sur le côté, j'observe Andreas dans le noir.

Il dort sur le dos, les bras au dessus de la tête comme un enfant, la respiration profonde, presque silencieuse.

Satané Andreas !

S'il n'existait pas, j'aurais réussi. J'aurais épousé Max, déménagé à Stockholm. J'aurais laissé Ormberg derrière moi, jeté aux oubliettes ce fichu patelin, jusqu'à ce que son souvenir pâlisse comme les clichés de Polaroid de l'album de ma mère. Transformé en une histoire pittoresque à raconter lors des si nombreux dîners auxquels Max et moi sommes conviés.

Non, j'ai grandi à Ormberg. Tu n'en as jamais entendu parler ? Pas étonnant, c'est minuscule, pas très excitant, mais plutôt mignon...

J'allonge le bras vers lui, effleure son épaule, devine les petits poils contre ma paume.

Il a tout foutu en l'air.

Alors comment se fait-il que je me sente si bien ? Pourquoi ai-je la sensation d'avoir trouvé une chose que je n'avais pas conscience de chercher ?

Andreas roule sur le côté avec un grognement. Son odeur… m'est à la fois familière et si nouvelle – irrésistible et en même temps interdite.

C'est l'odeur de Kenny.

C'est l'odeur de tout ce que j'ai renié, tout ce à quoi j'ai tourné le dos : le désir, la perte de contrôle, les forêts obscures, l'imposant édifice du Roi du Tricot et la vieille usine métallurgique décatie.

C'est la silhouette trapue de ma mère et le visage inexpressif de Magnus lorsqu'il tire sur la laisse de Zorro en baissant les yeux au sol.

En réalité, c'est assez comique. Même si tout va mal, je dois l'admettre.

Je me trouve au lit avec un bouseux qui lit des magazines de voitures devant la télévision et n'a pas d'autre but dans la vie que de changer son mobilier, se muscler les biceps et voyager en Thaïlande une fois par an.

En tout cas, c'est ce que je crois savoir de lui. Au fond, je ne le connais guère, mais je lui ai attribué ces caractéristiques d'après ma propre vision du monde.

Je fixe l'anneau en or qui scintille vaguement à mon doigt, le retire et le pose sur la table de chevet. Il tinte.

Andreas ouvre les yeux et m'observe sans rien dire. Puis, m'attrapant par le poignet, il m'attire contre lui et me serre fort.

Allongée contre lui, je caresse les poils sous son nombril.

J'ignore combien de temps nous restons ainsi, quelques minutes peut-être, puis le réveil retentit.

Nous arrivons à Örebro juste après sept heures. La neige se met à tomber sur la ville endormie au moment où nous nous garons devant le commissariat.

Manfred se trouve déjà sur place, le visage blafard et cerné – il n'a pas dû fermer l'œil de la nuit. Ses cheveux lui collent au crâne, comme s'il venait de retirer son bonnet.

— Bonjour Manfred.

Il me répond d'un signe de tête.

C'est alors que je repense aux images dans le portable de Peter et la culpabilité me ronge : j'ai réussi à refouler l'enquête, j'ai passé la nuit avec Andreas au lieu de tenir compagnie à Manfred.

Nos collègues nous rejoignent et dix minutes plus tard nous sommes prêts à entendre Stefan Olsson.

Svante et Suzette « à la poigne légendaire » vont mener l'interrogatoire. Pour l'heure, elle arbore des ongles vert pomme dont l'extrémité pointue est ornée de strass.

Manfred, Andreas et moi nous installons dans une salle adjacente et observons le dialogue à travers le miroir sans tain. À la surprise générale, Stefan Olsson, après notification des soupçons qui pèsent sur lui, a expliqué qu'il n'avait pas besoin d'avocat, car il était « innocent à cent pour cent ».

La tension palpable est mêlée d'une sorte d'impatience – c'est aujourd'hui, c'est maintenant, que nous allons coincer le tueur d'Azra et Nermina.

Le suspect pénètre dans la pièce, l'air dérouté. Il jette un regard circulaire, s'arrêtant sur la vitre et, bien que je sache qu'il ne nous voit pas, cela me met mal à l'aise.

Il porte un pantalon de survêtement noir à bandes blanches et une chemise en jean mal boutonnée dont un pan lui descend sur l'aine. Il se cache les yeux d'une main lorsque Suzette allume la lampe et entre derrière lui, suivie de Svante. Suzette adopte la même démarche voûtée que la dernière fois – peut-être a-t-elle des problèmes de dos plutôt que d'estomac.

Ils s'installent, Svante démarre l'enregistrement et débite quelques formalités.

Stefan fixe la table, immobile, la tête penchée en avant et les mains croisées sur les genoux.

— C'est entre autres pour cela que nous voulions discuter avec vous, déclare Svante. Pour faire la lumière sur ce qui s'est passé au centre d'accueil des réfugiés en 1993 et 1994.

— Bon, répond Stefan en se frottant les yeux. C'est pour me parler de mes travaux de menuiserie que vous m'avez jeté en prison ?

Svante ne réagit pas au commentaire, mais Suzette le corrige d'un ton calme :

— En garde à vue, pas en prison.

— Peu importe. Je vous ai déjà dit que j'avais oublié avoir bossé là-bas. J'ai déjà tout expliqué, bordel ! Toute cette histoire… On marche sur la tête ! Vous ne comprenez pas ce que vous nous faites subir, à moi et à ma famille ? Vous ne comprenez pas…

La voix de Stefan s'éteint.

Svante s'appuie contre le dossier de sa chaise, croise les bras sur sa poitrine et observe le suspect.

— Pourquoi avez-vous cessé d'y travailler ?

Stefan se raidit, lève les yeux, puis hausse les épaules.

— Ils ne devaient plus avoir de boulot pour moi ?

Suzette se penche en avant, incline la tête sur le côté.

— Écoutez, ce serait plus facile pour tout le monde si vous coopériez. Nous ne vous voulons pas de mal, ni à vous ni à votre famille. Ce qui nous intéresse, c'est de savoir ce qui s'est passé cet hiver-là.

— Il ne s'est rien passé ! Je travaillais au centre. Puis j'ai arrêté. Point barre.

— Que pensiez-vous des réfugiés ? s'enquiert Svante.

— Ce que j'en *pensais* ? Pas grand-chose.

— Vous étiez favorable à l'accueil des réfugiés à Ormberg ?

Stefan esquisse un geste négatif.

— Je vois que vous agitez la tête, commente Suzette. Pouvez-vous formuler une réponse orale ?

Elle montre le microphone qui pend du plafond.

— Nan, enfin, bafouille Stefan. Évidemment, ça ne me plaisait pas… Mais je n'avais rien contre ces gens. Pas personnellement. C'est juste que… je me disais que… qu'ils pouvaient aller habiter ailleurs.

Svante gratte sa grosse barbe.

— Vous n'aviez pas par hasard le béguin pour deux d'entre elles, Azra et Nermina Malkoc, par exemple ?

Stefan secoue vigoureusement la tête.

— Répondez verbalement.

— Non, bon sang ! Je ne connaissais personne dans ce trou !

— Pourquoi espionniez-vous les réfugiés ? lance Svante.

Son ton est retenu, la question insidieuse, comme s'il l'avait posée au passage, sans qu'il s'agisse d'un sujet d'importance – simplement l'objet de la curiosité du policier.

— Je ne les espionnais pas !

Stefan cache son visage dans ses mains avec un sanglot.

— Merde. Vous avez foutu ma vie en l'air, vous comprenez ?

Suzette place une paume hésitante sur le bras de Stefan, comme si elle voulait voir jusqu'où elle pouvait pousser son rôle de gentil flic avant qu'il ne réagisse.

Mais il ne moufte pas.

— Stefan, commence-t-elle d'une voix mielleuse qu'elle emploierait pour s'adresser à un chiot. Nous avons parlé avec les personnes qui travaillaient à la résidence pour réfugiés cet hiver-là. Elles nous ont indiqué que vous aviez été surpris dans le jardin le soir, à l'automne 1993. Il y avait une arme chez vous alors que vous ne possédez pas de permis. Vous vous trouviez dans votre voiture à proximité du lieu du crime. Par ailleurs, nous avons découvert un vêtement taché de sang dans votre cave hier – une chemise déchirée. Vous comprenez bien pourquoi vous figurez sur la liste des suspects.

Stefan, à présent secoué de tremblements, se prend à nouveau la tête dans les mains.

Manfred bondit de sa chaise et, avec un signe vers la glace, s'exclame :

— On le tient !

Stefan éclate en sanglots, incapable de se contrôler. Le corps secoué de soubresauts, il laisse échapper un long gémissement, comme un animal blessé.

D'une main experte, Suzette lui présente une boîte de mouchoirs, mais il ne semble pas le remarquer.

— Stefan, implore-t-elle, aidez-nous à comprendre. Racontez-nous ce qui s'est passé !

Il semble se ressaisir, se redresse légèrement, opine du chef et se mouche bruyamment.

— C'est moi, concède-t-il avant de recommencer à pleurnicher.

Suzette se raidit, échange un coup d'œil avec Svante.

Le voici venu, le moment que nous attendons tous. Je retiens mon souffle, regarde Manfred qui ne bouge pas d'un millimètre.

— C'est *moiiiii* ! brame Stefan.

Suzette se penche vers lui, la main tendue. Les ongles verts paraissent quasiment phosphorescents.

Stefan renifle, se mouche à nouveau, fixe la policière dans les yeux. Elle lui fait signe de poursuivre.

— C'est moi qui ai mis le feu aux buissons du centre pour réfugiés ! C'est pour ça que je me trouvais dans le jardin à l'automne 1993. Et le sang sur la chemise… Il vient de la tête de cochon qu'Olle et moi avons accrochée à un arbre, derrière le centre. Mais nous ne voulons de mal à personne. Juste marquer le coup.

Il s'autorise une pause avant de continuer :

— On était un peu bourrés aussi, peut-être. Je ne me rappelle plus bien. Mais je ne veux pas que les enfants l'apprennent. Je ne veux pas qu'ils croient que je suis quelqu'un de mauvais. Surtout pas. Je vous en prie, ne dites rien à Jake et à Melinda !

Sa voix se brise.

— Je regrette tellement ! conclut-il avant de se moucher à nouveau.

Suzette et Svante se dévisagent, visiblement désarçonnés.

— C'est pas Dieu possible, marmonne Manfred en s'effondrant sur sa chaise.

Suzette est la première à recouvrer ses esprits. Elle nous lance un regard hésitant et s'éclaircit la gorge.

— Stefan. Vous nous avez déjà menti par le passé. Comment confirmer que vous dites la vérité?

— Demandez à Olle. Il était avec moi quand on a cramé les buissons.

— Olle Erikson, votre ami d'Högsjö?

— Oui. Et le fusil lui appartient. Je le lui ai emprunté. On voulait monter la garde le soir, à Ormberg. Protéger les jeunes. Surtout les filles. On ne sait pas ce qu'ils vont inventer, ces Arabes.

Manfred se cache le visage dans les mains, comme s'il refusait d'assister à cette scène.

— Merde, merde, merde…

La porte s'ouvre, laissant entrer Malik.

Manfred s'étire.

— Appelle ce type, Olle, *illico presto*!

— Tout de suite, réplique Malik. Autre chose, nous avons identifié les propriétés qui disposent de caves : celle de Berit Sund, de Rut et Gunnar Sten et de Margareta Brundin.

— *Berit?* murmuré-je.

— Quoi?

— Elle travaillait au centre pour réfugiés au début des années quatre-vingt-dix. Et elle avait d'étranges griffures au bras quand nous lui avons rendu visite. Comment cela a-t-il pu nous échapper?

— Hum, tempère Manfred. Berit ne ressemble pas vraiment à la description que Hanne a faite du coupable.

— Et les autres ? veut savoir Malik.

Je reprends la parole :

— Rut Sten était directrice du centre pour réfugiés au début des années quatre-vingt-dix. Aussi avons-nous un lien. Son mari était apparemment violent dans sa jeunesse. Sans compter qu'ils n'ont pas d'alibi pour la nuit du meurtre.

— Hum, répète Manfred.

— Et Margareta Brundin ?

— Elle n'a pas de cave, dis-je, catégorique. Je suis allée chez elle des centaines de fois – ni Magnus ni Margareta ne disposent de sous-sol. En plus, ils ont un alibi pour la nuit où Azra a été tuée. Ils se trouvaient à Katrineholm, non ?

— Margareta a un alibi, me corrige Manfred. Elle nous a montré des tickets de caisse venant de quelques boutiques et d'un restaurant. Cela ne signifie pas que Magnus était avec elle.

— Qu'importe ! Magnus Brundin est inoffensif. Il ne ferait pas de mal à une mouche.

Jake

Je jette un coup d'œil par l'interstice entre la porte et le mur. La fente ne fait pas plus de un centimètre, mais je vois clairement l'intérieur de la cuisine.

Magnus-le-couillon est planté près de la table, jambes écartées. Il serre son portable dans une main et se gratte la barbe de l'autre. Ses cheveux sombres et clairsemés sont hirsutes et son ample pantalon de survêtement pend sur ses hanches sous son gros ventre laiteux. Il fixe la fenêtre où filtre une lumière bleutée.

Ma tête me fait terriblement souffrir, j'ai l'impression qu'elle va exploser. Fermant les paupières, je m'efforce de respirer par la bouche sans faire de bruit, de remplir lentement mes poumons. Mais j'ai tout de même l'impression de haleter. Mon cœur bat si fort qu'il doit s'entendre jusqu'à la cuisine.

Magnus-le-couillon. L'imbécile. L'idiot du village.

Je songe aux petits bâtons tracés dans la cave, soigneusement alignés sur le mur humide, aux longs cheveux gris dans les poils de la brosse, et à P. qui gît dans le congélateur à côté d'un bac de glace.

Tout le monde sait que Magnus-le-couillon n'a pas toute sa tête. Quand j'étais jeune, mes amis et moi nous cachions à proximité de l'allée qui mène aux maisons

386

de Margareta et Magnus et nous lui balancions des pierres.

Mon père traitait Magnus-le-couillon de crétin, ce qui mettait ma mère hors d'elle. Elle disait qu'il était *faible d'esprit*, que ce n'était pas sa faute, et que nous prendrions une belle raclée, Melinda et moi, si elle apprenait que nous l'avions tourmenté.

A-t-il gardé une femme prisonnière dans son sous-sol?
A-t-il tué quelqu'un?

Comment peut-on faire une chose pareille? C'est incompréhensible, surtout pour Magnus qui n'a jamais travaillé, qui ne sait pas conduire, encore moins lire et écrire, à en croire Melinda.

Il a dû recevoir de l'aide – il est tellement empoté, tellement bêta.

Néanmoins, la cave… C'est clair comme de l'eau de roche. Et puis, je pense à un autre détail probant : le monticule de pierres.

Je pense savoir pourquoi Nermina et la femme aux longs cheveux gris ont été trouvées là-bas.

Si l'on s'enfuit de chez Margareta et Magnus, la rivière coule à gauche et le mont Ormberg se dresse à droite. Le passage devient de plus en plus étroit, jusqu'à ce qu'on débouche inévitablement sur la clairière et l'amas de pierres. Presque comme une nasse pour piéger les poissons.

On peut se rendre au monticule de plusieurs façons, mais il n'y a qu'une manière de quitter la propriété de Margareta et Magnus : via le monticule.

Sauf à passer par la route, bien sûr, mais ce n'est peut-être pas le plus évident lorsqu'on veut échapper à un tueur fou.

Magnus le savait.

Il a dû attendre Nermina et cette femme près du monticule, comme un chasseur à l'affût. Magnus n'a pas eu d'autre solution pour arrêter la femme que de lui tirer dessus. Il est trop lent et balourd pour rattraper un adulte.

Mes neurones s'activent et peu à peu tout fait sens.

Magnus gardait cette femme prisonnière dans la cave. Quand Hanne et Peter sont venus, ils ont ouvert la porte et l'ont laissée sortir. Magnus les a découverts et a tué Peter. Peut-être comptait-il le conserver au congélateur jusqu'au printemps, quand le sol serait dégelé et qu'il pourrait l'enterrer.

Or, la femme aux cheveux longs a réussi à s'enfuir. C'est la raison pour laquelle elle ne portait pas de chaussures – elle a sans doute quitté la maison le plus vite possible, s'est enfoncée dans les bois et jusqu'au monticule où Magnus l'a abattue.

Et Hanne ?

Elle a dû parvenir à se soustraire à Magnus avant de s'égarer dans la forêt.

Je regarde à nouveau Magnus qui fait les cent pas dans la cuisine, téléphone collé à l'oreille, la démarche hésitante comme s'il posait les pieds sur une fine couche de glace. Il marmonne quelque chose, écoute, puis répond d'une voix traînante :

— Toi ? Tu as lu ça dans le carnet de notes de Malin ?

Il pousse un profond soupir.

— Mais Berit est là…

Il tire une chaise et s'y laisse tomber.

— Parce que je n'ai *pas* envie.

Il se tait, tambourine légèrement sur l'assise de son siège.

— Ça ne change rien, je n'ai pas envie.

Nouveau soupire.

— Mais maman, elle va sans doute tout oublier à nouveau. C'est un vieux croûton.

Long silence.

Je me creuse la cervelle. Magnus discute avec sa mère, Margareta. Ils parlent de Hanne. Ma gorge se serre et je serre les poings – mes ongles s'enfoncent dans mes paumes.

— Je suis vraiment *obligé* ?

La voix paraît suppliante, comme un enfant à qui on vient d'ordonner de ranger sa chambre, mais cherche à y échapper. On dirait Saga, quand sa mère la force à travailler ses maths ou Melinda quand mon père lui dit d'enfiler un « vrai » tee-shirt – pour éviter de « montrer son ventre aux Arabes ».

Le réfrigérateur se met en marche avec un hoquet.

Je prends soudain conscience du remugle qui émane de la cave. Il doit suinter par la fente de la porte et se répandre dans la cuisine.

Magnus renifle-t-il cette odeur ? Peut-il flairer la porte ouverte, comme un chien de chasse ?

— On ne peut pas s'en occuper un autre jour ? Je suis crevé… Mais il neigera sans doute à nouveau dans quelques jours. On est vraiment obligés de faire ça aujourd'hui ?

Magnus marque une pause interminable, se gratte le cou de sa grosse paluche. Puis reprend, sans conviction :

— Bon, d'accord. Mais je dois d'abord m'habiller et prendre mon petit déjeuner donc pas tout de suite…

Court silence.

— Ça marche. Près du monticule. J'apporte le fusil ?

Magnus s'affaisse sur sa chaise, les yeux au plafond. Tournant la tête, il me montre son profil. Il bâille.

— Une pierre? Mais pourquoi?

Mon cœur bondit dans ma poitrine lorsque je comprends de quoi ils parlent. Jamais je n'avais songé que Hanne puisse courir un danger, bien qu'elle ait travaillé pour la police et que j'aie vu ce visage pâle et cerné derrière la fenêtre de chez Berit.

Cela devait être Margareta, d'ailleurs. En train d'espionner Hanne et Berit. Évidemment, ils redoutent que ses souvenirs à propos de P. remontent à la surface.

Pourquoi n'y ai-je pas pensé plus tôt?

Tout est ma faute!

Si seulement j'avais pu résister au *mal qui me ronge*, rien de tout cela ne serait arrivé!

— Oui, oui, acquiesce Magnus d'une voix fatiguée. Bisous.

Il se lève en soufflant, glisse son portable dans sa poche et s'étire. Son tee-shirt remonte, dévoilant sa bedaine. Il s'approche du réfrigérateur, l'ouvre, farfouille dedans, déplaçant des aliments dans un froufrou de papier.

Mes jambes engourdies sont raides comme des bouts de bois. Esquissant quelques pas pour activer la circulation, je trébuche, cherche le mur à tâtons pour retrouver l'équilibre, mais je heurte la porte. La pression n'est pas forte, mais un bruit sourd se fait entendre et le battant s'ouvre de quelques centimètres.

Je ferme les yeux, prononce une prière silencieuse bien que je n'aime pas Dieu – je ne sais même pas si je crois en lui.

Mon Dieu, aidez-moi ! Faites que Magnus ne me découvre pas !

Lorsque j'ouvre les yeux, Magnus regarde droit dans ma direction. Il cligne des paupières et lèche ses épaisses babines rougeâtres.

Mon corps se transforme en statue de glace. Exactement comme les gens dans les films d'horreur lorsqu'ils croisent un zombie, un alien ou un revenant gluant. La seule différence, c'est que ce monstre est réel. Je ne suis pas installé sur le canapé de Saga à manger des chips ; je ne tiens pas sa main dans la mienne. Je ne peux pas appuyer sur « pause » et encore moins appeler un adulte à la rescousse.

Je me trouve dans la maison d'un assassin qui est en train de me dévisager.

Mais Magnus-le-couillon bâille à nouveau, se tourne vers le réfrigérateur et en sort un carton de yaourt à boire qu'il porte à sa bouche.

Je pousse un long soupir – il ne m'a pas vu. Bien que je sois juste en face de lui.

Dieu existe peut-être, après tout, même si j'ai du mal à croire qu'il ait du temps pour moi – qui suis un dépravé – alors qu'il y a tant de misère dans le monde…

Magnus replace le yaourt, claque la porte du réfrigérateur, se traîne jusqu'à l'entrée. Sa silhouette s'évanouit dans l'obscurité. Quelques secondes plus tard, j'entends son pas lourd dans l'escalier.

C'est ma seule chance ! Un moment inespéré ! Magnus est monté – il s'habille, se prépare à retrouver Margareta près du monticule.

Avec une *pierre* ! Bon Dieu !

Fermant les yeux, je songe à Hanne, au Groenland, aux icebergs turquoise qui flottent au gré des vagues et à P., l'homme qu'elle aimait. L'homme congelé comme les steaks hachés du supermarché que nous faisons griller en été.

Vieillir. Ne plus se souvenir de rien. Avoir la vie derrière soi comme une longue traîne. Comme cela doit sembler étrange ! La vie peut s'achever n'importe quand, même si on est en train de réaliser quelque chose d'important – devenir adulte, écrire un livre, découvrir un remède contre le cancer. La mort peut frapper les vieux comme les jeunes… comme Nermina.

Mon corps souffre de l'absence de Saga, de Melinda, de mon père, mais surtout de ma mère. Elle aurait su quoi faire. Elle savait toujours comment réagir dans des situations dramatiques – comme quand Melinda est tombée de l'arbre sur un caillou et qu'elle s'est mise à saigner abondamment. Ou quand mon père s'était enivré au point de ne plus pouvoir marcher.

Ma mère trouvait une solution à tout.

Hormis à sa maladie.

Que fait-on lorsqu'on se trouve nez à nez avec un tueur fou ? Est-ce qu'un adulte connaîtrait la réponse à cette question ?

Je ne le crois pas.

Une partie de moi voudrait s'étendre sur le sol, céder aux larmes, à l'épuisement, à la panique. Or, dans ma tête, une petite voix se fait entendre, proclamant que rien n'est impossible, qu'il suffit de briser les chaînes de ses pensées, de les laisser voler librement, tels des oiseaux. Me reviennent à l'esprit les mots de Vincent – *suce-moi, sale pédé !* – et le chaos dans mon cerveau qui s'est ensuivi, lorsque la bête sauvage en moi s'est éveillée. Mon tortionnaire s'est soudain trouvé sous moi, épouvanté, quand j'ai commis l'impensable.

Finalement, ce qui semble impensable ne l'est que jusqu'à ce qu'on saute le pas.

Puis, cela perd son caractère extraordinaire pour devenir une chose de la vie, entrant dans la composition de cette traîne que l'on promène derrière soi.

J'approche ma main de la poignée, mais au moment où mes doigts heurtent le métal froid, j'entends des pas qui s'approchent depuis l'escalier.

M'immobilisant en plein geste, je jette un coup d'œil par l'embrasure.

Magnus passe. Le réfrigérateur s'ouvre. J'entends un froissement de sac plastique.

Puis le silence. Un silence inquiétant.

Je me penche vers la fente de la porte pour mieux voir.

Magnus me fait face, bouche bée, l'air ahuri. Il se dirige vers moi, lève la main et pousse le battant d'un mouvement résolu.

Le loquet se referme avec un cliquetis et tout devient noir.

Hanne

De lourds flocons tombent devant la fenêtre de Berit, formant un épais manteau sur le sol et les frondaisons. Des empreintes laissées par le passage d'un lièvre s'estompent rapidement.

Cela fait une éternité que je n'ai pas aussi bien dormi.

Je baisse les yeux sur mes pieds : on m'a retiré mes pansements, mais des croûtes et des égratignures émaillent toujours ma peau blanche. Mes ongles cassés ont pris une teinte bleutée. L'un de mes petits orteils est bandé.

Je m'habille et me mire dans la glace fixée au mur. Au moins, je me reconnais avec mes cheveux ébouriffés grisonnants, mes yeux bordés de rouge, mes taches de rousseur.

C'est moi, Hanne.

Je songe aux photographies d'Helene Schmitz. Je crois que c'est Owe, mon ex-époux, qui m'a traînée voir l'une de ses expositions. Il raffolait de Culture avec un grand C. Plus c'était prétentieux et compliqué, mieux c'était. Je doute qu'il ait nourri une véritable passion pour l'art – la culture d'élite était surtout pour lui un marqueur social, un centre d'intérêt qui lui conférait un sentiment de supériorité, un peu comme une voiture de luxe ou des vêtements griffés.

En réalité, les clichés d'Helene Schmitz ne sont ni prétentieux ni compliqués. Non, ils sont magnifiques, mais m'ont mis mal à l'aise – peut-être est-ce la raison pour laquelle ils m'ont marquée.

L'exposition, constituée de deux séquences d'images, montrait la conquête – ou plutôt la *re*conquête – de la nature sur les constructions humaines.

La première série de photographies représentait de belles maisons à l'abandon dans un ancien village minier du littoral namibien qui, de manière lente mais inexorable, s'emplissaient de sable fin charrié par les vents. La seconde était consacrée à la prolifération du kudzu, une plante japonaise extrêmement envahissante : introduite aux États-Unis, elle a étouffé la flore locale, drapé les bâtiments d'une chape verte létale, allant même jusqu'à démolir les murs.

À l'époque, j'avais trouvé les clichés splendides, en dépit du trouble qu'ils avaient provoqué en moi. Avec le temps, ils ont acquis une portée nouvelle.

Je me sens comme ces constructions côtières. Le sable est la maladie qui lentement mais sûrement m'engloutit. Je suis les arbres, les bâtiments ; le kudzu est cette satanée démence.

Je suis la conteuse, je suis le récit.

Je suis la caméra, je suis les maisons.

Je suis l'objet tout en étant le sujet, car je suis témoin de ce qui se passe, sans pouvoir agir.

Chaque matin au réveil, le sable a enseveli un peu plus de ma réalité. Le kudzu a enroulé ses branches autour d'une autre de mes capacités – encore un pan de ma vie qu'il veut me soustraire.

Je me peigne, m'applique du baume sur les lèvres et me dirige vers la cuisine en essayant de ne pas songer aux actions que je ne suis plus en mesure d'accomplir.

Berit fait la vaisselle, un tablier élimé noué autour de la taille. La radio diffuse des chansons suédoises à faible volume. Le feu crépite dans le poêle. Au milieu de la pièce, Joppe remue impatiemment la queue, comme pour attirer l'attention de sa maîtresse.

— Bonjour, bonjour ! s'écrie Berit avec un grand sourire. Tu as faim ?

Elle agite la cafetière à bout de bras.

— Oui, merci.

Je m'installe à table. Berit y pose du pain, du beurre et du fromage avant de boitiller jusqu'à ma place.

J'ai toujours mauvaise conscience lorsqu'elle s'occupe de moi ainsi. À bien des égards, je suis plus en forme qu'elle – sauf sur le plan de la mémoire. Mais cela ne m'empêche pas de me servir un café.

Berit emplit ma tasse, se laisse tomber sur une chaise en face de moi et sourit à nouveau. Elle me fait penser à ma mère avec ses cheveux gris bouclés et ses bigoudis tout autour de la tête. Sa frange est retenue par une barrette ornée d'une fleur.

Je beurre une tartine de pain fait maison avant de l'agrémenter d'épaisses tranches de fromage.

Ma vie chez Berit est agréable.

J'apprécie cette femme – en particulier son silence serein, dénué d'exigences. Elle appartient à cette catégorie de personnes qui ne se sentent pas obligées de parler. En outre, son visage reste gravé dans mon esprit – ce qui revêt pour moi une importance encore plus capitale. Le matin au réveil, je me souviens d'elle. Cela signifie-t-il que je suis en train de recouvrer une partie de ma mémoire à court terme ? Je l'ignore. Peut-être est-ce dû au fait que nous nous côtoyons tellement que ses traits se sont enracinés dans mon cerveau récalcitrant.

Nos journées s'écoulent dans une certaine oisiveté.

Berit aime cuisiner et tricoter ; nous faisons aussi de longues promenades avec Joppe lorsque le temps nous le permet.

Il arrive que je me réveille au milieu de la nuit en criant le nom de Peter. Alors, Berit se lève, allume le poêle et prépare un thé que nous buvons en silence.

Parfois, elle me donne un somnifère.

Je commence à douter de revoir un jour Peter. J'ai cessé d'espérer une visite de Manfred. À présent, je redoute ce moment, je redoute ce qu'il me dira. Car je ne pense pas que Peter soit encore en vie. Pour une obscure raison, je me suis persuadée que je le sentirais – comme une sorte de vibration intérieure, une chaleur quelque part sous le sternum ou un chatouillement aux abords du cœur.

Même si je sais que ce ne sont que des bêtises.

Je ne peux pas *sentir* s'il est vivant ou non.

Cela me gêne de n'avoir aucun souvenir du temps que nous avons passé ici, à Ormberg. De l'enquête à laquelle j'ai participé. Des nouveaux collègues que j'ai rencontrés.

Les dernières réminiscences remontent au Groenland. Comme nous étions heureux là-bas, Peter et moi !

Pourquoi cela aurait-il changé, à Ormberg ? Pourquoi quelques semaines dans un patelin de Sudermanie auraient-elles altéré notre bonheur ?

Ainsi, quand Berit me pose des questions, je lui raconte que Peter est l'homme de ma vie et que nous nous trouvons très bien ensemble. Que je suis comblée.

La main appuyée sur la table, mon hôte se hisse lentement, mais s'arrête dans son mouvement, le visage tordu dans une grimace.

Je me tourne vers elle

— Ça va aller ?

Elle esquisse un sourire en biais.

— Je me sens mal en point depuis quelque temps.

Elle se dirige vers le chien à poils drus, se penche en avant pour le gratter derrière l'oreille.

— Je pars le promener. Je reviens d'ici à une demi-heure.

— Je vais ranger, dis-je avant d'avaler ma dernière bouchée de tartine.

— Non, je ferai la vaisselle en rentrant.

— Je m'en occupe.

— Ce n'est pas à toi de le faire.

— Ça ne me dérange pas.

Je vois qu'elle s'apprête à protester, mais se retient.

— Bon, d'accord.

Elle s'achemine vers le vestibule avec Joppe sur les talons.

Dès qu'elle a fermé la porte, je me lève pour débarrasser mon petit déjeuner tardif, puis j'ajoute quelques bûches au feu.

Il fait froid aujourd'hui. Pourtant, il neige.

Malgré le poêle constamment allumé, le froid s'insinue par les brèches de la vieille maison, accompagné d'une humidité qui laisse son haleine sur les vitres et imprègne la literie.

Des petits coups proviennent de l'entrée.

Je crois d'abord que mon imagination me joue des tours, mais on frappe à nouveau, plus fort cette fois. Ce sont des coups qui savent ce qu'ils veulent, qui ne comptent pas céder.

Je plie le torchon en lin, le pose sur le plan de travail et me dirige vers la porte, envahie par une légère inquiétude.

Cela ne peut pas être Berit. Elle vient de partir. Et puis, pourquoi frapperait-elle ? Elle est chez elle.

Et si c'était Manfred ? S'ils avaient trouvé Peter ?

J'ai un pincement au cœur : j'ignore si je supporterais l'annonce de son décès.

On frappe une troisième fois. Encore plus fort. Des heurts impérieux.

Je vais ouvrir.

Jake

Il fait noir comme dans un cachot. Comme dans une tombe.

Je m'efforce de ne pas penser à P., dans le congélateur de la pièce au pied de l'escalier. Si c'était arrivé dans un des films que Saga et moi regardons, il en serait ressorti, aurait lentement gravi les marches au son des craquements de ses bras et jambes transis.

Je palpe la porte : rien d'autre que du métal glacé. Pas de poignée à l'intérieur – la raison est claire : on n'est pas censé quitter ces oubliettes.

Je ne crois pas que Magnus-le-couillon m'ait vu. Sans doute a-t-il remarqué que la porte était entrebâillée. Voilà pourquoi il l'a fermée. Je suis fait comme un rat, captif dans cette fichue chambre de torture, dans cette geôle de la mort, tandis que Magnus et Margareta s'apprêtent à assassiner Hanne.

Et je ne peux rien faire.

Il n'y a pas de porte. Ni même un soupirail. L'unique issue est condamnée par une lourde plaque de fer. M'acharner dessus ne servirait à rien – à part attirer l'attention de Magnus, ce qui serait encore pire que de rester piégé dans le noir.

Si seulement je pouvais téléphoner. Mais non, mon portable a rendu l'âme.

Assis sur la première marche, je sens les larmes sourdre sous mes paupières. La boule familière dans ma gorge grossit.

Ma mère me manque. Elle me manque tellement que j'ai l'impression que je vais exploser.

Je frappe le métal de mon poing et laisse échapper un sanglot. Le fracas est sourd, mais plus fort que je le prévoyais. Comme un coup de tonnerre dans le lointain.

Je suis transi de peur. Et si Magnus m'avait entendu ? S'il m'enfermait dans le congélateur, comme Peter ?

Dehors, un bruit. Un raclement. Puis le cliquetis du verrou.

Mon cœur s'arrête. Je suis cuit. Il est là.

Or, lorsque la porte s'ouvre, c'est Saga qui se trouve derrière, en pyjama, anorak et épaisses chaussures, les cheveux parsemés de neige et les joues rougies par le froid.

— Saga ! Qu'est-ce que tu fais là ?

Elle me tire par le poignet vers la cuisine.

— Il vient de partir. Nous sommes seuls.

Je plisse les yeux dans la lumière aveuglante, ça cogne dans ma tête et j'ai la bouche sèche.

— Comment tu savais que je serais ici ?

Saga me fixe avec sérieux, m'étreint légèrement le bras.

— C'était écrit dans le carnet. J'ai compris que tu voulais venir ici quand je l'ai lu. Comme je n'ai pas réussi à te joindre hier soir, j'ai appelé Melinda qui m'a dit qu'elle n'avait pas de nouvelles de toi depuis hier, mais que tu lui avais envoyé un SMS pour l'informer que tu dormais chez une copine. Je me doutais que c'était faux parce que…

Saga se tait, mais je devine ce qu'elle pense. Je n'ai pas d'autres copains que Saga. Comme je n'étais pas chez elle, elle savait que je mentais.

Elle paraît soudain curieuse.

— Tu as dormi où cette nuit, d'ailleurs ?

— À Brogren.

— OK. En tout cas, j'ai décidé de venir voir si tu étais là. J'ai attendu longtemps dans les bois devant la maison, jusqu'à ce que Magnus se tire, et me voilà.

— Tu as trouvé la clef ?

Saga lève les yeux au ciel.

— Sous le pot de fleurs. Ce que les gens peuvent être prévisibles ! Sauf nous, bien sûr, l'intelligence incarnée.

Elle se fend d'un sourire sans joie.

— Bon. On n'a pas de temps à perdre, dis-je. Ils veulent tuer Hanne.

— Quoi ? Qui *ils* ?

— Magnus et Margareta. Ils ont séquestré la femme du monticule, ils ont assassiné le policier. Il est là, dans le sous-sol. Dans un congélateur !

Saga fronce le nez et ouvre des yeux comme des billes.

— Tu es sérieux ? Dans la cave ? *Ici ?*

— Oui.

— Tu l'as vu ?

Sa voix n'est plus qu'un murmure.

— Oui.

— Merde alors ! C'était comment ?

Je réfléchis.

— Tu te souviens du film sur les zombies au pôle Nord ? Il ressemblait à ça. Sa peau était couverte de givre et…

Je me tais devant l'expression de terreur sur le visage de mon amie.

— Allez, on se grouille ! Je dois prévenir Hanne. Tu peux appeler la police, leur dire de se rendre au monticule ?

— Bien sûr. Mon portable est déchargé, mais je rentre téléphoner de chez moi. Je peux rester anonyme.

Courte pause.

— Je ne suis pas non plus obligée de parler de toi ou du journal.

Malin

Devant chez Berit, nous descendons de la voiture sous une giboulée de neige.

Le paysage luxuriant, saupoudré de blancheur, est à nul autre pareil. Le comble de la perfection.

Andreas a conduit comme un chauffard depuis Örebro. Sur le siège passager, la gorge serrée, je suis restée plongée dans mes pensées. Plus nous nous éloignions de chez lui, plus la culpabilité de Berit me semblait tirée par les cheveux – même s'il y a des circonstances que je suis incapable d'expliquer.

Je ne peux tout simplement pas imaginer cette femme douce et boiteuse tuer quelqu'un. Je commence presque à soupçonner Rut et Gunnar Sten plutôt que Berit.

Suzette et Malik sont allés jeter un coup d'œil à leur cave.

Stefan Olsson a dit la vérité.

Sous la pression, son ami Olle a fini par avouer qu'ils avaient à plusieurs reprises incendié le jardin du centre pour réfugiés au cours de l'année 1993. À la question *pourquoi ?* il a répondu qu'ils étaient « jeunes et cons ». Il a également reconnu avoir suspendu, avec Stefan, une tête de cochon à côté du centre. Une « plaisanterie », d'après lui.

Stefan a immédiatement été remis en liberté. Certes, il s'est rendu coupable de délits, mais pas suffisamment graves pour être placé en détention.

Tout à coup, Andreas se fige.

— Qu'est-ce que c'est que ça ? demande-t-il en montrant le bois de l'autre côté du champ.

Effectivement, quelque chose bouge entre les troncs, mais l'écran neigeux m'empêche de distinguer de quoi il s'agit.

— On dirait qu'il y a quelqu'un !

Nous scrutons la forêt, mais, ne voyant plus rien, nous poussons jusqu'à la maison de Berit, grimpons les marches du perron, frappons à la porte. Elle s'ouvre presque immédiatement.

Berit a les joues rouges, les yeux hagards. Une barrette ornée d'une fleur en tissu pend à sa frange comme un appât coloré au bout d'une canne à pêche.

— Hanne n'est plus là ! s'écrie-t-elle, avant même que nous l'ayons saluée. Je suis sortie avec le chien et quand je suis revenue, elle avait disparu.

Berit plaque une main sur sa bouche et ferme les paupières très fort. L'espace d'un instant, j'ai l'impression qu'elle va éclater en sanglots, puis elle inspire profondément et me fixe.

— Reprenons, dis-je. Quand êtes-vous rentrée ?

Je balaye le vestibule du regard : une paire de souliers, un anorak abandonné à côté.

— Il y a à peine quelques minutes. Mais elle n'est nulle part. J'ai cherché partout.

— Pouvons-nous entrer ? s'enquiert Andreas.

Berit esquisse un pas de côté pour nous laisser passer.

— Désolée pour le désordre, s'excuse-t-elle en rangeant ses chaussures et en accrochant son manteau.

Nous fouillons toute la maisonnette. Aucune trace de Hanne. Soulagée d'avoir un prétexte pour visiter son sous-sol, je demande :

— Pouvons-nous jeter un coup d'œil à la cave ?

Berit fronce les sourcils.

— Bien sûr. Mais pourquoi serait-elle descendue là ?

Elle nous précède jusqu'au bout du long couloir et ouvre la petite porte qui émet un couinement.

Je m'avance, allume la lampe de poche et observe. Les murs bleus sont couverts d'étagères pleines de pots de confiture et de sachets de graines. Un sac de pommes de terre est posé en bas de l'escalier.

Hormis cela, l'espace est vide.

Nul besoin de comparer cette cave avec la photographie trouvée dans le portable de Peter : elle n'a pas été prise ici.

Andreas pénètre dans la cuisine, regarde par la fenêtre.

— Où débouche-t-on si l'on coupe à travers champ et qu'on entre dans la forêt par là ?

Berit secoue la tête.

— Vous pensez qu'elle est dans les bois ? Mais pourquoi diable ferait-elle ça ?

— Nous avons vu quelqu'un là-bas en arrivant, dis-je. Juste à côté de cet arbre couché. Et on dirait bien que quelqu'un a traversé le champ.

— Moi, je le traverse constamment, ce champ, rétorque la vieille femme, penchée sur l'appui de la fenêtre et les yeux perdus dans le lointain.

Elle gratte les éraflures à son avant-bras gauche. Elles semblent presque cicatrisées, la rougeur est partie, les croûtes ont disparu, laissant apparaître une peau fine et rose.

Berit a compris mon regard.

— Les rosiers. Je suis incorrigible.

Elle fixe à nouveau l'orée du bois, sourcils froncés. La neige n'a pas cessé de tomber.

— Près de l'arbre abattu, c'est ça ?

— Oui.

— Si on continue, on débouche sur l'ancienne usine. Ou sur le monticule de pierres. Ça dépend de la direction qu'on prend.

Hanne

Nous avançons avec difficulté dans la neige à l'orée
du bois. À l'ombre des grands sapins, il fait quasiment
noir.

La forêt est étonnamment silencieuse, comme si
l'écran neigeux absorbait tous les sons.

La femme devant moi marche vite en dépit de sa
petite taille et de sa stature voûtée. Ses jambes maigres
progressent dans l'épaisse couche blanche avec la même
facilité que si elle se promenait dans un pré en plein été.

Je ne me rappelle pas l'avoir déjà rencontrée – mais
je ne peux pas être sûre.

Je ne suis plus fiable du tout.

Elle est emmitouflée dans un gros anorak et un
pantalon de ski. De fines mèches de cheveux bruns
dépassent de son bonnet tricoté à motif de cœurs.

Elle s'est présentée comme Margareta, a expliqué que
Peter était blessé et que je devais venir au plus vite. Que
nous téléphonerions à Berit plus tard – elle avait son
portable sur elle.

Je halète, tente de la rattraper.

— Où est-il ?

Margareta s'arrête et m'attend. Elle me dévisage avec
sérieux.

— Près du mont Ormberg. Nous allons y retrouver tes collègues.

La forêt s'épaissit. Les sapins semblent se rapprocher, comme s'ils refusaient de nous laisser passer. Comme si les arbres s'ingéniaient à nous barrer la route.

— Il va bien ?

Margareta fait du surplace, l'air impatient.

— Je te l'ai déjà dit : je ne le sais pas vraiment. Mais le temps presse.

Elle jette un regard circulaire alentour, lève les yeux vers la lézarde de ciel gris foncé qui se dessine entre les cimes.

— Allez, dépêchons-nous !

Elle hoche la tête en réponse à sa remarque, se retourne et poursuit son chemin.

Son comportement me paraît étrange. Pourquoi est-elle venue me chercher, et pas mes collègues ? Pourquoi marchons-nous à travers les bois plutôt que de prendre la voiture ? Pourquoi n'avons-nous pas pu attendre Berit ? D'habitude, il ne lui faut que quelques minutes pour sortir Joppe, même s'il est vieux et boiteux.

— Comment vous appelez-vous, déjà ?

Je hâte le pas pour la suivre, mais la tâche est ardue – la neige qui m'arrive aux genoux est pesante. Mes jambes brûlent à cause de l'effort.

— Margareta Brundin.

— Vous êtes d'ici ? D'Ormberg ?

Elle s'immobilise. Pivote sur ses talons. Sourit pour la première fois. Une trame de profondes rides apparaît autour de ses yeux, et quelque chose qui ressemble à du dévouement, ou peut-être de l'amour, se reflète sur son visage.

— J'ai habité ici toute ma vie. C'est le plus beau village au monde.

— Et vous travaillez avec la police ?

Margareta s'esclaffe. Ayant retiré ses moufles, elle plonge la main dans sa poche pour en sortir un paquet de cigarettes. Elle en allume une et aspire une longue bouffée.

— Moi, dans la *police* ? Loin de là !

Elle éclate à nouveau d'un rire qui se transforme en une toux rauque. Elle s'éclaircit la gorge et poursuit :

— Ça fait bien des années que je ne bosse plus. J'étais sage-femme. Mais Malin, la fille de mon frère, est dans la police. Elle travaillait avec vous.

Voyant que je ne réponds pas, elle penche la tête sur le côté et me regarde.

— Vous ne vous souvenez pas d'elle ?

— Non.

J'ai honte – comme si c'était moi qui avais choisi cette amnésie alors que c'est elle qui m'a élue.

Margareta hausse les épaules. Lève les yeux vers la neige qui tombe. Éteint la cigarette par terre. Remet son gant.

— On ferait mieux d'y aller !

Nous marchons quelques centaines de mètres en silence. La forêt s'éclaircit. Çà et là, des souches : on a procédé à des coupes sombres. Puis le terrain devient plus accidenté, nous contraignant à contourner de grands rochers et des troncs abattus, et nous débouchons sur une route.

— Nous y sommes presque. Il suffit de traverser la chaussée et de passer par là.

Elle pointe le doigt vers les conifères de l'autre côté de l'asphalte.

— Encore combien de temps ?

— Pas longtemps.

Enjambant le fossé enneigé, elle pose le pied sur le bitume. Je la suis, mais le malaise ne me quitte pas. Devons-nous retourner dans la forêt ?

L'espace d'un instant, je songe à rester ici, près de la route déblayée par le chasse-neige où l'obscurité est moins profonde. Mais je pense à Peter. S'il était dans les bois ? S'il était blessé, quelque part dans une maison ? Seul, malade, incapable de bouger.

Margareta disparaît entre deux sapins. Je lui emboîte le pas.

Peter est en vie. Il n'y a pas d'autre solution.

Sinon, pourquoi l'enverraient-ils me chercher ?

Le terrain change à nouveau. Nous commençons à monter. D'abord, je ne remarque qu'une pente douce, mais elle devient de plus en plus raide à mesure que nous progressons. Je suis obligée de m'accrocher aux branches et aux arbustes pour ne pas perdre l'équilibre. Des blocs de neige me tombent sur le visage, dans le cou. Margareta, elle, poursuit son chemin, comme une infatigable chèvre des montagnes.

Je jette un regard par-dessus mon épaule. Étrange : une forêt tapissée de blanc s'étend à perte de vue au-dessous de nous – nous avons dû marcher beaucoup plus loin, grimper beaucoup plus haut que je ne le pensais. Je discerne la flèche de l'église, mais le rideau cotonneux gomme la ligne d'horizon, dissipant le paysage dans une brume d'albâtre.

— Attendez !

Margareta s'autorise une halte, se retourne et se dirige vers moi.

— Quoi ?

— Je dois me reposer. Je n'ai pas la force d'aller si vite.

— Nous y sommes presque. Venez !

Mes pieds sont raides et engourdis, mais je lui obéis et la suis lorsqu'elle gravit le versant.

Çà et là, je distingue des empreintes de pas en travers du coteau : peut-être que la police a fouillé les bois ici, à la recherche de Peter.

Enfin, nous débouchons sur un replat ceint d'arbustes et de buissons. À droite, je devine un groupe d'imposants rochers placés en cercle.

Margareta s'immobilise sur la terrasse, sans un mot. Elle observe la forêt, les bras le long du corps, le menton baissé. Puis, elle se retourne lentement pour me faire face. Son haleine forme de petits nuages qui lui cachent les yeux. Elle pose une main sur mon bras.

— Regardez comme c'est beau, annonce-t-elle avec une douceur inattendue.

Jake

Je gravis le mont Ormberg. La pente raide m'oblige à m'aider des arbres et des buissons pour ne pas dégringoler. Chaque fois que j'attrape une branche, des amas de neige s'écrasent sur ma figure.

J'ai l'impression que la forêt me crache dessus, à croire qu'elle veut se débarrasser de moi. Chaque fois que je lève la tête, je sens la migraine poindre, assortie de nausée. Je me suis même demandé si je ne subissais pas une hémorragie cérébrale, comme ce dont est morte ma grand-mère, mais je me convaincs de ne pas m'inquiéter : ma mamie souffreteuse frisait les quatre-vingts ans.

Margareta et Hanne grimpent à une cinquantaine de mètres devant moi, pareilles à des bonshommes allumettes flous dans la giboulée.

Je les suis depuis la maisonnette de Berit.

Je venais de garer mon scooter non loin de chez elle quand je l'ai vue sortir avec son chien boiteux et, avant même que j'aie pu avertir Hanne, Margareta est apparue pour aller frapper à la porte.

Elle devait attendre le départ de Berit. Comme un loup qui guette sa proie.

J'espérais arriver plus tôt. Maintenant, je dois me résoudre à les suivre. J'ai songé à enfourcher mon deux-roues pour les précéder au monticule, mais je n'ai pas osé : Margareta essaiera peut-être de tuer Hanne avant qu'elles ne l'atteignent.

Avec un peu de chance, la police sera sur place avant les deux femmes. Saga devait l'appeler dès qu'elle rentrerait.

Je lève les yeux vers les bonshommes allumettes que sont Margareta et Hanne. Comment peuvent-elles marcher si vite ? Elles qui sont si âgées.

Mon père dit que tout fout le camp quand on vieillit – l'ouïe, la vue, la mémoire –, mais en *slow motion*. Si lentement qu'on s'en rend à peine compte, comme si on diffusait un film d'époque, image par image.

Pour ma mère, c'était différent.

Elle est tombée malade et elle est décédée. Tout s'est passé très vite, bien qu'elle fût encore jeune et que Hadiya, le médecin à la jolie poitrine, lui ait injecté le poison de la chimiothérapie dans le corps.

C'est difficile à comprendre et c'est surtout injuste, que des femmes comme Berit et Margareta puissent continuer à vivre alors que ma mère est morte et enterrée.

Au-dessus de moi, une branche craque, un cri déchire le silence.

Je m'arrête, je retiens ma respiration, épie la forêt, craignant soudain que Hanne dévale la pente en roulant, telle une gigantesque boule de neige.

Mais tout est calme.

Rien ne dégringole du mont.

Je reprends mon ascension, un pied devant l'autre, encore et encore, malgré la faim, l'épuisement, le vertige. Je voudrais m'allonger par terre, fermer les yeux quelques instants.

Mais ça, c'est interdit. Le froid représente un danger mortel – il peut vous fatiguer, vous désorienter, vous susurrer à l'oreille que vous avez besoin de quelques minutes de repos, et *paf*, vous avez cassé votre pipe et vous vous retrouvez gelé comme un bonhomme de neige.

Comme P.

M'efforçant de faire abstraction du corps dans le congélateur, j'enjambe une branche, regarde vers le haut.

Pourquoi Margareta amène-t-elle Hanne ici ? Il doit y avoir de bien meilleurs endroits pour tuer quelqu'un, tant de lieux plus faciles d'accès.

Surtout pour des gens si vieux.

Le mont Ormberg est difficile à escalader, même en été. Saga et moi l'avons grimpé quelques fois à l'automne. Ensuite, assis dans l'herbe à quelques pas du gouffre, nous avons contemplé le paysage en nous gavant de sucreries.

Le village était très joli depuis les hauteurs. On aurait dit une carte postale. De loin, on ne voyait rien de la vétusté et de la laideur qui hantent le journal de Hanne. Toutes les maisons miteuses, les façades souillées et les carcasses de voiture étaient effacées, comme si Melinda avait fardé Ormberg à coup de pinceau à maquillage.

Je regarde vers le haut.

Hanne s'est arrêtée sur la terrasse qui surplombe le précipice, à gauche du monument de l'âge de pierre, mais Margareta a disparu, elle a dû avancer.

Avancer ? Mais devant, il n'y a que l'abîme.

Brusquement, je percute. Je comprends pourquoi Margareta a traîné Hanne en haut du mont Ormberg. Et pourquoi il est si important de le faire aujourd'hui, un jour où il neige.

Je me remémore les mots de Magnus.

Mais il neigera sans doute à nouveau dans quelques jours. On est vraiment obligés de faire ça aujourd'hui ?

Je frissonne, fais volte-face.

En effet, les flocons couvriront les empreintes de chaussures de Margareta. Les miennes commencent déjà à s'estomper.

J'accélère la cadence, progresse au pas de course, mais soudain je glisse et m'étale de tout mon long. Ma tête heurte violemment le sol, un objet acéré m'entaille la joue et je dévale la pente la tête la première. Parvenant enfin à me saisir d'une branche, je me relève et m'époussette les vêtements.

Je retire un gant, crache de la neige, effleure du doigt ma pommette. Je sens une coupure. Quelque chose de chaud et visqueux dégouline sur mon visage. Du sang.

Je me persuade que ce n'est qu'une petite plaie – rien comparé à ce qui attend Hanne si Margareta réussit à l'amadouer, à l'attirer jusqu'au gouffre.

Je reprends mon chemin dans la neige profonde jusqu'à atteindre le replat. Mon cœur bat la chamade. Essoufflé, accroupi derrière un buisson, je jette un coup d'œil aux deux femmes.

Leurs silhouettes se détachent sur le ciel clair. Debout au bord du précipice, elles semblent admirer le village. La scène est presque paisible. La main de Margareta repose avec légèreté sur le bras de Hanne, comme pour la protéger, alors qu'elle cherche l'inverse.

Margareta est une harpie, une folle furieuse, une meurtrière.

Le sang goutte devant moi, mais ça m'est égal. Je ne pense qu'à Hanne. Il ne doit rien lui arriver. Non seulement parce que j'ai une responsabilité envers elle, mais également parce qu'elle est mon amie – bien qu'elle l'ignore. Jamais aucun adulte ne m'a dit quoi que ce soit d'aussi honnête et important que ce qu'elle a rédigé dans son journal. Et, même si je suis contrarié à cause de ce qu'elle a écrit sur mon père, je ne regrette pas d'avoir lu son cahier.

Je formule une supplique silencieuse : *Hanne, je vous en prie, reculez, vous êtes trop près du précipice !*

Or, elle reste immobile aux côtés de Margareta. Elle ne se rappelle rien. Ne comprend rien. Ne se doute pas un instant que la mégère prévoit de la pousser dans l'abysse dès que l'occasion se présentera.

Je suis le seul à pouvoir l'en empêcher.

Bondissant sur mes pieds, je m'achemine vers les deux silhouettes. Le tapis de neige étouffe le bruit de mes pas. Elles ne remarquent pas ma venue.

Je finis par être si proche que j'aperçois Ormberg en contrebas. Je devine la tour de l'église et des colonnes de fumée qui s'élèvent çà et là des maisons cachées entre les arbres.

À présent, je peux presque les toucher – effleurer l'épaule de Hanne ou le ridicule bonnet à cœurs de Margareta.

Quelque chose en moi se durcit – se transforme en glace. Toute la peur, tout le tourment que je ressens s'évanouit, se mue en une détermination, une force.

Je ne compte pas la laisser mourir. Alors je l'appelle :
— Hanne !

Hanne

Quelqu'un prononce mon nom ?

Je crois d'abord que c'est une illusion, que mon cerveau a créé de toutes pièces cette voix. Pourquoi quelqu'un m'appellerait-il ici, en haut du mont ?

Or, la femme qui m'accompagne et dont j'ai déjà oublié le nom fait volte-face en un éclair. Je l'imite, plus lentement, les jambes et le dos courbatus après l'interminable ascension.

Devant moi, un garçon.

Son apparence m'est vaguement familière – en particulier la douce courbure de sa lèvre supérieure et l'intensité de ses yeux sombres. Et sa voix, à la fois aiguë et mélodieuse, presque comme celle d'un chanteur.

Il a une quinzaine d'années et porte un anorak élimé, un bonnet et un jean couvert de glace jusqu'aux cuisses. Un long pull en laine rose dépasse sous son manteau et un fil traîne dans la neige. Du sang coule sur son menton depuis la profonde balafre qui lui traverse la joue.

J'observe la femme, son corps sec et noueux, ses pommettes rouges et ses petits yeux noirs, ronds comme des billes, écarquillés d'étonnement.

— Jake Olsson, crénom d'un nom, qu'est-ce que tu fiches ici ? Est-ce que ton père sait où tu es ?

— Viens, Hanne! m'enjoint le garçon sans me lâcher du regard. On doit partir de là!

— Elle ne va nulle part, grogne la femme. Mais *toi*, tu n'as rien à faire ici, Jake Olsson. Ouste! Du balai! Rentre chez ton papa. Dieu sait qu'il a besoin de toi et de ta sœur.

L'adolescent – Jake – s'avance pour me saisir le poignet. Au même moment, la femme resserre son étreinte sur mon autre bras. Jake continue de me dévisager de ses yeux opiniâtres. Il montre la femme.

— Elle compte vous faire tomber dans le précipice.

— Je n'ai jamais entendu des bêtises pareilles!

Elle plaque une main sur sa bouche, comme pour montrer à quel point elle est outrée.

— Si. Vous voulez la pousser dans le vide parce que ses souvenirs reviennent. Vous avez peur qu'elle se rappelle que vous et Magnus avez tué ce policier, Peter. Et que vous aviez enfermé la dame aux cheveux longs dans votre cave.

Au moment où le garçon articule le nom de Peter, je sens mes jambes se dérober, mais son bras me stabilise.

— Peter est *mort*?

Mes mots sont réduits à un murmure qui s'évanouit immédiatement entre les arbres. Comme si même la forêt refusait qu'ils soient prononcés à voix haute.

— Oui.

La femme me regarde, l'air renfrogné.

— Ne croyez pas ce que raconte ce… garçon, peste-t-elle avec un mouvement de la tête vers lui. (Elle crache dans la neige.) Depuis tout petit, il ne fait que causer des problèmes. Sa mère s'inquiétait tellement pour lui qu'elle en est morte. Venez, Hanne! Pas de temps à perdre avec lui, nous devons retrouver Peter.

— Ne l'écoutez pas ! Elle ment ! C'est une tueuse !

La femme éclate d'un rire qui se mue en quinte de toux.

— Ça, par exemple ! Je dois reconnaître que tu es doté d'une imagination débordante ! On se demande de qui tu l'as héritée ! Pas de ton poivrot de père, en tout cas !

À qui dois-je me fier ? La situation est bien trop absurde : je me trouve au sommet d'un mont, au milieu des bois, avec de la neige jusqu'aux genoux, flanquée de deux personnes que je ne connais ni d'Ève ni d'Adam.

L'histoire du garçon est invraisemblable, et j'ignore tout de ce qui est arrivé à Peter. Il a pu être victime d'un crime. Mais qu'il ait été *assassiné* ?

Non, c'est impossible. Si c'était arrivé, je devrais me le remémorer. Un fragment de souvenir devrait au moins s'être gravé dans mon esprit. Un événement aussi capital, de nature à bouleverser ma vie, ne peut pas passer inaperçu.

Tournant le visage vers la femme, je croise ses petits yeux ronds.

Pourquoi m'a-t-elle traînée au bord de cet abysse ? Peut-il y avoir une once de vérité dans les allégations de cet adolescent ?

La femme s'adresse à moi d'une voix douce, comme si elle parlait à un enfant :

— Hanne. Vous l'entendez vous-même, ce qu'il raconte est aberrant.

Le garçon me tire par un bras, la femme par l'autre. Je dérape dans la neige.

Lentement, nous approchons du bord de la corniche.

Malin

Les empreintes de chaussures que nous avons suivies pendant près d'une heure nous ont conduits au monticule de pierres. Si la distance parcourue n'était pas très longue, la profonde couche de neige, les arbres abattus et les anfractuosités nous ont ralentis. Chaque mètre exigeait de nous un effort, chaque pas me brûlait les cuisses.

Le silence règne dans la clairière déserte. Le ruban bleu et blanc que la police scientifique a accroché aux sapins volette dans la brise. Les empreintes de pas partent dans toutes les directions.

— Impossible de retrouver leur piste, déplore Andreas. Trop de gens ont foulé le sol. Et la neige s'est remise à tomber.

Je contemple les traces laissées par les policiers, les techniciens, les badauds, le tout poudré d'une mince pellicule de frimas. Je balaye du revers de la main une pierre du monticule avant de m'y asseoir, les jambes percluses de courbatures.

— Où penses-tu qu'ils soient allés ?

J'utilise le pluriel parce que Andreas et moi avons rapidement constaté que Hanne n'était pas seule dans les bois – nous avons identifié les empreintes d'au moins deux personnes, voire trois.

Andreas me rejoint, les joues empourprées, la barbe de trois jours constellée de petites stalactites. Penché en avant, les mains sur les genoux, il regarde autour de lui. Son souffle s'échappe de sa bouche comme un panache.

— Aucune idée.

Le froid se faufile sous mon manteau. Tant que je bougeais, mon corps conservait la chaleur, mais à présent je frissonne, ma peau baignée d'une sueur aussi glacée que le rocher sur lequel je suis installée.

Derrière nous, le mont Ormberg nous toise comme un géant ténébreux. Un craquement de branche parvient jusqu'à nos oreilles – peut-être un chevreuil ou un élan.

Comme à chaque fois que je viens ici, je songe au squelette que nous avons découvert. Et à toutes les fois où j'ai flâné ici en été avec mes copains, à boire de la bière, à attendre l'enfant-fantôme – qui ne s'est jamais matérialisé. Je pense à mes amis qui sont partis à Stockholm, Katrineholm ou Örebro.

Et à Kenny, qui s'en est allé encore plus loin.

Ormberg est plein de ces choses – des moments qui ne se sont jamais produits. Des gens qui ne sont pas restés.

La silhouette de ma mère se dessine sur ma rétine.

Qu'est-ce qui l'a poussée à demeurer dans ce village ? Pourquoi n'a-t-elle pas déménagé comme tant d'autres ? Que Margareta et Magnus soient restés, je le comprends – ils n'auraient pas trouvé leur place ailleurs. Ils sont trop différents. Ma mère, elle, aurait pu avoir une bonne vie à Stockholm.

Elle n'était pas obligée de croupir à Ormberg.

Un bruit sourd dans la forêt. Je sursaute, lorgne entre les troncs.

— Qu'est-ce que c'était?

Tout est calme. Pas un mouvement. Pas un animal. Personne.

Andreas hausse les épaules.

— Un chevreuil peut-être?

Je le regarde du coin de l'œil.

Nous n'avons pas parlé de ce qui est arrivé entre nous. J'ignore ce qu'il ressent et surtout ce que *je* ressens. Tout ce que je sais, c'est que mon mariage avec Max est compromis. Étrangement, je n'en suis pas attristée.

Revenir à Ormberg a été pénible.

Tant de souvenirs, tant de détails ici, me rappellent ce que je voulais faire de ma vie. C'est néanmoins Ormberg qui m'a permis de prendre du recul par rapport à Max. Je ne veux plus l'épouser. Ma conviction se renforce chaque jour qui passe.

Je ne suis même plus sûre d'avoir envie de vivre à Stockholm. C'est beaucoup trop loin de ma mère. Et s'il y a bien une chose que ces dernières semaines m'ont apprise, c'est que je veux être près d'elle.

Et cette idée d'entreprendre des études de droit… Pourquoi le ferais-je? Mon métier me passionne.

Au moment où je me lève, mon portable retentit. Retirant un gant, je fouille dans ma poche. Mes mains sont tellement frigorifiées que j'ai du mal à décrocher.

C'est Manfred.

— Vous avez trouvé Hanne?

— Non. Les empreintes de pas menaient au monticule, comme nous le pensions. Mais là, il y a tellement de traces que c'est impossible de savoir où ils sont passés. En plus, tout est en train d'être recouvert.

— D'accord. Une personne a appelé pour dire que quelqu'un allait être tué près du monticule.

— Quoi ? Quand ?

— À l'instant.

— Qui a téléphoné ?

— Il ou elle a refusé de donner son nom mais, selon notre collègue qui a répondu, il pourrait s'agir d'un enfant. Donc ça peut être une plaisanterie. En tout cas, on arrive. Gardez l'œil ouvert d'ici là.

— Ça marche. Ici tout a l'air calme.

— Bon, OK.

Manfred semble distrait, comme si ses pensées vagabondaient.

— Autre chose, reprend-il. Ça n'a rien à voir. Mais le bijou que portait Hanne, le pendentif d'Azra. Celui qui renfermait des cheveux…

— Oui ?

— Est-ce que tu les as touchés ? Les cheveux, je veux dire.

Je réfléchis, me revois dans la voiture avec Andreas devant chez Berit. Le médaillon ouvert reposait au creux de la main de mon collègue, comme un coquillage doré, et j'ai effleuré du doigt la mèche de cheveux noirs.

— Je crois. Je cherchais à savoir ce que c'était…

Je me tourne vers Andreas, nos yeux se rencontrent. Il mime un « quoi ? » et je lève une main pour lui indiquer de patienter.

— On t'a fait un prélèvement ADN au moment où on a trouvé la femme morte, n'est-ce pas ?

— Oui, c'est ça. Pourquoi ?

— On en parlera plus tard. Les techniciens m'ont appelé. Ils voulaient vérifier ça parce que… On dirait qu'il y a eu un bug dans le test. Bah, je t'explique tout ça quand on se voit.

— Ça marche. On vous attend dans la clairière.

— Bien. À tout à l'heure.

Je glisse mon portable dans la chaleur de ma poche et, ayant enfilé mon gant, je braque mon regard sur Andreas. Ses yeux sont noirs, la glace luit dans sa barbe.

— Alors ?

— Visiblement, un gosse a appelé pour dire qu'un homicide allait être perpétré ici. Ils sont là dans un quart d'heure.

— D'accord. Qu'est-ce qu'il voulait, à part ça ?

— Ah oui : Manfred demandait si j'avais manipulé les cheveux contenus dans le médaillon d'Azra.

— Pourquoi ?

— Aucune idée. Les techniciens ont téléphoné pour lui poser la question.

Andreas fronce les sourcils, replace son bonnet.

— Bizarre.

— Oui.

Un bruit sourd se fait entendre et nous nous retournons à l'unisson.

Au loin, il y a des voix, si faibles qu'elles pourraient n'être que le fruit de mon imagination. Elles semblent provenir du sommet du mont Ormberg. En même temps, de l'autre côté, des branchages crépitent.

Andreas s'accroupit et murmure :

— Mince alors ! Il y a quelqu'un.

Il a raison. Une ou plusieurs personnes se trouvent sur le mont. Et une autre se dirige droit sur nous depuis la route.

Je me baisse à côté d'Andreas, priant pour que les petits buissons enneigés nous dissimulent. Je me stabilise d'une main sur son dos.

Les voix venant des hauteurs sont plus distinctes à présent – on dirait une discussion entre deux individus. Les pas approchent.

Je m'efforce de ne pas bouger, étreignant l'épaule d'Andreas.

Quelques secondes plus tard, une silhouette apparaît entre les sapins.

C'est un homme imposant, voûté, qui marche à pas lourds et qui tient à la main un objet – je ne saurais dire quoi.

Je cligne des yeux, le souffle coupé.

C'est Magnus.

Magnus-le-couillon. Mon cousin.

Hanne

Le précipice est à moins de cinquante centimètres de mes pieds.

Je m'efforce de ne pas regarder, mais je distingue tout de même le sol, tout en bas. Les arbres et les buissons paraissent si petits ! J'ai l'impression d'admirer un paysage miniature, comme ceux qui bordent les anciens chemins de fer en bois pour enfants.

— J'ai lu votre journal, annonce le garçon qui me tient par un bras.

— Comment ça ?

— Oui, je l'ai trouvé dans les bois.

— N'importe quoi ! maugrée la femme.

Elle me tire par l'autre bras, nous faisant tous chanceler et me forçant à faire un pas de plus vers le fossé.

L'adolescent insiste :

— Je sais tout sur vous et Peter. Vous êtes allés chez les Inuits au Groenland ; vous avez un collègue qui s'appelle Manfred et qui s'empiffre de gâteaux même si Peter considère qu'il est gros et qu'il devrait se mettre au régime. J'ai appris plein de mots aussi, comme « amnésie traumatique », « fétichiste » et « schizophrène ».

Je me détourne de la femme et croise les yeux du garçon. Du dos de son gant, il essuie le sang de son visage. De la neige s'est nichée dans sa plaie profonde.

Est-il possible qu'il ait trouvé mon journal ?

Sinon, comment connaîtrait-il ces détails sur Peter et Manfred ? Comment saurait-il que nous nous sommes rendus au Groenland ?

— Et Ajax. Votre petit labrador qui est tombé à travers la glace et qui s'est noyé. J'ai lu son histoire.

Le sol tangue sous mes pieds. *Ajax ?* Le garçon a lu mon journal, il n'y a pas d'autre explication.

— Comment sais-tu ce qui est arrivé à Peter ?

— Parce que vous avez écrit dans votre carnet que vous aviez découvert une porte secrète dans la cuisine de Magnus. J'y suis allé. La trappe mène à une cave. C'est là que Peter a été assassiné. Je…

Le garçon cligne des yeux, l'air malheureux.

— Je l'ai vu, ajoute-t-il à voix basse.

Il dit la vérité. J'en suis certaine. Ce n'est pas une chose qu'un adolescent de quinze ans inventerait.

Je l'observe à nouveau. À présent, je suis sûre de l'avoir déjà vu quelque part. Mais où ? Les images d'une forêt obscure, d'une robe à paillettes, passent sur ma rétine.

La femme me tire par le bras.

— Il ment ! Il ne faut pas croire ce qu'il raconte !

Le garçon me tire par l'autre bras.

— Non, c'est elle qui ment ! C'est une tueuse !

Ils m'agrippent chacun de leur côté. Je suis coincée au milieu, incapable de me dépêtrer. Malgré sa petite taille, la femme a une force herculéenne. Elle nous traîne de plus en plus près du gouffre, lentement mais sûrement. Le garçon et moi faisons de notre mieux pour résister.

Au fond de l'abysse s'étend le village d'Ormberg.

J'aperçois une silhouette qui traverse la clairière. Un homme imposant qui se déplace lourdement dans la neige.

Sa façon de se mouvoir m'est familière ; son corps informe, sa manière de se pencher en avant et d'appuyer ses mains sur ses genoux pour reprendre son souffle.

Et soudain, cela me revient. Une vague de souvenirs déferle sur moi. Ce ne sont que des fragments, mais cela suffit pour que je comprenne.

C'est ce personnage qui m'a poursuivie à travers les bois le soir de la disparition de Peter. J'étais avec la femme que Peter et moi avons trouvée dans le sous-sol. Car il y avait bien une femme ?

Oui. J'en suis sûre.

Je me rappelle ses longs cheveux. Son visage terrorisé lorsque Peter a ouvert sa prison d'un coup de pied.

J'ignore si elle a fui parce qu'elle venait d'être libérée, ou parce qu'elle avait peur de nous. En tout cas, elle a couru. Et je lui ai emboîté le pas. Mais juste au moment où nous sommes sortis de la cave, l'homme est arrivé.

Il a hurlé, attrapé la femme par les cheveux et l'a plaquée au sol, mais elle est parvenue à se dégager, s'est jetée vers la porte d'entrée. Je revois l'homme au milieu de la cuisine, empoignant une touffe de longs cheveux gris.

Puis tout est flou, mais peut-être que l'homme et Peter se sont battus, car je me souviens de fracas de porcelaine, de cris assourdis provenant de la cave.

Souvenir suivant : l'homme nous poursuit, la femme et moi, à travers la forêt. La pluie me fouette le visage. La tempête gronde.

L'homme était lourd et lent, mais il avait un fusil.

Un fusil !

Il était armé !

Je me remémore le craquement sec d'un coup de feu. Puis d'un autre. Et une femme à terre, couverte de sang.

La femme de la cave.

Un autre tableau se dessine sur ma rétine : la femme étendue sur le sol qui tend la main vers mon cou, serre le bijou dans son poing en essayant de parler.

Je frissonne. Cligne des paupières. Jette encore un coup d'œil vers l'homme corpulent qui approche en contrebas, soudain consciente du drame qui est en train de se jouer.

Le garçon me fixe, apeuré et déterminé à la fois.

Il se tourne vers la femme :

— Vous savez que Magnus va vous quitter ? Il va vous abandonner, comme P'tit Leif. C'était écrit dans le journal. Il trouve que vous êtes une vieille mégère enquiquinante qui passe son temps à le harceler.

La femme semble perdre le contrôle un instant – elle dévisage le garçon, sceptique, les yeux écarquillés. Son étreinte autour mon bras se relâche légèrement. J'en profite pour me dégager.

La femme chancelle, titube en arrière, mais parvient à attraper le manteau du garçon. Elle continue vers le précipice, l'attirant vers le néant, centimètre par centimètre.

Mes entrailles se glacent lorsque je comprends ce qui est en train de se produire.

Les yeux clos, je formule une prière muette à l'adresse d'un dieu auquel je ne crois pas. Je lui demande de me guider, mais seule la respiration froide de la forêt me répond, accompagnée des battements de mon propre cœur.

Ouvrant les paupières, je vois le garçon et la femme vaciller à deux pas du bord. Le garçon écarte les lèvres comme s'il voulait dire quelque chose, mais aucun son ne sort. Ensuite, ils basculent vers le gouffre. J'entends des craquements de branches et plusieurs bruits sourds.

Puis, c'est le silence.

C'est presque comme s'ils n'avaient jamais existé.

Malin

Un choc étouffé me parvient de la forêt, suivi d'un craquement, comme si quelqu'un brisait un faisceau de rameaux d'un coup de pied.

Andreas me serre le bras et murmure à mon oreille :

— *Merde !* J'ai l'impression que quelqu'un est tombé de la falaise.

— Tu crois ?

— Oui, j'ai vu quelqu'un ou quelque chose dégringoler.

— Mon Dieu ! Personne ne survit à une telle chute !

— Mais ce type, alors ? s'enquiert Andreas, essoufflé. Ton cousin.

— *Magnus ?* Je ne sais pas ce qu'il fait ici, mais il est inoffensif. On lui parlera tout à l'heure.

— Tu es sûre ?

Je pense à Magnus, à son gros corps, à ses lèvres rouges et charnues. À son regard rivé au sol dès que j'essaie de lui parler.

— Il est doux comme un agneau.

Serpentant entre les sapins, nous nous hâtons vers le mont Ormberg et le précipice. La neige tourbillonne autour de nos jambes.

Sur un lit de broussailles enneigées, au bas de la paroi rocheuse, gît un corps. Les jambes sont repliées en arrière, dans une posture anormale. Une branche sort par un trou dans le pantalon, à hauteur du genou. Je vois la semelle en caoutchouc jaune d'une des chaussures. Au milieu, je devine une étoile à cinq branches.

On dirait l'étoile de l'empreinte de pas que j'ai découverte devant chez ma mère. Je me dis que c'est important, mais je n'ai pas la force de mener la réflexion à son terme.

— Merde ! marmonne Andreas. Bon sang de bon sang !

Je suis des yeux les contours du petit corps noueux étendu dans la neige – l'anorak démodé, le bonnet à cœurs que ma mère lui a offert à Noël dernier, le hibou autoréfléchissant qui pend de sa poche au bout d'une ficelle. Mon regard s'arrête sur la branche qui dépasse de son pantalon de ski. Il me faut quelques instants pour comprendre de quoi il s'agit.

Ce n'est pas une branche, mais un bout d'os.

Prise d'un haut-le-cœur, je me retourne pour vomir, mais ne crache que de la bile.

— Malin ! Elle est en vie !

Je ramasse une poignée de neige que je frotte autour de ma bouche, puis je me tourne et me précipite vers Margareta. Je sens monter les larmes.

— C'est ma tante.

Andreas reste bouche bée.

— Quoi ? C'est elle ? La mère de Magnus. Que fait-elle ici ?

Je ne réponds pas.

— Reste avec elle, je vais appeler les secours.

Je m'accroupis auprès de Margareta. Ayant ôté mon gant, je cherche le pouls au niveau de son cou, accomplis les gestes que j'ai appris.

Ma tante ouvre les yeux et me fixe. Ses lèvres forment un mot à peine audible :

— Malin.

Je lui caresse la joue, m'efforçant de garder mon calme, de lutter contre la panique.

Margareta.

Elle a toujours été là, comme Ormberg. Sa présence m'a toujours paru une évidence. La sienne, celle de Magnus, celle de ma mère.

Ma seule famille.

Vais-je perdre ma tante ?

— Ne bouge pas. Nous avons appelé les secours.

Margareta ouvre la bouche à nouveau, mais cette fois, au lieu de sons, il ne sort qu'une écume de salive mêlée de sang qui dégouline dans la neige. Elle tousse.

— Qu'est-ce que tu faisais sur le mont Ormberg ?

Margareta ferme les yeux.

Mes larmes se mettent à couler. Je les essuie du revers du gant.

Elle remue légèrement la tête et murmure d'une voix à peine audible :

— Malin… Pardon.

Pardon ? De quoi parle-t-elle ?

Elle tousse à nouveau. Autour de sa tête, la neige est mouchetée de rouge.

— Ne bouge pas.

J'entends Andreas parler avec quelqu'un au loin, mais je ne comprends pas les mots. Peut-être mon cerveau ne parvient-il pas à décoder leur sens.

Mon collègue revient, s'accroupit près de moi, pose sa main sur mon épaule et observe Margareta.

— Ils sont en route. Il vaut mieux ne pas la toucher.

J'acquiesce.

— Que faisait-elle là-haut ?

— Aucune idée.

J'effleure doucement la joue froide, un peu rugueuse, de ma tante.

Elle ouvre les yeux et me fixe. À cet instant, je n'ai qu'une pensée, aussi évidente qu'égoïste : *Ne meurs pas, s'il te plaît. Maman a besoin de toi. Magnus aussi.*

Des pas résonnent dans la forêt.

— Ils sont déjà arrivés ? demandé-je.

— Non, répond Andreas. Ça doit être quelqu'un d'autre.

Le bruit s'approche et deux personnes apparaissent : une femme mûre et un garçon, la pommette entaillée par une grande balafre et le menton barbouillé de sang.

Il me faut quelques secondes pour les reconnaître : Hanne et Jake Olsson – le fils de Stefan Olsson. Je me rappelle la panique dans ses yeux la dernière fois que je l'ai vu, lorsque nous avons emmené son père.

Jake montre Margareta du doigt et ouvre la bouche, comme s'il allait parler, mais il reste muet.

— Elle… a essayé de nous tuer, affirme Hanne avec un geste de la main vers ma tante.

Je secoue la tête et souris involontairement.

— Bien sûr que non, voyons.

Andreas pose la main sur mon bras.

— Laisse-les s'exprimer, Malin. (Puis, s'adressant à Hanne :) Que s'est-il passé ?

Hanne, l'air hésitant, fixe le garçon comme si elle cherchait son soutien. Elle le montre du doigt.

— Elle l'a… Elle l'a poussé dans le précipice, balbutie-t-elle, comme si elle avait du mal à comprendre ce qui s'est passé.

— *Margareta ?* Il doit y avoir un malentendu. Pourquoi ferait-elle…

— Tais-toi, Malin, me coupe Andreas d'une voix tranchante qui me surprend et me dérange.

— Mais… Pourquoi dites-vous qu'elle t'a poussé dans le précipice alors que tu es là ?

Jake me dévisage de ses yeux noirs hagards et saisit quelque chose qui dépasse de son manteau. On dirait une pelote de laine rose. De longs fils pendent entre ses doigts et traînent dans la neige.

Il observe sa main et fronce les sourcils.

— C'est ce pull. Il s'accroche partout.

— Il s'est accroché à une branche à un mètre sous la corniche, explique Hanne. J'ai réussi à le hisser. Mais sinon…

Sa voix s'éteint.

Jake esquisse un signe de tête vers Margareta.

— Ils ont tué le policier ! Et ils ont gardé la femme aux cheveux longs enfermée dans leur cave.

Je secoue la tête. Me lève. La forêt tournoie autour de moi, la nausée revient. Je n'ai plus froid. La sueur perle sur mes tempes et ma nuque.

— Non, voyons. Vous devez… Ils ne feraient jamais…

J'ai presque envie de rire de l'absurdité de la situation, mais ma poitrine est oppressée et je sens des picotements au bout des doigts.

Jake et Hanne me contemplent en silence.

— Comment sais-tu tout ça ? demande Andreas à Jake.

— Elle… (Le garçon hésite, on dirait qu'il prend son courage à deux mains pour continuer.) Hanne me l'a raconté.

— C'est vrai, Hanne ?

Elle paraît désorientée. Son regard navigue entre Andreas et moi. Elle porte la main à son bonnet pour l'ajuster.

— Oui. Non. Enfin, si. Je crois que oui.

Au même moment, une silhouette émerge de la pénombre.

Magnus.

Se jetant sur Hanne, il lui assène un coup violent sur l'arrière de la tête, avec ce qui ressemble à une pierre. Le bruit sourd de l'impact est inquiétant.

La femme pousse un cri strident, un hurlement d'animal.

Andreas réagit au quart de tour, se précipite sur Magnus, tente d'immobiliser ses bras, mais mon cousin a de la force, trop pour son propre bien. Il abat à nouveau le roc sur le crâne de Hanne.

Encore et encore.

Je suis comme paralysée, incapable de bouger, de parler. Incapable de penser. Incapable de comprendre ce qui se joue devant mes yeux. Que ma tante, une septuagénaire inoffensive, soit étendue dans la neige, gravement blessée, et que mon cousin attardé s'acharne sur Hanne.

Armé d'une grosse branche, Jake accourt, se campe jambes écartées, lève le bâton et frappe la tête de

Magnus avec un craquement retentissant. Il s'écroule dans la neige. Andreas lui saisit les poignets pour le menotter. Puis il pivote vers moi.

— Bordel, Malin ! Tu comptais rester là à regarder pendant qu'il massacrait Hanne ? C'est quoi ton problème ?

Andreas aide Hanne à s'asseoir, lui retire son bonnet et passe les doigts sur sa tête. Ses cheveux gris sont poisseux de sang.

Elle grimace.

— Aïe aïe aïe…

— Je crois que c'est superficiel.

Andreas pousse un soupir de soulagement avant de se laisser tomber de tout son poids dans la neige. Il se prend la tête entre les mains.

— Pardonne-moi, dis-je.

Il ne répond pas. Il se contente de balancer la tête d'avant en arrière dans ses mains.

— Pardonne-moi…

Jake

L'agent dénommé Manfred verse du thé dans un petit gobelet en plastique qu'il pousse sur la table devant moi.

Comme c'est étrange de se retrouver dans l'ancien magasin ! Saga et moi avions l'habitude d'y traîner nos guêtres avant qu'ils cadenassent la porte. Depuis que la police y a pris ses quartiers, plus personne n'ose s'y aventurer.

Nous sommes assis à un bureau situé au fond de la boutique. Des photographies, des documents et des notes manuscrites sont fixés aux murs avec du ruban adhésif, formant un gigantesque patchwork agrémenté çà et là de Post-it. Un ordinateur portable gît sur une chaise.

Manfred est un personnage singulier.

Je ne sais pas encore si je l'apprécie – je le connais à peine. Ce que je peux dire, c'est qu'il s'habille avec goût, comme s'il choisissait soigneusement ses vêtements, bien qu'il soit un homme.

Il porte un costume en tweed vert olive à fins carreaux roses avec des boutons en cuir. De sa poche de poitrine dépasse un mouchoir de soie fuchsia. Sa barbe est rousse, comme ses cheveux qui sont humides et frisent au niveau des tempes.

Je trempe les lèvres dans mon thé, effleurant la compresse sur ma joue.

Manfred m'a conduit à l'hôpital de Katrineholm où l'on m'a dit que j'avais subi un léger traumatisme crânien – je dois me reposer quelques jours. Je suis ressorti avec trois points de suture, mais les médecins m'ont promis que d'ici à quelques semaines on ne verrait plus rien.

Je ne leur ai pas avoué que je voulais garder une cicatrice, un témoignage essentiel de ce que j'ai fait pour Hanne. Je veux que les stigmates restent là pour toujours, comme un souvenir silencieux chaque fois que je me regarde dans le miroir.

Hanne a également été examinée à l'hôpital, mais je ne pense pas qu'elle ait eu besoin de points de suture. Je crois qu'un des policiers l'a raccompagnée chez Berit.

Quant à Margareta et à Magnus, j'ignore ce qui leur est arrivé.

— Alors, reprenons tout depuis le début, après je te ramène chez toi, m'encourage Manfred. D'accord ?

— OK.

— Tu as rencontré Hanne dans les bois le soir où elle a été retrouvée.

— Oui, c'était un samedi.

Manfred se caresse la barbe, laissant entendre un petit crissement.

— Samedi 2 décembre.

— Sans doute. Je n'ai pas regardé la date.

— Et Hanne t'a raconté que Magnus et Margareta avaient blessé Peter.

Je réfléchis. Je ne peux pas dire toute la vérité. J'ai décidé de passer le journal sous silence. Hanne ne voudrait pas que Manfred et les autres policiers se rendent compte à quel point elle est malade et déprimée, même si le carnet renferme de précieuses informations.

De toute façon, Margareta et Magnus ont été arrêtés. La police a trouvé l'horrible cachot de Magnus et le corps gelé de Peter. Sa voiture était garée dans la grange de Margareta. Le récit de Hanne ne doit plus revêtir une telle importance à présent.

— Oui, c'est ce qu'elle m'a dit.

Manfred griffonne quelque chose dans son bloc-notes.

— Elle t'a aussi raconté que Magnus avait séquestré une femme dans sa cave ?

— Oui.

Manfred lâche son stylo et se masse les tempes. Il a des mains gigantesques – de « grosses paluches », dirait mon père.

Le policier pose ses grosses paluches sur la table et plonge ses yeux dans les miens, l'air intransigeant. La nervosité s'empare de moi. Il ressemble à mon père quand il s'apprête à me passer un savon.

— Je peux te demander quelque chose, Jake ?

J'acquiesce, car je devine sa question. Elle ne m'a pas quitté depuis l'hôpital de Katrineholm ; je l'ai tournée et retournée dans ma tête comme un Rubik's Cube.

— Pourquoi tu n'en as parlé à personne ? Je suis sûr que tu avais conscience qu'il s'agissait d'informations fondamentales. Que Margareta et Magnus étaient soupçonnés d'avoir commis un crime grave.

Manfred me dévisage.

— La vérité, Jake, je veux la vérité. Ça te pose un problème ?

Je ne réponds pas. Me contente de fixer le plateau abîmé de la table, les centaines de petites griffures qui témoignent de tous les gens qui ont été assis à ma place : des hommes, des femmes, peut-être même des enfants.

Mais personne comme moi. Personne de *dépravé*.

Je suis du doigt une entaille dans le bois.

— Je pensais que ce policier était déjà mort.

Manfred soupire.

— C'était sans doute le cas. Mais tout de même. Tu ne pouvais pas en être sûr, si ?

— Non.

— Alors pourquoi n'as-tu rien dit, Jake ? *Pourquoi ?* Je crois que tu sais beaucoup plus de choses que tu ne veux l'admettre. J'ai aussi l'intuition que tu t'es confié à quelqu'un : à celui ou celle qui nous a appelés pour nous donner une information.

Je frissonne, mais ce n'est pas de froid – j'ai toujours mon manteau sur moi et Manfred a orienté le radiateur de manière à ce qu'il exhale de l'air chaud dans notre direction.

— *Jake ?*

Je secoue lentement la tête. J'ai envie de tout raconter, mais les mots me restent en travers de la gorge, refusant de sortir. Comme si toute ma force, toute ma détermination avaient disparu au fond du précipice avec Margareta.

Manfred souffle à nouveau. Se lève. Se dirige vers le mur et s'empare d'un carton. Il revient vers moi, pantelant, s'assied et dépose l'objet sur le bureau : une boîte marron, d'environ dix centimètres de long sur cinq de large.

Le policier me dévisage, ouvre le couvercle, plonge la main dedans et en tire un petit sachet transparent qu'il place devant moi.

Je me penche en avant pour l'inspecter.

Vide à première vue, il recèle, à y regarder de plus près, quelque chose de brillant. Une minuscule paillette dorée.

— Jake?

Le mot relève davantage de la supplique que de l'injonction.

Je ferme les yeux, refusant de reconnaître la présence de la paillette, mais incapable de chasser les images de mon esprit : la robe scintillante, le rouge à lèvres ; le corps trempé et éraflé de la vieille femme surgie d'entre les branches. J'ai l'impression de revivre la scène, d'être au milieu des bois, baigné des effluves de terre mouillée et de feuilles en décomposition, avec la pluie qui me fouette les cheveux. J'arrive même à voir le visage de Hanne devant moi. Mais son expression est différente – elle me sourit, me tend la main.

Je l'ai sauvée. Vraiment.

Je lève les yeux sur Manfred, sur son beau costume, son mouchoir rose. Ses joues écarlates tombantes, ses yeux fatigués.

Peut-être comprendrait-il ?

Il hausse légèrement les sourcils.

— *Jake?* répète-t-il, comme s'il s'agissait d'une question.

À nouveau, mes pensées divaguent, s'envolent comme des oiseaux ou des papillons, murmurent que tout le monde est peut-être malade ou bizarre si l'on creuse un peu. Ou peut-être que la normalité et l'anormalité n'existent pas. Et que ce n'est peut-être pas si grave d'enfiler une robe, même si on s'appelle Jake et qu'on habite dans un trou comme Ormberg et qu'on va hélas ! devenir un homme.

Une robe n'est qu'une robe. Un bout de tissu dont on peut penser ce qu'on veut.

Mais tuer quelqu'un ? *Ça*, c'est grave, parce que la mort dure une éternité.

— Oui, finis-je par admettre. J'aime les robes. Ça vous pose un problème ?

Manfred s'arrête au bout de l'allée qui mène au « pavillon le plus élégant d'Ormberg ». Avant de me laisser partir, il pose une main sur mon épaule.

— Chapeau, Jake.

Puis il se tait.

Le sac vissé au dos, j'ouvre la portière et saute de la grosse voiture. Les rayons du matin m'aveuglent, m'obligeant à plisser les yeux alors que je m'achemine vers la maison, bercé par les grincements de la neige sous mes pieds. La porte d'entrée s'entrebâille au moment même où le véhicule de Manfred démarre.

Mon père apparaît.

Il esquisse un pas dans la neige et descend l'escalier du perron en chaussettes. Puis il se met à courir vers moi, me soulève dans ses bras et m'étreint. Jamais il ne m'a serré aussi fort.

— Jake, merde ! Tu m'as foutu une de ces trouilles !

— Désolé…

Nous demeurons immobiles. L'haleine chaude de mon père sent la bière.

444

— On ne peut pas rester là ! s'exclame-t-il au bout de quelques instants. Je me les gèle ! Viens, on rentre.

À la maison, tout est comme d'habitude. J'ignore à quoi je m'attendais, mais j'ai l'impression que quelque chose devrait avoir changé.

À peine entré dans le vestibule, je me demande ce que dira ma sœur. J'ai refoulé cette question pendant plusieurs heures, mais à présent elle refait surface, rugissant comme un avion à réaction dans ma tête.

Je me tourne vers mon père :

— Et Melinda ?

— Chez Markus. Tu as faim ?

— Non merci. On a mangé un hot-dog en route depuis Katrineholm.

Mon père me contemple. Il tend la main vers ma joue bandée, mais son bras reste suspendu en l'air sans qu'il me touche.

— Ça alors, Jake ! Je n'en reviens pas ! Tu as sauvé la vie de cette bonne femme de Stockholm.

— Ouais.

— Pour être honnête, je ne pensais pas que tu avais ça en toi.

— Que j'avais quoi ?

— Bah, laisse tomber ! Tu me raconteras tout, hein ? Mais tu veux peut-être te reposer d'abord ? Tu n'as pas dormi de la nuit, j'imagine.

Après un signe affirmatif, je monte l'escalier.

Ma chambre n'a pas changé non plus : la moquette douce et épaisse me chatouille les pieds, les affiches au mur en train de se décoller volettent dans les courants d'air qui filtrent par les contours de ma fenêtre. Même le lit défait, les chaussettes et les caleçons sales qui gisent au pied du lit sont pareils à eux-mêmes.

Je m'affale sur le matelas, épuisé. Je sens mon pouls battre dans ma tête et dans ma joue, mes jambes sont raides et la nausée me guette.

Je laisse mon corps s'enfoncer dans ma couche, tire la couverture sans même me déshabiller et ferme les yeux.

Je suis à bout de force. Je pourrais dormir plusieurs jours d'affilée.

Lorsque je me tourne sur le côté, je sens quelque chose de dur sous mon cou, comme un Lego. Appuyé sur les coudes, j'examine l'objet. J'allume une lampe.

C'est un menu paquet, à peine plus grand qu'une boîte d'allumettes, emballé dans du papier doré. Je lis : *Pour Jake de la part de Melinda.* L'écriture est ronde et penchée en arrière. Ma sœur a dessiné un cœur à côté. Le feutre ne devait plus avoir d'encre, car on voit qu'elle a repassé certains traits avec un stylo d'une autre couleur.

Je déchire le papier cadeau et le jette par terre.

À l'intérieur : un petit coffret. Je l'ouvre. Dedans se trouve un flacon au bouchon rose. Je l'examine à la lumière : c'est un vernis à ongles à paillettes dorées. Lorsque je secoue la fiole, les particules brillantes flottent dans le fluide. On dirait ces boules à neige que l'on retourne pour voir les flocons virevolter autour d'un paysage miniature.

Malin

Ma mère est installée à la table de la cuisine lorsque je rentre le matin suivant. Elle a les yeux rougis. Devant elle, sur la toile cirée, une boulette de papier essuie-tout. En me voyant, elle se lève et lisse son chemisier tendu sur sa plantureuse poitrine.

Je m'avance vers elle et la serre dans mes bras, mais au lieu de répondre à mon étreinte, elle me tapote le dos, comme on félicite un joueur de football qui vient de marquer un but. Elle m'arrive à peine aux épaules. Je suis soudain prise d'un élan de tendresse pour elle. Elle dégage une mèche de cheveux tombée sur mon visage et s'exclame :

— Malin ! Ma petite chérie.

Je m'assieds à côté d'elle. Je me demande ce que mes collègues lui ont raconté des derniers rebondissements, mais j'imagine qu'elle sait quasiment tout : Manfred a envoyé deux personnes l'interroger dès qu'il nous a rejoints au bas du précipice.

Quand il s'est avéré que ma tante et mon cousin étaient soupçonnés de meurtres, j'ai été exclue de l'enquête. Peter et Hanne devaient être en train de suivre cette piste et, s'ils n'en ont pas parlé aux autres, c'est parce que ma famille était impliquée.

447

J'ignore ce qui va se passer à présent – Manfred m'a enjoint de rentrer chez moi me reposer, mais je suis restée un long moment dans la forêt, j'ai fait maintes fois le tour du monticule et j'ai poussé jusqu'à l'ancien centre métallurgique. J'ai passé le reste de la nuit au bureau à lire attentivement le rapport d'enquête préliminaire.

Je crois que j'essayais de comprendre.

Je ne sais pas si cela m'a apporté grand-chose. Margareta et Magnus se sont vraisemblablement rendus coupables de crimes terribles. Et moi, j'ai vécu toute ma vie ici, à leurs côtés, sans me douter un instant de ce qui se jouait.

Cela révèle-t-il quelque chose de moi ?

En tant que policière, mais aussi en tant que personne. Il y a forcément eu des indices, des failles, témoignant que quelque chose ne tournait pas rond. Les gens ne peuvent pas être des monstres sans que cela se voie, n'est-ce pas ? Est-il possible d'être dupé à ce point par sa propre famille ? Ces personnes en qui on a confiance, autour desquelles on a bâti son existence ?

C'est l'implication de Magnus qui me meurtrit le plus. J'ai toujours ressenti pour lui un instinct de protection très fort, malgré ses problèmes évidents – ou peut-être *à cause* de ceux-ci. Toute ma vie, je l'ai défendu contre les gamins du village – verbalement, voire physiquement lorsque cela s'est montré nécessaire.

J'ai toujours cru qu'il était la victime.

Ma mère déplie le papier essuie-tout et se mouche.

— On y va ? lui demandé je.

Margareta est hospitalisée dans l'unité de soins intensifs. Le médecin nous a expliqué clairement que nous devrions venir la voir au plus vite. Ce n'est qu'une question d'heures.

Ma mère sanglote, triture le mouchoir et en détache une fine bandelette qui tombe sur la toile cirée comme un pétale de fleur fané.

— D'abord, j'ai quelque chose à te dire.

— On nous a dit de nous dépêcher…

— Je sais. Mais on doit parler. Avant.

— Ah bon ?

Je jette un coup d'œil à ma montre, puis à ma mère. J'ai du mal à comprendre quel sujet peut être aussi urgent. Un sujet que l'on ne pourrait pas aborder dans la voiture en route vers l'hôpital. Je demande :

— De quoi ?

Ma mère cligne plusieurs fois des paupières. Essuie une larme sur sa joue.

— C'est difficile.

— Elle va peut-être s'en sortir.

Elle secoue la tête, éclate d'un rire sec qui me met mal à l'aise : il n'y a absolument aucune raison de s'esclaffer.

— Non, ma chérie. Ce n'est pas de Margareta que je veux parler. Mais de *nous*.

— De nous ?

Je sens une agitation grandissante, une vague inquiétude. Cela n'augure rien de bon.

L'étoile de Noël en feutre rouge que j'ai fabriquée à l'école primaire est suspendue à la fenêtre ; les paillettes qui l'ornaient se sont détachées et pendent à des fils de glu durcis.

— Tu sais que je t'aime plus que tout au monde ? Que personne ne compte plus que toi pour moi ?

— Oui…

Mais où veut-elle en venir ?

Les minutes s'écoulent et Margareta est en train de s'éteindre à l'hôpital. Elle a beau être un monstre, elle et Magnus sont notre seule famille.

Je suis certaine que ma mère souhaite la voir une dernière fois.

— Nous avions du mal à avoir des enfants, déclare-t-elle. Nous avons essayé de nombreuses années, ton père et moi. J'ai fait tellement de fausses couches que j'ai arrêté de les compter. C'était épouvantable – ça nous rongeait de l'intérieur, comme un cancer. Et je te jure que je n'ai jamais su comment ça s'était passé. Qu'elle était enfermée dans la cave… Comment peut-on faire une chose pareille ? Magnus qui est si gentil ! Et Margareta ! Comment croire qu'elle l'ait protégé toutes ces années. Même s'il est son fils, c'est incompréhensible !

— Un moment. Je ne te suis pas.

Ma mère pleure de plus belle. Les larmes roulent sur ses joues. Elle se mouche à nouveau, inspire profondément et reprend :

— Nous voulions l'aider ! Nous pensions faire ce qui était juste.

— Mais de quoi tu parles ? *Faire ce qui était juste ?*

Elle continue, les mots étouffés par ses sanglots.

— Cette femme… la réfugiée que Magnus a recueillie chez lui. En tout cas, c'est ce que nous a dit Margareta. Elle était enceinte… mais elle ne voulait ni ne pouvait s'occuper de son enfant.

— Je ne comprends pas…

— Ton père et moi voulions plus que tout au monde en avoir… On avait un foyer agréable, on pouvait élever un enfant.

Quelque chose de froid et de collant se diffuse en moi lorsque je saisis ce qu'elle tente de me dire.

— Non… Ce n'est pas *possible*…

Ma voix se brise. Je n'entends plus que les reniflements de ma mère et le vieux réfrigérateur qui ronronne dans son coin. Un moineau se pose sur le rebord de la fenêtre et picore la boule de graisse que ma mère a accrochée.

— Nous pensions l'aider… Margareta s'est occupée des détails pratiques. Elle a assisté à de nombreux accouchements à domicile et, en tant que sage-femme agréée, elle a pu rédiger une déclaration de naissance, le document à envoyer à l'agence des impôts. Elle a tout organisé. Et nous t'avons aimée dès le premier instant, Malin. Comme notre propre enfant. Tu étais notre fille. Notre fille adorée.

— *Non ! Tais-toi !*

Je me lève d'un bond, renversant la chaise qui atterrit avec fracas.

Ma mère, affaissée devant moi, ne réagit pas. Elle ne bouge pas. Elle se contente de détacher des bandelettes de papier essuie-tout

Enfin, je comprends.

Tout fait sens, implacablement. Je me remémore Margareta, gisant dans la neige au pied du mont Ormberg, avec un bout d'os dépassant d'un trou dans son pantalon, qui murmure « pardon ». Je pense à Magnus qui n'a jamais pu me regarder dans les yeux ; qui fixe toujours le sol lorsque nous nous rencontrons, comme s'il avait peur de quelque chose. Ou honte.

Enfin, la question de Manfred au téléphone, concernant les cheveux enfermés dans le bijou d'Azra :

Est-ce que tu les as touchés ? Les cheveux, je veux dire… Les techniciens m'ont appelé…

La pièce tourne autour de moi.

En dépit de ma réticence, je suis le fil de ma pensée : Azra avait laissé une mèche dans son médaillon. Manfred demandait sans doute si je l'avais touchée parce que les techniciens y avaient détecté mon ADN. Mes empreintes génétiques ont été prélevées au moment où nous avons découvert le corps d'Azra, et ont été ajoutées au fichier qui recense l'ADN des policiers qui auraient pu contaminer les indices.

Ils ont dû trouver mon ADN sur les cheveux. Mais pas parce que je les ai effleurés ou qu'il y a eu un *bug* avec le test, comme l'a expliqué Manfred, mais parce que ce sont mes cheveux.

La pièce tourne de plus en plus vite. Mon cœur bat la chamade. J'ouvre et ferme les yeux sans parvenir à prononcer un seul mot.

Ma mère m'observe, le visage exprimant un désespoir si profond que cela me fait peur. Un désarroi aussi grand que lorsque mon père est mort, le lave-linge dans les bras, en chemin vers la remise.

Maman chérie.

Si différente de moi : elle est petite tandis que je suis grande ; blonde tandis que je suis brune ; calme tandis que je suis impulsive et émotive.

Je lui ressemble si peu qu'elle a dû me trouver chez les lutins, dans la forêt.

Et avec son embonpoint, il est possible que tout le village ait cru qu'elle était enceinte alors qu'elle ne l'était pas.

Je suis obligée de m'agripper à la table pour ne pas m'écrouler.

— Vous avez *volé* un enfant?

— Oui! hurle ma mère. Oui! Et je n'ai jamais regretté. Jamais!

Elle renifle à nouveau, le visage dans les mains. Puis elle se fige, lève la tête et plonge son regard implorant dans le mien. Elle reprend à voix basse:

— Malin. Personne ne gagnerait à ce que cela soit divulgué. Personne. Magnus ne dira rien, Margareta s'en est assurée. C'est à toi de décider.

Je me retourne, titube vers la porte d'entrée et l'ouvre. Le vent d'un froid mordant s'engouffre dans le vestibule. Je plisse les yeux. Le soleil repose toujours au-dessus des sapins, comme si la terre ne venait pas de s'effondrer.

Comme si je n'étais pas la fille d'une musulmane de Bosnie, une femme assassinée, une femme sans visage. Comme si le squelette que j'ai trouvé sous les pierres n'était pas ma sœur. Comme si Esma aux mains ankylosées, dont la famille n'existe que sur des clichés de Polaroid fanés, n'était pas ma tante.

Peut-être Ivar-la-fange avait-il raison, peut-être a-t-il vu un nourrisson tout nu près du monticule – ce nourrisson, c'était moi.

Et les cheveux…

La nausée me submerge lorsque j'y pense: cette mèche douce comme du velours, cette mèche fragile à l'intérieur du médaillon qui me chatouillait le bout des doigts.

Peut-être qu'Azra a coupé une boucle des cheveux de son nouveau-né et l'a placée dans le médaillon, avant que Margareta ne lui vole son enfant.

Avant qu'elle vole l'enfant que j'étais.

Je tombe. Je tombe dans un gouffre sans fin.

Je tombe dans la terre, en enfer, et je continue ma chute. Plus personne ne peut me rattraper.

Les larmes dégoulinent sur mes joues, puis sur mes lèvres. Remplissent ma bouche du goût salé des mensonges de mon passé.

Malin

Une semaine plus tard

— S'il te plaît ! J'ai besoin de savoir ! Je ne m'en sortirai pas, sinon. Je…

Ma voix se casse, les mots s'étranglent dans ma gorge, bien que je m'efforce de retenir le chagrin et le désarroi qui oppressent ma poitrine.

Dehors tombe la neige. De lourds flocons saturés d'eau descendent rapidement vers l'asphalte noir où ils fondent aussitôt.

Je suis comme paralysée depuis la mort de Margareta. Une pensée m'obsède : ce que m'a avoué ma mère. Je suis la fille d'Azra Malkoc.

J'ai été obligée de réexaminer tout ce que je croyais savoir de moi-même et de ma famille et j'ignore jusqu'où cela peut mener. Une chose est sûre : je dois faire la lumière sur ce qui s'est passé l'hiver où ma mère et ma sœur biologiques ont disparu du centre pour les demandeurs d'asile.

J'ai besoin de comprendre.

Et de prendre une décision : dois-je révéler la vérité à Manfred ? Dois-je redonner à Azra et Nermina la place qu'elles méritent, au risque de briser la petite famille que j'ai encore, malgré tout ? Ou dois-je laisser l'horreur enfouie à jamais ?

Je songe à ma mère – je ne lui ai pas adressé la parole depuis la mort de ma tante, bien qu'elle ait cherché à me joindre tous les jours.

J'ai tenté de l'appeler, mais je n'en suis pas capable.

Je me raccroche au fait qu'elle est la femme qui s'est occupée de moi, qui m'a élevée comme sa propre fille et qui m'a aimée bien qu'elle ne m'ait pas mise au monde.

J'ai essayé de me convaincre que Margareta a persuadé mes parents de me recueillir ; que ma mère adoptive ignorait que Magnus avait emprisonné ma mère biologique dans sa cave.

Qu'elle voulait juste donner un coup de main.

Mais je n'y parviens pas.

Je ne ressens que du désespoir – et une haine si abyssale et si noire qu'elle m'effraie. Chaque fois que je pense à ma mère, je me rappelle le corps sanguinolent et sans visage – cette femme qu'on a dépouillée de ses enfants et de sa vie.

Si seulement je pouvais me confier à quelqu'un. Mais il n'y a personne. Tous ceux qui me sont chers ont disparu ou ont été contaminés par le mal incommensurable qui a germé à Ormberg.

Je n'aspire pas à récupérer Max. Quant à Andreas... Je n'ai pas encore eu le courage de réfléchir à ce que je souhaite.

— Je t'en prie !

Manfred se masse les tempes de ses grandes mains. Secoue lentement la tête.

— Je n'ai pas le droit. Secret de l'enquête. Et tu en es exclue. Je suis désolé. J'ai du mal à imaginer ce que ça doit être pour toi, mais je ne peux vraiment pas.

Manfred marque une pause. Il se racle la gorge avant de reprendre d'un ton plus doux :

— Écoute, Malin. J'ai conscience que ce n'est pas toujours facile de collaborer avec moi : je suis constamment de mauvais poil, je ne prodigue jamais de compliments, etc. Si ça peut te consoler, sache que tu es une excellente enquêtrice. Ça me ferait plaisir de retravailler avec toi à l'avenir.

Je me penche vers lui.

— Je *dois* savoir.

Manfred maugrée, lève les yeux au ciel.

Au pied du mur se trouvent une petite valise et un attaché-case. J'imagine qu'il va rentrer à Stockholm, retrouver sa femme et sa fillette qui n'a plus d'otite. Retrouver sa vie quotidienne qui n'a rien à voir avec les ténèbres régnant à Ormberg.

— Je t'en *supplie* !

Ma voix, réduite à un murmure, est quasiment étouffée par le bourdonnement du chauffage.

Manfred abat les mains sur ses genoux.

— Merde ! Tu sais ce qui peut m'arriver si quelqu'un l'apprend ?

Je ne réponds pas.

Il pianote sur son ordinateur portable, le fait pivoter vers moi et me contemple. Puis il secoue la tête et pousse la machine vers moi.

— J'ai quelques détails à régler. J'en ai pour une demi-heure. Tu m'entends ? Une demi-heure, pas une minute de plus.

J'opine du chef, muette.

Il se lève, lisse son costume sur mesure et passe les doigts dans ses cheveux blond vénitien. Puis il quitte la pièce sans me regarder.

Les mains tremblantes, je tire l'appareil vers moi. Sur l'écran, Magnus et Svante sont assis face à face. Mon collègue a les bras croisés et la tête penchée en avant. Sa barbe repose contre sa poitrine. Un microphone pend du plafond entre eux.

La vidéo a sans doute été filmée dans la salle d'interrogatoire du commissariat où je me trouve.

Je clique sur « lecture ». Svante et Magnus se mettent à bouger.

— Où as-tu vu Azra et Nermina Malkoc pour la première fois ? demande Svante.

Magnus se balance d'avant en arrière sur sa chaise.

— Au centre d'accueil pour les réfugiés. J'étais avec maman.

— Qu'est-ce que vous y faisiez ?

Mon cousin scrute le plafond.

— Maman devait parler de déneigement avec le chef du centre, pour lui faire écrire son nom sur une liste. C'est là qu'on a rencontré Assa et qu'on lui a parlé.

— Tu veux dire Azra ?

— Moi, je l'appelais Assa.

— Mais elle avait un nom : Azra, pas Assa.

Magnus se tait, fixe la table, hausse les épaules.

— Que s'est-il passé ensuite ?

— On… On a rencontré Assa plusieurs fois. Elle nous a parlé d'elle, de Nermina. Elle nous a dit qu'elles n'allaient sans doute pas avoir le droit de rester en Suède. Je leur ai proposé d'habiter dans ma cave.

458

— Qu'en a pensé ta mère ?

Les lèvres de Magnus se plissent en une moue mutine. Tout chez lui – son corps, ses gestes, son langage – me fait penser à un gigantesque enfant.

— Maman s'est mise très en colère.

— Pourquoi ?

— Parce que… elle a dit qu'on avait assez de problèmes comme ça. Qu'on ne pouvait pas avoir des immigrés dans notre cave. On ne peut pas avoir des immigrés dans sa cave juste parce qu'on a une cave. C'est ce qu'elle a dit.

— Alors, comment tu as réagi ?

Magnus rentre sa lèvre inférieure derrière ses dents et la mordille.

— J'ai répondu que j'allais partir. À Katrineholm. Comme P'tit Leif.

Svante griffonne quelques notes puis regarde mon cousin dans les yeux.

— Qu'a dit ta mère quand tu as annoncé que tu allais partir ?

Magnus fait pivoter sa tête sur le côté, vers le mur. L'un des tendons de son cou semble crispé et secoué de spasmes. Je distingue des taches rouges sur ses joues.

— Elle a dit que je n'avais pas le droit. Comme chaque fois que je voulais m'en aller. Elle s'est mise très *très* en colère.

— Et toi, qu'est-ce que tu as répondu ?

— Que cette fois j'allais déménager. Pour de vrai.

Silence.

— Et ?

— Elle a changé d'avis. Elle a dit qu'Assa et Nermina pouvaient habiter là un petit moment. Jusqu'à ce qu'elles puissent aller à Stockholm. Alors elles se sont installées chez nous. Nous, on faisait tout pour qu'elles se sentent bien. Pourtant, elles voulaient tout le temps partir. Même si maman leur achetait de la glace et des chips. Elles n'étaient pas reconnaissantes du tout. Elles voulaient s'en aller alors qu'elles venaient juste d'arriver. Un soir, Nermina a disparu. J'avais oublié de fermer la porte et elle a tout simplement disparu.

— Elle s'est enfuie ?

— *Enfuie ?*

Magnus affiche un air déconcerté, comme si l'idée qu'il les avait enfermées ne lui avait pas traversé l'esprit. Il finit par acquiescer pour confirmer la version de Svante.

— Et qu'est-ce que tu as fait ?

Magnus se lèche les babines. Son regard erre.

— Je l'ai suivie. Dans la forêt.

Silence.

— Tu l'as trouvée ?

— Oui. Près du monticule. Elle était là, dans la clairière. Je ne voulais pas… je ne voulais vraiment pas… lui faire de mal.

— Que s'est-il passé ?

Magnus marmonne quelque chose d'incompréhensible et, j'ai beau savoir qu'il est un monstre, je ne peux m'empêcher d'éprouver pour lui de la pitié. À bien des égards, il n'est qu'un enfant. Plus j'y pense, plus je suis convaincue que c'est Margareta qui porte la responsabilité morale de ce qui est advenu.

J'ai beaucoup réfléchi aux raisons qui l'ont poussée à agir comme elle l'a fait – pourquoi elle a laissé Magnus enfermer Azra et Nermina dans sa cave.

Je suis consciente que ma tante n'a pas eu une vie facile. Son premier enfant est décédé avant son premier anniversaire et P'tit Leif l'a abandonnée lorsqu'elle attendait Magnus. C'est sûrement pour cela qu'elle l'a protégé – parce qu'elle n'avait personne d'autre et qu'elle craignait plus que tout au monde de le voir partir à son tour et de se retrouver seule.

J'imagine que Magnus devra se soumettre à une expertise permettant de déterminer s'il souffre d'un trouble mental grave. Si tel est le cas, il purgera sa peine dans un hôpital psychiatrique.

— Que s'est-il passé ensuite ? répète Svante.

— J'ai essayé de la soulever, mais elle gesticulait dans tous les sens. Elle est tombée en arrière et s'est cogné la tête sur un rocher. Et moi… je suis tombé sur elle. Et quand je me suis levé, elle ne respirait plus.

Magnus baisse les yeux sur son énorme ventre.

— Je l'ai pas fait exprès… Je suis si gros, si balourd. Je ne voulais pas lui faire de mal. Avec Assa, c'était différent. Je n'ai pas réussi à la rattraper. J'ai été *obligé* de lui tirer dessus. Mais Nermina, je ne voulais que la ramener à la maison. Je ne pouvais pas la laisser parler parce que…

— Parce que quoi ?

— Ben, tout le monde aurait cru que je les avais enlevées.

— N'est-ce pas ce que tu avais fait ?

— Euh, comment ça ?

— Tu ne les avais pas enlevées ?

— Non. C'était juste… pour les aider…

— Dans ce cas, pourquoi ne pas les laisser partir ?

Les sourcils froncés, Magnus se tortille, frotte ses mains l'une contre l'autre.

— Mais… Je l'aimais bien.

— Azra ?

Le regard dirigé vers la table, Magnus remue la tête de haut en bas. Sa calvitie luit dans la lumière du néon.

— Oui, renifle-t-il. Et maman a dit que personne ne remarquerait qu'il y avait deux Yougos en moins. Que ça ne changeait rien à la face du monde. Je pouvais la garder, du moment que je ne déménageais pas. Mais après… quand Nermina a *disparu*… Assa a changé. Elle a arrêté de parler. Elle ne voulait plus quitter la cave. Elle restait assise sur son lit. Donc tout allait bien. Jusqu'au moment où le flic et la bonne femme de Stockholm sont arrivés. Ils lui ont fait peur et elle s'est enfuie. Lui, le policier, était vachement en colère. J'ai eu très peur. C'était horrible, mais j'étais obligé. De me défendre. Et de stopper Assa. Mais la dame, elle a disparu. Celle qui vient de Stockholm.

Le silence s'installe.

Je devine la sidération de mon collègue. Malgré l'image floue et le son éraillé, je la sens comme une vibration dans mon corps.

Il reste bouche bée, comme s'il ne parvenait pas à appréhender les révélations de mon cousin.

— Est-ce que tu étais amoureux d'Azra ? s'enquiert Svante après une longue pause.

L'oscillation de la tête de Magnus s'intensifie. Il renifle à nouveau.

— *Amoureux ?*

462

— Oui. Est-ce que tu voulais être près d'elle ? Tu étais attiré par elle ? C'est pour ça que tu ne voulais pas qu'elle parte ?

— Mais…, répond Magnus en renâclant à nouveau. Elle était plutôt comme… un animal de compagnie.

Ma gorge se serre, j'ai du mal à respirer tant je suis choquée. Je clique sur pause.

Il parle d'elle comme un animal domestique.

Ma mère, l'animal de Magnus.

Les joues baignées de larmes, je songe à toutes les fois où je suis allée chez eux, petite.

Souvent, lorsque nous jouions à cache-cache, j'entrais dans la maison de Magnus et me camouflais sous la table de la cuisine. Allongée sur le ventre, le visage contre le linoléum frais, je humais les effluves de cuisson et de cigarette, j'étouffais des gloussements, en attendant que l'on me trouve.

Elle était là, sous moi.

Mes pieds nus d'enfant marchaient au-dessus de sa tête.

Mon oreille était plaquée contre le sol – son plafond.

Pourtant, je n'ai rien remarqué.

Les mots d'Esma me reviennent, ce proverbe qu'elle a cité lorsque nous lui avons rendu visite : *Qui sème le vent récolte la tempête.*

L'orage est là, à présent. Les graines malveillantes que Margareta a semées l'hiver où elle et son fils ont invité Azra et Nermina chez eux, se sont transformées en ouragan rugissant.

Un raclement m'arrache à mes pensées. La porte s'ouvre, laissant passer Manfred qui s'installe en face de moi. Nos yeux se rencontrent et il hoche la tête, comme pour confirmer la véracité de la scène terrifiante que je viens de voir.

Alors, je songe à ce que m'a dit Andreas quand nous nous sommes disputés à propos des réfugiés devant Manfred et que je tentais d'expliquer pourquoi les habitants d'Ormberg étaient aussi mal disposés à leur égard. Je me souviens que je m'efforçais de démontrer pourquoi nous, qui étions d'ici, méritions davantage d'aide que les exilés. Comme si mon origine était une monnaie forte qui pouvait être échangée contre de la sympathie et des privilèges.

Je n'oublierai jamais les mots d'Andreas. Ils sont gravés dans ma mémoire à jamais : *Ça aurait pu être toi… Tu aurais pu être celle qui fuit la guerre et la famine.*

J'ai répondu que ça ne pouvait absolument pas être moi. Je suis d'Ormberg, je ne suis pas une fichue musulmane qui a traversé la Méditerranée sur un canot pneumatique rafistolé dans l'espoir de profiter du système suédois.

Mais c'est Andreas qui avait raison…

À cet instant, ce que j'ai à faire me frappe comme une évidence. Je le dois à Azra, à Nermina, mais aussi à moi-même.

— Manfred. J'ai quelque chose à te dire.

Jake

Quatre mois plus tard

Berit pose des brioches à la cannelle sur la table.

Je regarde par la fenêtre.

Le soleil a fait fondre la neige, révélant de grands sillons noirs dans le champ au-dehors. Auprès du tas de pierres qui jouxte le potager, pousse un courageux pas-d'âne.

Les viennoiseries de Berit embaument la cuisine.

Je ne me rappelle pas la dernière fois que j'ai mangé des pâtisseries tout droit sorties du four. Ça doit être avant la mort de ma mère. Il lui arrivait de se mettre aux fourneaux. Elle préparait volontiers du quatre-quarts, par facilité, mais aussi parfois des petits pains saupoudrés de cannelle et de sucre perlé.

Quant à mon père, il est loin d'être un cordon-bleu, mais cela n'a pas d'importance tant qu'on a un micro-ondes.

Hanne contemple Berit, les sourcils froncés.

— Ma chère Berit, je peux mettre la table.

— Non, non. Reste assise. Je m'occupe de tout. Je vais vous laisser papoter un peu tous les deux. Je vais promener le chien.

— Alors, je ferai la vaisselle.

— Bien sûr que non.

— Mais si !

— Pas question !

On dirait un vieux couple.

Mes parents se chamaillaient souvent de la sorte. Pour des futilités. Qui devait sortir la poubelle, par exemple, ou quelle émission télévisée ils allaient regarder les vendredis soir.

Cela signifie peut-être que Berit et Hanne s'apprécient, comme mon père et ma mère. Même si elles ne sont pas amoureuses.

D'après mon père, c'est « scandaleux » que la municipalité autorise Hanne à vivre chez Berit. D'après lui, ce serait moins cher et plus sûr de la placer dans une institution. Nos avis divergent. Je peine à imaginer Hanne au milieu d'un groupe d'octogénaires séniles, enfermée dans une maison de retraite médicalisée.

Berit boitille jusqu'au vestibule. Joppe, le chien, jette un coup d'œil languissant aux gâteaux avant de rejoindre sa maîtresse d'un pas indolent.

La porte d'entrée claque et nous nous retrouvons en tête à tête.

Hanne hasarde un sourire.

Elle n'est pas aussi maigre que dans mon souvenir et elle a bonne mine. Ses cheveux épais et brillants tombent en vagues sur ses épaules.

— Je te dois des remerciements, annonce-t-elle. Il paraît que tu m'as sauvé la vie.

Mes joues s'empourprent. Je baisse le regard.

Quand elle me tend le plat, je saisis la plus grosse des brioches. J'y plante les dents.

Puis je considère à nouveau la femme. Avec ses yeux pétillants de curiosité, elle me fait penser à une enfant, malgré son âge avancé.

— Je dois t'avouer que je ne sais plus ce qui s'est passé, reconnaît-elle. Mais on me l'a raconté. À plusieurs reprises.

Elle laisse échapper un petit gloussement.

— C'est difficile d'avoir des trous de mémoire ?

Hanne hoche la tête en se servant une brioche. Elle la soupèse au creux de sa paume et l'observe, comme si elle voulait deviner son poids. Ou peut-être les ingrédients qui la composent.

— Oui. Parfois c'est très dur. Mais j'ai l'impression que ça va un peu mieux. On m'a prescrit un nouveau médicament. En plus, ma vie n'est plus aussi *dramatique* qu'avant.

Elle ponctue le mot « dramatique » d'un haussement de sourcils.

— Certains souvenirs reviennent, poursuit-elle. Je ne me remémore toujours pas tout ce qui s'est passé lorsque Peter et moi avons disparu dans la forêt, mais je sais qu'il est…

Elle cligne des yeux plusieurs fois.

— Mort ?

Hanne opine de la tête sans rien dire. Son regard erre vers la fenêtre.

— Est-ce que vous aimeriez vous rappeler tout ce qui s'est passé à Ormberg ?

Elle pose sa pâtisserie sur la table, s'étire et me contemple.

— Je n'en suis pas sûre. Ça dépend. Dans certains cas, l'ignorance est une bénédiction… Et toi ? C'est difficile d'être aussi courageux que tu l'es ?

Sa question me met mal à l'aise ; je ne sais comment répondre.

— Non, euh, oui. Peut-être un peu.

— De quelle manière est-ce difficile ? demande-t-elle avant de mordre dans sa viennoiserie.

Je réfléchis un instant.

— Ce qui est difficile, c'est de trouver le courage qu'on a en soi. Je crois que tout le monde peut être vaillant, il suffit de trouver son courage.

— Tu n'es pas seulement courageux, tu es intelligent. Comment as-tu trouvé cette bravoure, alors ?

Je regarde à nouveau dehors. Berit disparaît entre les sapins et Joppe court autour de ses jambes. Des gouttes tombent du toit sur le rebord de la fenêtre.

— J'ai d'abord dû avoir très peur.

— Je comprends.

Hanne opine du chef comme si elle voyait exactement ce que je voulais dire, comme si le courage était sa spécialité.

En réalité, c'est plutôt étrange que je lui raconte cela. Je ne me suis jamais confié à un adulte. Mais vis-à-vis de Hanne, je me dois d'être sincère, je le sais. J'ai découvert tant de choses sur elle en lisant son carnet – ce n'est que justice qu'elle en apprenne un peu sur moi.

Il s'agit d'équilibre.

— Le courage est une denrée rare de nos jours, reprend-elle en admirant l'église.

Peut-être réfléchit-elle à ce qui se trouve derrière : le centre pour demandeurs d'asile.

Depuis la chute de Margareta dans le précipice, pas un jour ne passe sans que les journaux et la télévision ne parlent de la séquestration de la réfugiée et son enfant dans la cave de Magnus. Et lorsqu'il s'est avéré que la fameuse Malin était la fille biologique de la femme réfugiée, des journalistes du monde entier ont accouru.

Ils surnomment Magnus le « bourreau d'Ormberg » et sa cave l'« antichambre de la mort ». Il semble même que quelqu'un projette d'écrire un roman intitulé *Le Journal de ma disparition* qui relatera les événements.

Au cours de son interrogatoire, Magnus-le-couillon aurait dit qu'Azra était comme un animal de compagnie.

Saga a affirmé que c'était la chose la plus abominable qu'elle ait jamais entendue. Notre professeur d'éducation civique a abordé le thème en cours, suggérant que Margareta et Magnus considéraient Azra et Nermina comme des « êtres inférieurs » à cause de leurs origines.

Des journalistes étrangers ont appelé mon père et nous ont proposé de l'argent pour m'interviewer.

Il leur a répondu d'aller se faire voir.

On ne peut pas faire confiance aux journalistes. Surtout s'ils viennent de grandes villes, comme Stockholm, Berlin, Londres ou Paris.

Hanne et moi avons papoté encore quelques instants, puis Berit est revenue avec le chien et s'est mise à débarrasser.

— Voyons, Berit, proteste Hanne, je m'en occupe tout à l'heure.

— Mais non, je vais le faire.

— Laisse-moi t'aider.

— Ne bouge pas.

Berit contourne la table en claudiquant et force Hanne à se rasseoir.

Lorsque je sors de la maison, je me sens bien.

Avant de démarrer mon scooter, j'envoie un SMS : *Je suis là dans cinq minutes.* Puis j'enfile mon casque et emprunte le sentier en direction de la grande route. La visière remontée, je sens le vent tiède me caresser le visage. Sur les bas-côtés se dressent des congères sales et des flaques de neige fondue miroitent dans les nids-de-poule.

Je tourne à droite après le mont Ormberg, continue une centaine de mètres avant de freiner.

Autour de moi, la forêt se réveille doucement après le long hiver glacial. De petites fougères aux feuilles enroulées poussent dans l'humus brun. Les oiseaux chantent. Le soleil darde ses rayons et une odeur âcre d'herbe humide et de sapin emplit l'air.

Saga est déjà arrivée.

Elle est postée au beau milieu du chemin, les mains enfoncées dans ses poches de jean. Le vent joue avec ses cheveux bleus.

Je lui donne une rapide accolade, puis je produis le journal que je feuillette. Je m'arrête à la dernière page noircie, celle avec l'empreinte sanglante de la main de Hanne.

Je pose la main sur l'empreinte. Elle fait exactement la même taille.

Saga m'imite.

Comme je lui suis reconnaissant ! Elle m'a pardonné de lui avoir caché le journal. Et heureusement que sa mère a quitté ce salaud de Björn – au moins, elle ne risque plus de mourir assassinée dans un sauna.

Je reviens quelques pages en arrière, déchiffre les pattes de mouche à présent familières.

Quand tout sera terminé, je brûlerai ce journal, oblitérant ainsi les deux dernières semaines de ma vie. Il me faut oublier Ormberg et tout ce qui s'y est passé – parce que avant notre arrivée, la vie était parfaite, malgré la maladie.

Oh, Dieu, je ne te demande qu'un seul service : aide-moi à oublier !

— J'y vais ? demande Saga.

Je lui donne mon aval d'un signe de tête, en songeant à ce que m'a dit Hanne : *Parfois, l'ignorance est une bénédiction.*

Mon amie fouille dans sa poche et en sort un briquet. Elle l'allume et approche la flamme du carnet.

Le feu crépite en s'emparant des pages sèches ; les flammes lèchent le papier et, l'espace d'un instant, on dirait que les mots prennent leur essor, libérés du papier ondulé, semblable à un parchemin.

Comme si l'histoire de Hanne continuait à exister sans son support.

Laissant tomber le cahier sur les graviers, j'observe le feu dévorer l'une après l'autre les pages, jusqu'à s'attaquer à la couverture. Le carton se consume et de petits fragments noirs, fins comme de la gaze, s'envolent au gré du vent.

La main de Saga se faufile dans la mienne, l'étreint de toutes ses forces.

— Allez, on y va ? dit-elle.

À propos du *Journal de ma disparition*

Nous vivons une époque obscure. Jamais dans l'histoire les exilés n'ont été aussi nombreux et les flux de réfugiés nourrissent, hélas, la xénophobie, les conflits, la peur.

Si le village d'Ormberg que je dépeins n'a pas de réalité géographique, il existe tout de même – partout autour de nous. Peut-être y vivez-vous sans en avoir conscience ; peut-être le traversez-vous en allant travailler ou rendre visite à votre vieille maman. Ormberg est une situation plutôt qu'un lieu – une situation qui découle d'un grand bouleversement, tel un incendie forestier qui brûle tout sur son passage. Ormberg est ce qui germe dans les cendres, dans le terreau calciné. Ce qui s'alimente de la résignation, du mécontentement, voire simplement de l'ennui.

Tu aurais pu être celle qui fuit la guerre et la famine, dit Andreas à Malin. C'est ce message simple, mais essentiel, que je veux transmettre à travers mon roman.

REMERCIEMENTS

Je tiens à remercier tous ceux qui ont participé au travail sur *Le Journal de ma disparition*, en particulier Katarina Ehnmark Lundquist et Sara Nyström des éditions Wahlström & Widstrand, ainsi que mes agentes, Christine Edhäll et Astri von Arbin Ahlander de l'agence Ahlander. Je dois également une reconnaissance éternelle à Åsa Torlöf, qui a lu mon manuscrit et a apporté sa contribution sur des questions policières, Martina Nilsson, qui a généreusement partagé ses connaissances sur les analyses ADN, ainsi que Lejla Hastor qui m'a assistée pour les questions liées à la Bosnie-Herzégovine. Enfin, je souhaiterais remercier ma famille et mes amis pour leur bienveillance et leurs mots d'encouragement pendant l'écriture de mon roman. Sans votre amour et votre patience, ce livre n'aurait pas pu voir le jour.

Le Livre de Poche s'engage pour l'environnement en réduisant l'empreinte carbone de ses livres. Celle de cet exemplaire est de :

400 g éq. CO_2

Rendez-vous sur www.livredepoche-durable.fr

PAPIER À BASE DE
FIBRES CERTIFIÉES

Composition réalisée par Belle Page

Achevé d'imprimer en janvier 2021, en France sur Presse Offset par
Maury Imprimeur – 45330 Malesherbes
N° d'imprimeur : 250218
Dépôt légal 1re publication : février 2019
Édition 17 – janvier 2021
LIBRAIRIE GÉNÉRALE FRANÇAISE – 21, rue du Montparnasse – 75298 Paris Cedex 06